생각 읽기가 독해다!

생각독해 V

디딤돌

생각 읽기가 독해다!

'독해력'이 곧 '공부력'이라는 말 들어 보셨나요?

세상의 모든 지식은 문자로 되어 있고, 그 문자를 읽고 이해해서 자기 것으로 만드는 일이 바로 '공부'입니다. 모든 학습의 기초가 되는 과목인 '국어'를 잘하면 '공부'도 잘한다는 말이 나온 이유가 바로 여기에 있습니다.

독해력이 부족한 친구들이 부딪히는 부분은 크게 두 가지입니다.

하나는 지문을 끝까지 집중하며 읽어 내지 못하는 것이고, 다른 하나는 글쓴이가 말하고자 하는 바, 다시 말해 글의 초점을 제대로 파악하지 못하는 것입니다.

한 편의 글을 다 읽어도 글쓴이가 말하고자 하는 바를 이해하지 못한다면, 안 읽느니만 못한 결과를 가져오게 되죠. **결국 독해의 승패는 '얼마나 많이 읽었느냐'가 아니라 '글을 얼마나 잘 읽을 수 있느냐'에 달려 있습니다.**

수능은 교과 내용을 알기만 한다고 풀 수 있는 시험이 아니며, 높은 수준의 사고력이 뒷받침되어야 합니다. 제아무리 기술이 좋고, 멘탈이 강한 운동선수도 기본 체력이 따라 주지 않으면 시합에서 좋은 성적을 기대할 수 없는 것처럼 독해력이 뒷받침되지 않으면 우리가 곧 경험하게 될 입시에서도 성공할 수 없습니다.

한 편의 글에는 글쓴이의 고도화되고 정교하게 다듬어진 생각이 담겨 있습니다. 글을 읽을 때 글 속에 담긴 글쓴이의 생각을 따라가다 보면, 그 과정 속에서 글의 구조를 파악하게 되고, 글쓴이가 무엇을 말하고자 하는지도 알아낼 수 있습니다. 그리고 그 과정이 자연스러워질수록 글을 읽는 학습자의 생각은 깊어지고 독해력도 그만큼 높아지게 됩니다.

내신도, 수능도 독해력이 결국 답입니다.

글을 읽으면 핵심어와 중심 내용이 파악되고, 글쓴이가 무엇을 말하고자 하는 글인지가 머리에 들어와야 합니다. 글 안에 담겨 있는 정보를 이해하는 데서 그치는 것이 아니라 글 뒤에 숨어 있는 글쓴이의 생각까지 파악해야 하는 거죠.

정독이냐, 속독이냐, 다독이냐 … 독해의 속도와 양은 중요하지 않습니다.

이제부터는 왜, 무엇을, 어떻게 제대로 생각하느냐가 중요합니다.

제대로 된 방법만 쓴다면 독해력, 더 나아가 수능 국어영역 점수를 올리는 것은 그다지 어려운 일이 아닙니다. 생각독해는 독해의 제대로 된 방법, '정도(正道)'를 제시합니다.

글쓴이와 맞장 뜰 수 있단 각오로 독해에 임하십시오!

생각독해가 여러분의 자신감에 날개가 되어 줄 것입니다.

글에 담긴 생각 어떻게 읽어야 하지?
생각읽기로 시작하자

생각의 발견은 빅 아이디어에서 시작된다

우리를 둘러싼 수많은 이슈 중에서
중요하고 가치 있는 빅 아이디어를 선정했습니다.
빅 아이디어를 통해 다양한 생각을 발견하고
확장해 나갈 수 있습니다.

하나의 아이디어로 다양한 생각을 읽다

6개의 생각읽기에서는 빅 아이디어에 대한 다양한 영역의
이야기들이 펼쳐집니다. 같은 아이디어로 인문, 사회, 경제,
역사, 과학, 기술, 미술 등에서 어떤 생각들이 오고 가는지
궁금하지 않나요?

글쓴이의 생각이 궁금해?
0번 문제로 확인하자!

생각읽기 1~6의 0번 문제는 주제와 관련된
글쓴이의 생각을 묻고 있습니다. 글 안의 정보는 물론
글쓴이의 숨은 의도까지 볼 수 있어야 하는
종합적인 문제입니다.

글쓴이의 생각 어떻게 읽어야 하지?
생각읽기가 수능이다로 확인하자!

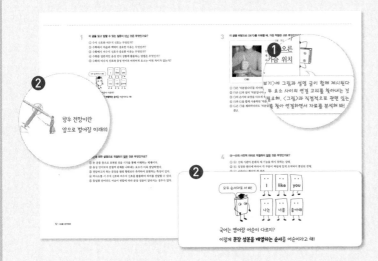

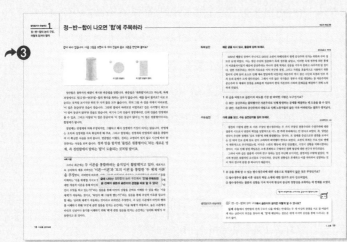

너무 어려워? 내가 도와줄게~
어려운 문제가 나와서 두렵거나, 문제를 풀다가 막히면
내가 하는 말에 힌트가 숨어 있으니깐 잘 봐 둬!

❶ 출제자의 마음이 궁금해?
도움팁으로 확인하자!

문제를 풀다 보면 출제자가 왜 이 문제를 냈을까
궁금하지 않나요? 문제를 풀 때 정말로 도움되는 꿀팁만
출제자의 마음으로 제시하였습니다.

❷ 독해원리가 궁금해?
그림으로 원리를 확인하자!

개념을 안다고 독해 문제가 술술 풀릴까?
문제 속에 숨겨진 독해원리는 그림을 통해 개념은 물론
그 원리까지 익힐 수 있습니다.

❸ 글쓴이의 생각이 궁금해?
문단 구조만 봐도 글쓴이의 생각이 보인다!

글을 읽다가 글쓴이의 생각이 궁금하면,
생각읽기가 수능이다에서 그 궁금증을 해결할 수 있습니다.
배운 글로 독해실전 – 기출로 수능실전

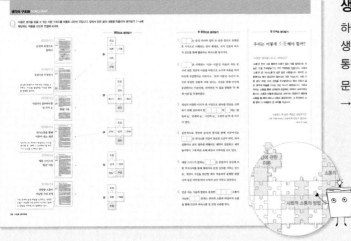

생각의 구조화로 다양한 영역의 생각을 통합하다

하나의 빅 아이디어로 6개의 생각읽기가 끝나면,
생각의 구조화로 빅 아이디어에 대한 다양한 생각을
통합할 수 있습니다.

문단으로 생각읽기 → 한 문장으로 생각읽기
→ 한 단어로 생각읽기

놀이처럼 각 문단에 담긴 생각을 퍼즐로 만드는
훈련을 반복하면, 나도 모르는 사이 한 편의 글
이 머릿속에 퍼즐 형태로 보여!

Contents

01 소통

생각의 발견

소통을 말하다!

굳이 말하지 않아도 내 마음을 이해하는 사람이 있다면 얼마나 좋을까요? 그래서 시인 김영랑은 '내 마음 아실 이 / 내 혼자 마음 날같이 아실 이'가 있기를 바라는 마음을 노래했는지도 모르겠습니다. 하지만 현실에서는 내 생각과 마음을 정확하게 표현하지 않으면 오해받는 경우가 많습니다. 그래서 우리는 주로 말과 글, 몸짓, 표정, 이모티콘, 그림, 사진 등 다양한 매체를 사용하여 생각과 마음을 표현하고, 상대방의 생각과 마음을 이해하려 합니다. 그리고 이러한 소통은 상대방과의 공감을 이끌어 내기도 합니다. 그런데 우리가 소통하는 방식에는 어떤 것들이 있을까요? 또 상대방과의 공감은 어떻게 일어날까요? 이러한 물음들에 대한 답을 함께 찾아봅시다.

손짓과 표정으로 말하다

수화를 통한 의사소통

Q 수화는 어떻게 표현되고, 어떻게 이해되는 체계인가요?

‎수화(手話)‎는 청각 ⓐ장애가 있는 사람들이 손과 손가락의 모양, 손바닥의 방향, 손의 위치, 손의 움직임을 달리하여 의미를 전달하는 언어이다. 우리가 일반적으로 사용하는 음성 언어는 음성으로 표현된 후 청각으로 이해되는 ⓑ체계인 반면, 수화는 손 운동 등으로 표현된 후 시각으로 이해되는 체계라는 점이 특징적이다. 또한 수화는 음성 언어에 비해 조사, 어미 등과 같은 문법적 관계를 나타내는 형태소*가 발달되지 않아서, 주로 어순이나 수화의 맥락 등에 따라 그 문장 성분이 무엇인지 결정된다. 예를 들어 ‘{예쁘다} {꽃}’(이때 { }는 수지* 신호임을 알려 주는 표시임.)의 순서로 수화하면, {예쁘다}가 어미의 활용 없이 ‘꽃’을 꾸미는 관형어가 된다. 하지만 ‘{꽃} {예쁘다}’의 순서로 수화하면 {예쁘다}의 문장 성분은 서술어가 되므로, 수화에서는 동일한 표현이더라도 어순에 따라 문장 성분이 달라진다는 것을 확인할 수 있다.

수화는 손을 사용하는 수지 신호와 손 이외의 얼굴, 눈썹의 움직임, 입 모양 등을 사용하는 비수지 신호를 활용하여 의미를 전달한다. 이때 비수지 신호는 수지 신호와 함께 자연스럽게 나타나는데, 일반적인 음성 언어 상황에서 사용되는 비언어적 요소와 유사한 ⓒ측면이 있다. 그러나 비언어적 요소는 의사소통 상황에서 발화*자의 감정을 강조하는 보조적 역할만을 담당하는 데 비해, 수화의 비수지 신호는 문장 종결 등의 문법적인 역할까지 수행한다는 차이점이 있다.

(1)	비수지 신호	눈썹을 올리고 입을 크게 벌리며 얼굴을 뒤로 약간 젖힘.
	수지 신호	{나} {화나다}
	의미	나는 굉장히 화났다.

(1)에서 ‘눈썹을 올리고 입을 크게 벌리며 얼굴을 뒤로 약간 젖힘.’이라는 비수지 신호는 수지 신호에 ⓓ동반되어 활용되는데(수지 신호 중 밑줄이 표시된 부분은 수지 신호와 비수지 신호가 함께 지속되는 부분임을 알려 주는 것임.), 이로써 수지 신호만으로 의미를 전달할 때보다 수화자의 감정이나 느낌 등을 더욱 강조하는 기능을 수행한다. 이럴 경우 (1)의 비수지 신호는 음성 언어의 비언어적 요소와 유사한 기능을 한다고 볼 수 있다.

(2) – 1	비수지 신호	눈썹을 올리고 입을 벌리며 고개를 앞으로 내밂.
	수지 신호	{이해} {되다} {－ㅂ니까}
	의미	이해가 됩니까?

(2) – 2	비수지 신호	눈썹을 올리고 입을 벌리며 고개를 앞으로 내밂.
	수지 신호	{이해}
	의미	이해가 됩니까?

일반적으로 국어에서는 의문형 종결 어미가 서술어의 어간에 결합하여 의문문이 된다. 이와 달리 수화에서는 (2)-1에서처럼 {－ㅂ니까}라는 수지 신호와 함께 ‘의문’의 의미를 나타내는 비수지 신호인 ‘눈썹을 올리고 입을 벌리며 고개를 앞으로 내밂.’을 사용하여 의문형을 나타낼 수 있다. 그런데 일반적인 수화 상황에서는 문장을 축약하여 표현하는 특성이 있어서, (2)-2에서처럼 {－ㅂ니까}라는 수지 신호를 사용하지 않으면서도, 단지 의문을 나타내는 비수지 신호만으로 의문형을 표현하기도 한다.

(3)	비수지 신호	눈썹을 올리고 입을 크게 벌림.
	수지 신호	{빨리빨리} {결정}.
	의미	빨리빨리 결정해라.

(3)에서 '눈썹을 올리고 입을 크게 벌림.'과 같은 비수지 신호를 통해 수화의 명령문을 나타
낼 수도 있다. 이는 일반적으로 (3)에서와 같이 문장 끝에 있는 수지 신호와 함께 나타나는데,
특히 강하게 명령할 때에는 비수지 신호를 문장의 첫 부분에 있는 수지 신호에서부터 지속적
으로 강하게 표현하는 방식을 활용한다.

이렇듯 수화는 수지 신호와 비수지 신호를 함께 활용하여 의미를 전달하는 의사소통 방식이
자, 시각적 신호와 의미의 대응 관계를 ⓔ바탕으로 이루어지는 언어 체계인 것이다. 그래서
음성 언어를 통한 의사소통에 어려움을 겪고 있는 청각 장애인들은 시각 언어인 수화라는 그
들만의 언어 체계를 통해 의사소통을 하고 있다. 즉 수화는 다른 언어와 마찬가지로 분명한 언
어 체계를 가지고 있으며, 그 언어 체계를 통해 무엇이든지 배우고 접근하고 소통할 수 있다.

* 형태소: 뜻을 가진 가장 작은 말의 단위.
* 수지: 손끝의 다섯 개로 갈라진 부분. 또는 그것 하나하나.
* 발화: 소리를 내어 말을 하는 현실적인 언어 행위. 또는 그에 의하여 산출된 일정한 음의 연쇄체.

0 이 글에서 얻은 정보를 바탕으로 기사문을 쓰려고 합니다. 표제와 부제로 가장 적절한 것을 고르
세요.

① 수화와 음성 언어의 비교 및 대조
  – 각 문법 요소들의 공통점과 차이점을 중심으로

② 음성 언어와 구별되는 수화의 특징
  – 수지 신호와 비수지 신호의 활용 사례를 중심으로

③ 현행 수화 방식의 문제점과 개선 방안
  – 음성 언어에 비해 제약이 많은 수화의 한계점을 중심으로

④ 청각 장애인의 의사소통 방법인 수화
  – 청각 장애인이 의사소통에서 곤란을 겪는 실제 사례를 중심으로

⑤ 수화를 활용한 의사소통의 원리
  – 수지 신호가 비수지 신호에 비해 많이 사용되는 이유를 중심으로

> 표제와 부제는 결국 중심 내용을 묻는 거야.
> 중심 내용을 파악하기 위해서는 글에서 어떤
> 대상을 다루고 있는지, 그중 어떤 특징에 초점
> 을 두고 있는지를 떠올려 보는 것이 좋겠지?

1 이 글을 읽고 답할 수 있는 질문이 <u>아닌</u> 것은 무엇인가요?

① 수지 신호와 비수지 신호는 무엇인가?
② 수화에서 어순과 맥락이 중요한 이유는 무엇인가?
③ 수화에서 비수지 신호가 중요한 이유는 무엇인가?
④ 수화를 일반적인 음성 언어 상황에 활용하는 방법은 무엇인가?
⑤ 수화의 비수지 신호와 음성 언어의 비언어적 요소는 어떤 차이가 있는가?

국어는 영어랑 어순이 다르지?
이렇게 문장 성분을 배열하는 순서를 어순이라고 해!

2 수화 에 대한 설명으로 적절하지 <u>않은</u> 것은 무엇인가요?

① 손 운동 등으로 표현된 것을 시각을 통해 이해하는 체계이다.
② 음성 언어보다 문법적 관계를 나타내는 요소가 더욱 발달하였다.
③ 전달하고자 하는 문장을 원래 형태보다 축약하여 표현하는 특성이 있다.
④ 의사소통 시 수지 신호와 비수지 신호를 활용하여 의미를 전달할 수 있다.
⑤ 동일한 단어라도 어순이 변함에 따라 문장 성분이 달라지는 경우가 있다.

3 이 글을 바탕으로 〈보기〉를 이해할 때, 가장 적절한 것은 무엇인가요?

├ 보 기 ├

〈그림〉

　　전국적으로 전염병이 확산되고, 이를 해결하기 위한 의료인들의 헌신과 노력이 계속되고 있다. 이러한 의료인들에게 감사의 마음을 표현하기 위해 '덕분에 챌린지'가 유행하고 있다. 〈그림〉은 '덕분입니다'를 의미하는 수화로, ㉠오른쪽 엄지손가락을 세워 왼쪽 손바닥 위에 올리고 가슴 위치에 대며, ㉡환한 미소를 짓는 방식으로 표현한다.

〈보기〉에 그림과 설명 글이 함께 제시된다면, 두 요소 사이의 연결 고리를 찾아내는 것이 필요해. 〈그림〉과 직접적으로 관련 있는 정보를 찾아 연결하면서 자료를 분석해 봐!

① ㉠은 '덕분입니다'를 의미하는 수화의 비수지 신호에 해당하겠군.

② ㉠은 ㉡과 달리 '덕분입니다'를 표현하기 위한 보조적 역할을 담당하겠군.

③ ㉠의 손가락 모양을 다르게 해도 '덕분입니다'의 의미는 제대로 전달될 수 있겠군.

④ ㉠과 ㉡을 함께 사용하면 '덕분입니다'를 표현하는 수화자의 감정까지 강조할 수 있겠군.

⑤ ㉡은 ㉠을 제외하더라도 '덕분입니다'를 표현할 수 있으므로 수화의 수지 신호에 해당하겠군.

4 ⓐ~ⓔ의 사전적 의미로 적절하지 않은 것은 무엇인가요?

① ⓐ: 신체 기관이 본래의 제 기능을 하지 못하는 상태.

② ⓑ: 일정한 원리에 따라서 각 부분이 짜임새 있게 조직되어 통일된 전체.

③ ⓒ: 사물이나 현상의 한 부분.

④ ⓓ: 맞지 아니하고 서로 어긋남.

⑤ ⓔ: 사물이나 현상의 근본을 이루는 것.

공감이란 무엇인가

공감에 관한 이론

Q 리버먼은 '공감'에 관한 기존의 이론을 어떻게 정리하였나요?

만약 길거리에서 넘어져 다리를 다친 어떤 사람이 "으악!"이라고 소리를 지른다면, 우리는 그 사람이 통증을 느끼고 있다고 생각하게 된다. 이처럼 내가 아닌 다른 사람의 심정이나 의도 등을 이해하는 것을 '공감'이라고 한다. 공감은 '남의 감정, 의견 주장 따위에 대하여 자기도 그렇다고 느낌.'을 뜻하는데, 이는 인간 생활의 중요한 요소 중 하나로 꼽는다. 왜냐하면 공감으로 인해 사람은 소외감을 극복할 수 있고, 서로 협력할 수 있으며, 이타적인 행위까지 할 수 있기 때문이다.

공감에 관해 설명하는 대표적인 이론에는 '이론-이론(Theory-Theory)'과 '모의 이론(Simulation Theory)'이 있다. 그중 '이론-이론'은 사람이 세상을 접하면서 마음의 작동 방식에 대한 개념적 이론을 갖게 되는데, 이러한 정보를 바탕으로 논리적 추론을 하여 타인의 마음을 이해할 수 있다고 본다. 앞부분의 사례와 관련하여, 사람은 누구나 한 번쯤은 넘어졌던 경험이 있다. 이러한 경험을 통해 '자신이 다쳤다는 사건의 발생 → 통증을 느낀다는 마음 → 소리를 지른다는 표현'이라는 세 가지 요소 사이에 인과적 법칙이 있다는 개념적 이론을 가지게 된다. 그렇기 때문에 사람은 길거리에서 넘어져 다친 타인이 소리를 지르는 모습을 목격하게 되었을 때, 자신이 지닌 개념적 이론에 근거하여 그 사람이 통증을 느꼈을 것이라고 추론할 수 있게 된다. 이러한 '이론-이론'에 따르면 사람은 약 4세부터 마음의 작동 방식에 대한 개념적 이론을 가지게 되고, 이로써 자기중심적으로 사고하지 않게 되며, 자신의 마음과 타인의 마음이 ㉠다를 수 있다는 사실을 알게 된다. 그리고 이를 바탕으로 타인의 마음을 이해하고, 공감할 수 있게 된다는 것이다.

이와 달리 '모의 이론'은 자신이 타인과 동일한 상황에 처했다면 어떠할지를 상상해 봄으로써 다른 사람을 이해할 수 있다고 본다. '모의 이론'에 따르면 사람은 타인의 상황에 자신을 투사한 후, 그 상황에서 자신의 마음 상태를 상상하는 일종의 모의실험을 하게 된다. 그리고 그로 인해 얻은 생각과 느낌을 다시 타인에게 투사함으로써 타인의 마음을 이해할 수 있다고 보는 것이다. 앞부분의 사례와 관련하여, 넘어져 다친 사람이 소리를 지르는 것을 목격하였을 때, 그 상황에서 자신이라면 어떤 마음이었을지를 상상으로 재현해 봄으로써 비로소 타인의 마음을 이해할 수 있다고 보는 것이다. 이는 타인과 동일한 상황에서는 타인의 마음과 모의실험을 한 자신의 마음이 서로 유사하다고 보는 첫 번째 전제와 타인의 마음보다는 자신의 마음에 접근하기가 더욱 용이하다는 두 번째 전제를 모두 기반으로 한다.

이처럼 관점의 차이를 보이는 '이론-이론'과 '모의 이론'은 그동안 상호 배타적인 논쟁을 지속해 왔다. '이론-이론' 측에서는 '모의 이론'에서 언급한 모의실험이 타인의 마음을 정확하게 재현할 수 없다는 점을 문제 삼았고, '모의 이론' 측에서는 '이론-이론'에서 언급한 마음의 작동 방식에 대한 개념적 이론이 실제로 존재하지 않는다고 지적해 왔다.

그러나 최근에는 두 이론을 통합하려는 움직임이 활발해지고 있다. 대표적으로 심리학자 매튜 리버먼은 '이론-이론'과 '모의 이론'을 통합한 '두 체계 이론'을 주장한다. 리버먼에 따르면, 사람은 '모의 이론'에서 내세우는 모의실험으로 타인의 마음을 이해하는 '거울 체계'를 가지고 있을 뿐만 아니라, '이론-이론'에서 내세우는 마음의 작동 방식에 대한 개념적 이론을 통해 타인의 마음을 이해하는 '심리화 체계'를 모두 가지고 있다. 그런데 "타인이 무엇을 하고 있는

정-반-합의 논리 구조, 어떻게 읽어야 할까
정반합에서는 '합'에 주목해 봐! 그게 바로 글의 결론이니까~

▶ 생각읽기가 수능이다 18쪽

가?"라는 질문을 통해 타인의 상황을 곧바로 이해할 수 있을 때는 '거울 체계'가 작동하는 것이고, "타인이 왜 그렇게 했는가?"라는 질문을 통해 추상적 이유를 알고자 할 때는 '심리화 체계'가 작동하는 것이라고 리버먼은 주장한다. 즉 낮은 수준에서 타인의 행위를 이해하기 위해 '무엇'에 관한 질문을 던지는 순간에는 '거울 체계'가 작동하고, 높은 수준에서 타인의 신념이나 동기를 이해하기 위해 '왜'에 관한 질문을 던지는 순간에는 '심리화 체계'가 작동한다고 본 것이다. 이와 관련하여 리버먼은 더욱 복잡한 과정을 거치지 않으면 공감이 완성되지 않는다고 보았고, '거울 체계'와 '심리화 체계'의 작동을 바탕으로 타인과의 정서적 일치와 실천적 동기까지 나아가야 진정한 공감이 가능하다고 설명한다. 타인의 감정 상태와 동일한 느낌을 가지게 되고, 이후 타인을 도와야겠다는 마음까지 형성되었을 때 비로소 '공감'이 완성된다고 보는 것이다.

0 이 글의 핵심 화제로 가장 알맞은 것을 고르세요.

① '공감'을 설명하는 대표적인 이론들
② '거울 체계'와 '심리화 체계'의 영향 관계
③ 공동체 상황에서 강조되는 '공감'의 기능
④ '이론-이론'과 '모의 이론'이 지닌 문제점
⑤ '공감'에 관한 리버먼의 주장이 갖는 의의

'공감', '거울 체계', '심리화 체계', '이론' 등은 모두 지문에 제시된 용어야. 그중 글 전체를 대표할 수 있는 용어는 무엇일까? 이렇게 글 전체를 대표할 수 있는 용어들을 조합하면 '제목'을 만들 수 있어!

1 이 글에 대한 학생의 이해와 그에 대한 판단이 다음과 같을 때, 적절한 것은 무엇인가요?

학생의 이해	판단	
	적절함	부적절함
① 공감을 통해 타인과 협력할 수 있고 소외감을 극복할 수 있다.	✓	
② 공감은 타인의 심정을 이해하는 것으로 인간 생활의 중요한 요소이다.		✓
③ '이론-이론'은 '모의 이론'에서 언급한 개념적 이론이 실재하지 않음을 지적하였다.	✓	
④ 리버먼은 '거울 체계' 또는 '심리화 체계'를 가지고 있는 사람이 구분된다고 보았다.	✓	
⑤ 리버먼은 낮은 수준의 타인의 행위를 이해하고자 할 때 '거울 체계'가 작동한다고 보았다.		✓

2 이 글의 내용 전개 방식으로 가장 적절한 것은 무엇인가요?

① 특정 대상의 개념을 정의한 후, 다른 대상과 비교하여 그 역할과 기능을 강조하고 있다.

② 특정 대상을 설명하는 두 가지 이론을 대조하고, 이를 절충하는 새로운 이론을 소개하고 있다.

③ 특정 대상과 관련된 이론이 발달하는 과정을 시간의 흐름에 따라 설명하고, 향후 전망을 예측하고 있다.

④ 특정 대상이 사람들에게 미치는 영향력을 분석하고, 사례를 들어 그것의 도입 필요성을 부각하고 있다.

⑤ 특정 대상에 대한 기존 통념의 문제점을 비판하고, 해결책을 제시하는 다양한 이론가들의 견해를 설명하고 있다.

향후 전망이란
앞으로 벌어질 미래의 상황을 멀리 내다본다는 뜻이야!

3 이 글을 바탕으로 〈보기〉를 이해한 내용으로 적절하지 **않은** 것은 무엇인가요?

┤보 기├

　'갑'은 비 오는 날에 우산을 쓰고 길을 걷다가, 비를 맞으며 걷고 있는 '을'의 모습을 목격했다. '을'은 기상 예보를 보지 못해서 우산을 준비하지 못했고, 많은 비를 고스란히 맞다 보니 체온이 내려가서 그 고통으로 인해 몸을 떨고 있었다. '갑'은 과거에 자신도 우산을 챙겨 오지 못해서 비를 맞고 힘들어하며 귀가했던 경험이 떠올랐다.

① '이론-이론'에 따르면, '갑'은 '을'과 유사한 경험을 했던 것을 바탕으로 '을'의 심리에 공감할 수 있겠군.

② '모의 이론'에 따르면, '갑'은 비를 맞고 있는 '을'의 고통과 마음 상태를 상상으로 재현해 봄으로써 '을'의 심리를 이해할 수 있겠군.

③ '이론-이론'에 따르면, '갑'은 '비를 맞음 → 체온 저하로 고통을 느낌 → 몸을 떪' 사이의 개념적 이론을 근거로 '을'의 마음을 이해할 수 있겠군.

④ '모의 이론'에 따르면, '갑'은 '을'이 비를 맞고 몸을 떠는 상황에 자신을 투사하여 상상하더라도 '을'의 고통과 마음을 제대로 이해하기 어렵다고 보겠군.

⑤ '모의 이론'에 따르면, '갑'은 모의실험으로 얻은 생각과 느낌을 바탕으로 비를 맞고 몸을 떠는 '을'과 마음과 모의실험을 한 자신의 마음이 서로 유사하다고 생각하겠군.

4 다음 밑줄 친 말 중, ㉠의 의미와 가장 거리가 **먼** 것은 무엇인가요?

① 큰아들은 아버지와 얼굴이 <u>다르다</u>.
② 칠월이 되자 날씨가 하루가 <u>다르게</u> 더워진다.
③ 쌍둥이의 외양은 비슷하지만 성격은 서로 <u>다르다</u>.
④ 고장 난 문을 수리한 것을 보니 기술자는 역시 <u>다르다</u>.
⑤ 나이가 드니까 몸 상태가 예전과 <u>다르게</u> 나빠지는 게 느껴진다.

문맥적 의미를 파악하려면 하나의 단어에서 다의 관계에 있는 여러 의미를 적절히 구분하여 비교하는 능력을 길러야 해.

정-반-합이 나오면 '합'에 주목하라

컵이 하나 있습니다. 다음 그림을 보면서 두 가지 진술의 옳고 그름을 판단해 볼까요?

① 이 컵은 둥글다.

② 이 컵은 둥글지 않다.

　정반합은 철학자인 헤겔이 제시한 변증법을 말합니다. 변증법은 '대화법'이라고도 하는데, 독해 과정에서도 정(긍정)-반(부정)-합의 형식을 취하는 경우가 많습니다. 예를 들어 볼까요? 서로 모순되는 것처럼 보이지만 위의 두 가지 물음 모두 옳습니다. 위의 그림 속 컵을 위에서 바라보면, '이 컵은 둥글다'란 진술이 맞습니다. 그런데 옆에서 바라보면 어떨까요? 컵은 사각형이 되므로 '이 컵이 둥글지 않다'란 진술도 맞습니다. 여기서 ①의 진술이 정명제라면, ②의 진술은 반명제로 볼 수 있죠. 그리고 마침내 '이 컵은 둥글다'와 '이 컵은 둥글지 않다'는 '이 컵은 원통형이다'라는 합명제가 됩니다.

　정명제는 반명제에 의해 부정되지만, 그렇다고 해서 정명제가 거짓이 되지는 않습니다. 반명제는 오히려 정명제를 더욱 확실하게 해 주죠. 그리고 합명제는 정명제와 반명제의 내용을 종합하여 더 확실한 사실을 보여 줍니다. 변증법은 이렇듯, 진리는 고정되어 있지 않고 시간에 따라 발전한다는 사실을 보여 줍니다. 정과 반을 합치면 '물컵은 원통형이다.'라는 새로운 명제, 즉 정반합에서 말하는 '합'이 도출되는 것처럼 말이죠.

14쪽 지문

　그러나 최근에는 **두 이론을 통합하려는 움직임이 활발해지고 있다.** 대표적으로 심리학자 매튜 리버먼은 **'이론-이론'과 '모의 이론'을 통합한 '두 체계 이론'을 주장**한다. 리버먼에 따르면 ~~사람~~ '모의 이론'에서 내세우~~는 모의실험으로 타인의 마음을~~ 이해하는 '거울 체계'를 가지고 있~~　　　　　　　　　　　　　　　　　　　~~식에 대한 개념적 이론을 통해 타인의 ~~　　　　　　　　　　　　　　　　　　~~ "타인이 무엇을 하고 있는가?"라는 질문을 통해 타인의 상황을 곧바로 이해할 수 있을 때는 '거울 체계'가 작동하는 것이고, "타인이 왜 그렇게 했는가?"라는 질문을 통해 추상적 이유를 알고자 할 때는 '심리화 체계'가 작동하는 것이라고 리버먼은 주장한다. 즉 낮은 수준에서 타인의 행위를 이해하기 위해 '무엇'에 관한 질문을 던지는 순간에는 '거울 체계'가 작동하고, 높은 수준에서 타인의 신념이나 동기를 이해하기 위해 '왜'에 관한 질문을 던지는 순간에는 '심리화 체계'가 작동한다고 본 것이다.

> 글에 나타난 **정반합의 논리 구조**에서 **'합'에 주목하면** 글 전체의 결론과 글쓴이의 관점을 바로 알 수 있다!

독해실전

배운 글을 다시 읽고, 물음에 답해 보세요.

생각독해 Ⅱ 160쪽

1989년 베를린 장벽이 무너지고 1991년 소련이 와해되면서 현재 공산주의 국가는 북한과 쿠바 정도만 남게 되었다. 이는 생산 수단의 집중화가 독재 정부를 낳았고, 이러한 독재 정부에 의한 통제가 비효율적이었기 때문에 공산주의는 하나의 경제 체제로 성공을 거두지 못하고 사라지게 된 것이다. 반면 자본주의는 개인의 자유로운 이익 추구와 경쟁, 그리고 자원을 효율적으로 사용하기 위한 합리적 선택 등의 요소로 인해 계속 발달하게 되었지만 자본주의 역시 생산 수단의 독점과 빈부 격차 등의 문제가 크게 대두되었다. 그래서 이후 많은 국가들은 정부가 직접 개입하는 등 자본주의와 공산주의 두 체제의 장점을 조화롭게 적용하여 현대 자본주의 사회의 문제들을 해결하기 위해 노력하게 되었다.

1 위 글을 바탕으로 글쓴이의 의도를 가장 잘 파악한 사람은 누구인가요?

① 호진: 공산주의는 몰락했지만 자본주의로 인해 발생하는 문제를 해결하는 데 도움을 줄 수 있다.

② 경진: 자본주의와 공산주의의 대립으로 인해 노동자들의 삶은 더욱 어려워지는 결과가 생겨났다.

수능실전

아래 글을 읽고, 수능 실전감각을 길러 보세요.

2013학년도 고3

냉전의 기원에 관한 또 다른 주장인 탈수정주의는 두 가지 주장인 전통주의와 수정주의에 대한 절충적 시도로서 냉전의 책임을 일방적으로 어느 한 쪽에 부과해서는 안 된다고 보았다. 즉, 냉전은 양국이 추진한 정책의 '상호 작용'에 의해 발생했다는 것이다. 또 경제를 중심으로만 냉전을 보아서는 안 되며 안보 문제 등도 같이 고려하여 파악해야 한다고 보았다. 소련의 목적은 주로 안보 면에서 제한적으로 추구되었는데, 미국은 소련의 행동에 과잉 반응했고, 이것이 상황을 악화시켰다는 것이다. 이로 인해 냉전 책임론은 크게 후퇴하고 구체적인 정책 형성에 대한 연구가 부각되었다.

그러나 이와 같은 절충적 시각의 연구 성과는 일견 무난해 보이지만, 잠정적일 수밖에 없었다. 역사적 현상은 복합적인 요인들로 구성되지만, 중심적 경향성은 존재하고 이를 파악하여 설명하는 것이 역사 연구의 본령 중 하나이기 때문이다.

1 위 글을 통해 알 수 있는 탈수정주의에 대한 내용으로 적절하지 <u>않은</u> 것은 무엇인가요?

① 탈수정주의 출현 이후 냉전의 책임 소재에 대한 연구가 보다 강조되었다.

② 탈수정주의는 절충적 성향을 가져 역사적 현상의 중심적 경향성을 포착하는 데 한계를 보였다.

'합'에 주목해 봐! 그게 바로 글쓴이의 생각이니까~

생각읽기가 수능이다! ⚙️ **[정-반-합]의 생각 구조**에서 글쓴이의 생각은 어떻게 알 수 있나요?

실제 수능에서 정반합의 전개 구조가 나올 때에는 반대되는 두 개 이상의 관점을 서로 잘 어울리게 하는 글쓴이의 의견을 찾아야 해. '합'에 해당하는 결론은 대개 마지막 문단을 통해 드러나는 경우가 많아.

사진가가 갖추어야 할 네 가지 눈

사진을 통한
세상과의 소통

Q 사진에 담을 적절한 대상을 선택하기 위해 사진가가 갖추어야 할 네 가지의 눈은 무엇인가요?

사진은 카메라를 포함한 기계적 장치와 사진가의 선택을 통해 이미지를 만들어 낸다. 이는 화가가 붓을 들고 물감으로 종이를 ⓐ메워 나가는 회화나 정과 망치를 들고 돌을 깎아 내어 새로운 작품을 만들어 내는 조각과는 근본적으로 다른 방식이다. 사진가가 ⓑ포착한 찰나의 순간에 기록된 이미지에는 사진을 사진답게 만드는 사진만의 특성이 담겨 있다. 그리고 사진은 어느 화가의 작품보다도 더욱 높은 해상력*을 가지고 있으며, 어떤 장르의 예술도 따라올 수 없을 만큼 현실을 사실적으로 보여 준다는 특징이 있다.

이러한 사진의 특징 때문에 '과연 사진이 예술일 수 있을까?'라는 의문이 꾸준히 제기되어 왔다. 사진은 회화 등의 다른 예술 장르와는 달리, 제작 과정에서 기계의 역할이 많은 부분을 차지한다는 점과 작가가 결과물에 영향을 미칠 수 없다는 점을 이유로 사진은 예술에 ⓒ포함될 수 없다는 주장이 제기된 것이다. 이에 대한 해답은 다음의 〈그림〉을 통해 찾아볼 수 있다.

〈그림〉의 Ⓐ는 상황 전체를 보여 주는 것이고, 점선은 카메라의 렌즈에 보이는 부분이며, Ⓑ는 Ⓐ에서 카메라의 렌즈에 보이는 부분만을 선택하여 찍은 사진이다. 〈그림〉에서 알 수 있듯이, 카메라는 렌즈 앞에 존재하는 것만을 프레임* 안에 담기 때문에, 사진은 현실을 있는 그대로 보여 주지는 않는다. 말하자면 사진 이미지는 세상의 다양한 이미지 중에서 사진가의 눈을 통하여 선택된 일부에 해당하는 것이다.

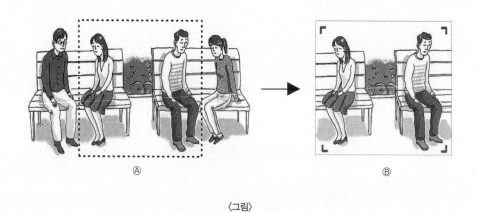

〈그림〉

그렇기 때문에 사진에서는 무엇보다 '사진가의 눈'이 중요하다. 카메라는 앞에 있는 대상의 의미에 대해 침묵하므로, 사진가가 대상을 알지 못하면 볼 수도 없고 찍을 수도 없다. 대상을 ⓓ선정하여 기록하고, 증거를 남기기 위해서 사진가는 대상에 대해 끊임없이 관심을 가지고 관찰을 해야 한다. 이것이 바로 사진가가 갖추어야 할 첫 번째 눈인 '관찰의 눈'이다. 다음으로 사진가가 갖추어야 할 두 번째 눈은 '존재의 눈'이다. 세상의 수많은 사진은 세상에 존재하는 누군가의 삶을 기록한 것이다. 사진가의 눈에 비친 그 존재는 영원히 그 자리에 머무는 것이 아니라, 흐르는 시간 위에서 변화하고 있다. 따라서 사진가는 변화하는 대상의 존재감 혹은 존재의 의미를 깨닫고, 이를 사진을 통하여 부각시킬 수 있어야 하는 것이다. 사진가가 갖추어야 할 세 번째 눈은 '시간의 눈'이다. 사진에는 두 가지 시간이 존재한다. 하나는 물리적인 시간으로, 사진은 카메라의 작동에 따라 물리적인 특성을 지니고 순간적으로 기록되는데 이 순간성이 바로 물리적인 시간에 해당한다. 다른 하나는 영원성이다. 사진으로 기록되는 순간, 대상은 흐르는 시간에서 튀어나와 현재가 되고 비로소 영원성을 지니게 된다. 사진가가 선택한 결정적 순간이 곧 정신적 순간이고, 이러한 순간을 선택하는 능력이 '시간의 눈'인 것이다. 마지막으로 사진가가 갖추어야 할 네 번째 눈은 '소통의 눈'이다. 사진은 시각 언어이고, 현실을 ⓔ담은 것이기 때문에 의미를 구체적이고 명료하게 드러낸다는 특징이 있다. 사물을 찍은 사진은 대상의 구체적인 상태나 상황을 재현하는데, 이렇게 사진을 통해 대상이 무엇인지 곧바로 인지하게 한다는 점에서 사진은 세상과의 소통이라고 볼 수 있다. 이와 같이 좋은 눈을 가진 사진가는 사진을 매개로 한 소통을 쉽게 이끌어 낼 수 있으며, 이로써 사진의 사실감을 넘어서는 의미까지 생생하게 전달할 수 있게 된다.

* 해상력: 사진에서, 피사체의 미세한 상(像)을 재현할 수 있는 렌즈의 능력.
* 프레임: 영상 매체에서 스크린에 나타나는 영상의 둘레.

0 이 글의 중심 내용으로 가장 적절한 것을 고르세요.

① 사진가가 대상을 사진에 담는 과정 ☐
② 사진이 다른 예술 장르와 구별되는 특징 ☐
③ 상황에 따라 '네 가지 눈'이 적용되는 방식의 차이 ☐
④ '네 가지 눈'이 다른 예술 장르에도 적용되는 원리 ☐
⑤ 사진의 예술성과 사진가가 갖추어야 할 '눈'의 의미 ☐

벌레 먹은 사과를 구별해야겠군!

'구별'이란 말은 **성질이나 종류에 따라 갈라 놓는다**는 뜻인데,
문제로 만날 땐 **'차별점'**, **'다른 점'**이라고 생각하면 돼!

1 이 글을 읽고 학생들이 보인 반응으로 적절하지 <u>않은</u> 것은 무엇인가요?

학생 1 사진은 카메라를 통해 렌즈 앞에 보이는 대상만을 프레임 안에 담아 찍은 것이 군. ·· ①

학생 2 사진은 그림과 비교했을 때 상대적으로 해상력이 높다고 볼 수 있겠군. ····· ②

학생 3 사진은 다른 회화에서 작품을 창작하는 방식과 다른 방식으로 결과물을 만들어 내는군. ·· ③

학생 4 사진은 작가가 결과물에 영향을 줄 수 없다는 특징 때문에 예술이 될 수 없다는 지적을 받았군. ·· ④

학생 5 사진은 기계적 장치인 카메라를 활용하여 현실 전체를 있는 그대로 보여 주는 사실적인 예술 장르이군. ··· ⑤

2 사진가의 눈 에 대한 이해로 적절한 것을 〈보기〉에서 모두 골라 묶은 것은 무엇인가요?

┤보 기├

ㄱ. 사진가가 대상에 대해 꾸준히 관심을 두는 것은 '관찰의 눈'과 관련 있다.

ㄴ. 시각 언어인 사진을 통해 대상의 상태를 재현해 인지하게 하는 것은 '존재의 눈'과 관련 있다.

ㄷ. 흐르는 시간 속에서 사진가가 특정 순간을 선택하여 사진에 담아내는 것은 '시간의 눈'과 관련 있다.

ㄹ. 사진가가 변화하는 대상의 존재 의미를 이해하고 이를 사진을 통해 드러내는 것은 '소통의 눈'과 관련 있다.

① ㄱ, ㄷ   ② ㄱ, ㄹ   ③ ㄴ, ㄷ   ④ ㄴ, ㄹ   ⑤ ㄷ, ㄹ

3 〈보기〉는 이 글과 관련된 수업 내용의 일부입니다. 〈보기〉의 ㉠∼㉢에 들어갈 말로 바르게 짝지은 것은 무엇인가요?

┤보 기├

선생님: 이 글에 제시된 〈그림〉에서처럼 사진가는 어떤 의도를 반영하여 감상자와 의사소통하기 위해 일련의 사진 작업을 하게 되지요. 그렇다면 사진을 예술 장르로 볼 수 있는 이유는 무엇일까요?

학 생: (㉠   )을 통해 세상의 여러 가지 이미지 중에서 일부를 (㉡   )하여 사진에 담고, 이로써 감상자에게 의미를 전달하여 사진가는 (㉢   ) 수 있기 때문입니다.

	㉠	㉡	㉢
①	사진가의 눈	선택	감상자를 변화시킬
②	카메라	융합	감상자와 소통할
③	사진가의 눈	선택	감상자와 소통할
④	카메라	선택	감상자를 변화시킬
⑤	사진가의 눈	융합	감상자와 소통할

실제 수업 상황이라고 상상하면서 자신이 글을 읽으며 이해한 내용을 떠올려 봐. 그러면 자연스럽게 빈칸을 채울 수 있어.

융합이란 딸기우유처럼 다른 종류의 것들이 녹아서 서로 구별이 없게 하나로 합해지는 걸 말해.

4 문맥상 ⓐ∼ⓔ와 바꿔 쓰기에 적절하지 <u>않은</u> 것은 무엇인가요?

① ⓐ: 채워
② ⓑ: 획득한
③ ⓒ: 들어갈
④ ⓓ: 골라
⑤ ⓔ: 반영한

의사소통을 통해 이루어 내는 계약

　일상생활에서 누군가가 다른 사람의 물건을 구입하거나, 또는 자신의 물건을 다른 사람에게 판매하는 일은 빈번하게 발생한다. 이렇게 다른 사람과 거래를 할 때는 일정한 합의나 약속이 필요한데, 이를 '계약'이라고 한다. 계약은 일정한 법률* 효과의 발생을 목적으로 두 사람의 의사를 표시하는 것으로, 일반적으로는 청약과 승낙이 ㉠합치*해야 성립하지만, 특수하게 의사 실현이나 교차 청약에 의해 계약이 성립하기도 한다. 사람들은 계약을 통해 공식적으로 의사소통을 하게 되는데 이때 '청약'이란 계약에서 계약의 성립을 상대방에게 제안하는 것을 의미하고, '승낙'이란 청약을 받은 사람이 그 청약을 그대로 수락하는 것을 의미하는 계약 용어이다.

　만약 청약을 받은 사람이 청약 내용의 변경을 요구한다면 이는 새로운 청약을 한 것으로 ㉡간주된다. 그리고 청약과 승낙의 합치에 의해 성립하는 계약이 이루어질 때는 의사소통 시간이 중요한 조건이 된다. 우선 계약이 실시간 의사소통에 의해 이루어질 때는 청약자가 청약을 받은 사람에게서 승낙의 의사가 담긴 말을 들은 시점에 계약이 성립된다. 하지만 실시간 의사소통이 불가능한 사람들 간의 계약에서는 승낙의 의사 표시가 청약자에게 발송된 시점에 계약이 성립하는 것으로 본다는 차이가 있다. 이때 승낙의 의사 표시가 승낙 기간, 즉 승낙을 할 수 있는 기간이자, 청약이 효력*을 보유할 수 있는 기간 내에 청약자에게 도달하지 못한다면 계약의 효력은 발생하지 않게 된다. 그런데 승낙의 의사 표시가 승낙자의 과실이 아닌 부득이한 사유로 인해 승낙 기간 내에 도달하지 못하고, 연착*되는 경우가 있을 수 있다. 이 경우에 승낙의 의사 표시를 받은 청약자가 승낙자에게 연착 사실을 즉시 알리지 않는다면, 승낙자는 승낙 기간 내에 승낙의 의사 표시가 청약자에게 전달된 것으로 간주하게 될 것이므로 계약의 효력은 정상적으로 발생하게 된다.

[A] 　한편 일반적인 계약의 형태는 아니지만, 청약자의 의사 표시의 특성이나 거래상의 관습 등에 의해 승낙의 의사 표시를 통지하지 않더라도 성립하는 계약이 존재한다. 인터넷을 통해 호텔 객실을 예약하는 청약이 있고 난 뒤, 호텔 측이 청약자에게 별도의 의사 표시를 하지 않고 그 사람을 위해 객실을 마련하는 경우가 이에 해당하는 사례로 볼 수 있다. 이처럼 별도로 승낙의 의사 표시를 통지하지 않고 승낙의 의사 표시로 인정되는 사실만 있더라도 그 사실이 발생한 때에 계약은 성립하는데, 이를 '의사 실현에 의한 계약의 성립'이라고 부른다.

　또한 청약만 두 가지가 존재하더라도 의사 표시의 내용이 결과적으로 일치한다면 계약이 성립하는데, 이를 '교차 청약에 의한 계약의 성립'이라고 부른다. 예를 들어 어떤 모임에서 '갑'은 자동차를 팔고 싶어 하고, '을'은 자동차를 사고 싶어 한다. 이때 '갑'과 '을'은 각각 자동차를 팔고, 사고 싶다는 서로의 마음을 알게 된 후, '갑'은 자동차를 삼천만 원에 팔겠다는 청약의 의사 표시를 '을'에게 보냈다고 하자. 이것이 '을'에게 도착하기 전에 '을'이 '갑'에게 자동차를 삼천만 원에 사겠다는 청약의 의사 표시를 보낸다면, 계약은 양 청약의 의사 표시가 '갑', '을'에게 모두 도착한 때에 성립하게 된다.

　이러한 계약이 성립되는 과정에서 매매 대상이 화재로 인해 ㉢소실되는 것처럼, 계약의 이행 자체가 불가능한 상황이 발생할 수도 있다. 이 경우 만약 청약자가 매매 대상이 없어졌다는 사실을 계약 성립 당시에 알았거나, 그 사실을 쉽게 확인할 수 있었음에도 불구하고 이를 확인하지 않았고, 승낙자는 매매 대상이 없어졌다는 사실을 몰랐거나 또는 알 수 없었다면 청약자는 계약의 유효*를 전제로 한 경비나 이자 비용과 같이 승낙자가 그 계약이 유효하다고 믿음으로 인해 입은 손해를 ㉣배상해 주어야 한다. 단 그 배상액은 계약이 ㉤이행되었다면 승낙자에게 생길 이익, 이를테면 매매가와 시가 사이의 차액을 초과할 수는 없다는 제약이 따른다.

* 법률: 국가의 강제력을 수반하는 사회 규범. 국가 및 공공 기관이 제정한 법률. 명령, 규칙, 조례 따위이다.
* 합치: 의견이나 주장 따위가 서로 맞아 일치함.
* 효력: 법률이나 규칙 따위의 작용.
* 연착: 정하여진 시간보다 늦게 도착함.
* 유효: 법률적 행위가 당사자나 법률이 의도한 본래의 효과가 있음.

0 이 글에 제목을 붙이려고 할 때, 가장 적절한 것을 고르세요.

① 계약이 가지는 법률적 효력의 실체 ☐
② 계약이 성립 또는 파기되는 조건의 비교 ☐
③ 거래 당사자 간 계약의 구체적인 실행 절차 ☐
④ 다른 사람과 거래할 때 계약이 필요한 이유 ☐
⑤ 거래 당사자 간의 소통 방식에 따른 계약 성립 형태 ☐

글의 핵심 용어를 파악하는 것이 최우선이겠지. 이 글에서 중요하게 다루는 용어에는 '계약', '청약자', '승낙자', '의사 표시', '의사 소통' 등이 있어!

1 이 글의 내용과 일치하지 <u>않는</u> 것은 무엇인가요?

① 일반적으로 계약은 청약과 승낙이 합치해야만 성립한다는 특징이 있다.

② 경우에 따라서는 의사 실현 또는 교차 청약에 의한 계약이 성립되기도 한다.

③ 청약을 받은 사람이 기존 청약 내용의 일부를 변경하자고 요구한다면 이것은 새로운 청약이 된다.

④ 실시간 의사소통에 의해 계약이 이루어질 때는 승낙의 의사 표시가 청약자에게 발송된 시점에 계약이 성립한다.

⑤ 계약 시 청약자가 매매 대상이 소실되었다는 것을 알았고 승낙자는 그 사실을 몰랐다면, 청약자는 승낙자에게 손해 배상의 의무가 있다.

2 이 글의 내용 전개 방식으로 적절한 것을 〈보기〉에서 모두 골라 짝지은 것은 무엇인가요?

┤보 기├

ㄱ. 계약이 성립될 수 있는 구체적인 사례를 제시하고 있다.

ㄴ. 계약과 관련된 용어의 개념을 명확히 밝혀 규정하고 있다.

ㄷ. 계약의 여러 가지 형태를 구분하고 각 특징을 설명하고 있다.

ㄹ. 계약을 활용할 때의 장단점을 제시하고 그 의의를 밝히고 있다.

내용 전개 방식은 이 글을 어떤 방식으로 서술했는지를 말하는 거야.

글 전체의 큰 흐름 및 세부적인 설명 방법까지 모두 꼼꼼하게 따져 봐야 해!

① ㄱ, ㄴ   ② ㄷ, ㄹ   ③ ㄱ, ㄴ, ㄷ

④ ㄴ, ㄷ, ㄹ   ⑤ ㄱ, ㄴ, ㄷ, ㄹ

3 [A]를 바탕으로 〈보기〉를 이해한 내용으로 적절하지 <u>않은</u> 것은 무엇인가요?

├ 보 기 ├

'갑'은 휴가를 떠나기 위해 호텔 예약 대행업체인 A 회사의 인터넷 사이트를 통해 자신이 직접 '을' 호텔을 예약하였다. 다음 날 '갑'은 A 회사에서 다음과 같은 예약 확정 이메일을 받았다.

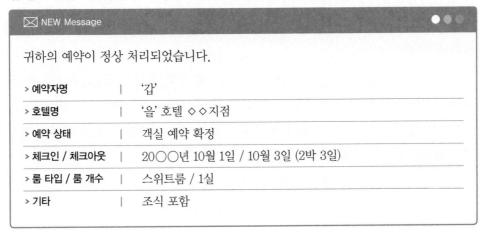

> **예약자명** | '갑'
> **호텔명** | '을' 호텔 ◇◇지점
> **예약 상태** | 객실 예약 확정
> **체크인 / 체크아웃** | 20○○년 10월 1일 / 10월 3일 (2박 3일)
> **룸 타입 / 룸 개수** | 스위트룸 / 1실
> **기타** | 조식 포함

① '을' 호텔 측은 계약이 체결되었다고 보고, '갑'을 위해 20○○년 10월 1일에 객실을 준비해 두겠군.

② '을' 호텔 측에서 '갑'에게 별도로 승낙의 의사 표시를 하지 않더라도 계약은 성립되는 것이겠군.

③ 거래상의 관습에 따라 A 회사가 '갑'에게 예약 확정 이메일을 보낸 것으로 계약이 성립되었다고 볼 수 있겠군.

④ '갑'은 A 회사로부터는 이메일을 받았지만, 거래 당사자인 '을' 호텔로부터는 별도의 연락을 받지 못했으므로 계약이 성립되지 않았다고 보겠군.

⑤ '갑'이 A 회사의 인터넷 사이트를 통해 '을' 호텔의 객실 예약을 진행하고, 예약 확정 이메일을 받았으므로 '의사 실현에 의한 계약의 성립'이 이루어진 것이겠군.

4 ㉠~㉤을 활용하여 만든 문장으로 적절하지 <u>않은</u> 것은 무엇인가요?

① ㉠: 우리 두 사람은 공동 작업을 하는 데에 의견이 <u>합치했다</u>.

② ㉡: 그의 그림은 훌륭한 작품으로 <u>간주되었다</u>.

③ ㉢: 그때 행랑채가 불로 인해 모두 <u>소실되었다</u>.

④ ㉣: 나는 피해자에게 손해를 <u>배상하고</u> 용서를 빌었다.

⑤ ㉤: 생산력의 발전은 한 사회가 더 높은 수준의 사회로 <u>이행되는</u> 근본적인 조건이다.

애덤 스미스의 '동감' 이론

소통의 능력

Q 애덤 스미스의 관점에서 볼 때, 관찰자가 행위자에게 '동감'하기 위해서는 어떻게 해야 하나요?

사회는 자유로운 개인들이 모인 공간이다. 이곳에 질서와 조화를 보장하는, 인간에 내재하는 성질은 무엇일까? 18세기 영국에서는 이러한 문제에 접근하는 대표적인 두 가지 흐름이 있었다. 그중 하나는 개인의 이성에서 사회 질서의 원리를 찾는 것이고, 또 다른 하나는 개인에 내재하는 선천적인 도덕 감정에 주목하는 것이다. 영국의 정치 경제학자이자 도덕 철학자인 애덤 스미스는 후자에 해당하였는데, 도덕 감정의 핵심을 모든 인간이 가지고 있는 '동감' 능력이라고 보았다.

애덤 스미스가 말하는 '동감'은 관찰자가 상상에 의한 역지사지(易地思之)를 통해 행위자와 감정 일치를 이루는 것을 의미한다. 자신의 이해관계에 따라 한쪽으로 치우치지 않는 '공평한 관찰자'는 행위자가 직면한 상황과 처지를 ⓐ보며, 자신이라면 그 속에서 어떤 감정을 느끼고 어떤 행위를 할 것인지를 상상해 보게 된다. 그리고 이러한 상상 내용이 실제로 관찰되는 행위자의 감정 및 행위와 비교하여, 양자가 일치할 경우 관찰자는 거기에 동감하게 된다. 이때 관찰자는 행위자의 감정 및 행위를 적정성이 있는 것으로 승인하게 되지만, 자신이 상상한 바와 다를 경우에는 행위자의 감정 및 행위를 적정성이 없는 것으로 보게 된다.

이러한 동감의 원리는 한 개인이 자신의 감정 및 행위를 판단할 때에도 적용될 수 있다. 한 개인에게는 '이기적 충동에 지배되는 행위자로서의 자기'와 '상상에 의해 관찰자의 입장을 취하며 반성하는 자기'가 있다. 이 관찰자는 이해관계에 얽매이지 않고, 객관적으로 그 감정 및 행위의 적절성을 판단하는 또 다른 '자기'인데, 애덤 스미스는 이러한 추상적 존재를 '가상의 공평한 관찰자' 또는 '마음속의 이상적 인간'이라고 표현하였다. 이와 같은 관찰자의 동감에 의해 자신의 감정 및 행위가 도덕적인 것으로 승인받게 되는 것이다.

애덤 스미스의 관점에서 볼 때 행위자의 특정 행위는 이타적인 것은 물론이고, 이기적인 것이더라도 공평한 관찰자의 동감을 얻을 수만 있다면 도덕적인 것으로 승인받을 수 있게 된다. 만약 공평한 관찰자가 자신도 행위자와 동일한 처지에 있었다면 똑같은 행위를 했을 것이라고 동감했다면, 그것이 비록 행위자의 이기적인 행위더라도 도덕적인 것으로 승인받을 수 있다. 반면에 행위자의 이타적인 행위더라도 공평한 관찰자에게 동감을 얻지 못한다면 그것은 적정성을 지니지 못해서 결국 도덕적인 것으로 승인받지 못하게 되는 것이다.

이와 관련하여 애덤 스미스는 ㉠자혜*와 ㉡정의라는 개념을 제시하였다. 그중 자혜는 공평한 관찰자의 동감을 얻을 수 있는 범위까지 이타적 행위가 확대되는 것을 의미하고, 정의는 공평한 관찰자의 동감을 얻을 수 있는 범위까지 이기적 행위가 억제되는 것을 의미한다. 자혜의 경우 타인에 대한 적극적 시혜*이므로, 사람들이 이를 행하지 않더라도 타인의 보복 감정을 불러일으키지는 않는다. 왜냐하면 자혜에는 수익자는 있지만, 피해자는 존재하지 않기 때문이다. 이와 달리 정의는 지켜지지 않으면 타인의 생명, 신체, 재산, 명예 등을 침해할 수 있으므로 타인에게 보복 감정을 초래할 수 있게 된다. 따라서 애덤 스미스는 정의에 대한 침범은 엄격히 규제해야 한다고 주장하였고, 사회적 기능과 의미의 차원에서 자혜와 정의를 구분할 것을 강조하였다.

* 자혜: 자애롭게 베푸는 은혜.
* 시혜: 은혜를 베풂. 또는 그 은혜.

0 이 글을 읽고 해결할 수 <u>없는</u> 질문을 고르세요.

① 애덤 스미스는 '동감'을 무엇이라고 정의하였는가? ☐

② 한 개인에게 내재된 두 가지 '자기'의 모습은 각각 무엇인가? ☐

③ 애덤 스미스의 등장 이전에는 '동감'에 대해 어떻게 설명하였는가? ☐

④ 사회 질서의 원리를 설명하는 18세기 영국의 대표적 흐름은 무엇인 가? ☐

⑤ 애덤 스미스는 '정의에 대한 침범' 문제를 어떻게 처리해야 한다고 주장하였는가? ☐

1 이 글을 통해 알 수 있는 내용이 <u>아닌</u> 것은 무엇인가요?

① 동감은 인간에 내재하는 선천적인 감정이다.
② 동감 능력은 모든 인간이 가지고 있는 능력이다.
③ 동감의 원리는 타인은 물론 자기 자신에게도 적용된다.
④ 동감의 원리는 이타적 행위뿐만 아니라 이기적 행위에도 작용한다.
⑤ 행위자에 대한 관찰자의 감정이 행위자의 감정보다 더 클 때 동감의 감정이 촉발된다.

2 〈보기〉는 애덤 스미스가 말하는 '동감' 과정을 나타낸 것입니다. 이에 대한 이해로 적절하지 <u>않은</u> 것은 무엇인가요?

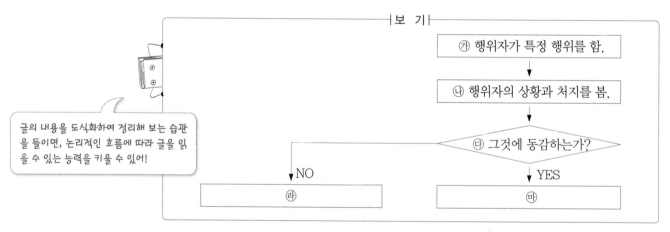

글의 내용을 도식화하여 정리해 보는 습관을 들이면, 논리적인 흐름에 따라 글을 읽을 수 있는 능력을 키울 수 있어!

┤보 기├

㉮ 행위자가 특정 행위를 함.

㉯ 행위자의 상황과 처지를 봄.

㉰ 그것에 동감하는가?

NO → ㉱
YES → ㉲

① ㉮: 타인과 이해관계가 얽히지 않은 행위자의 특정 행위이어야만 판단이 가능하겠군.
② ㉯: 주체는 '공평한 관찰자'로, 이를 통해 상상에 의한 역지사지를 실행하겠군.
③ ㉰: '자신이 행위자와 동일한 처지에 놓였다면 그와 똑같이 행동했을까?'라는 질문으로 이해할 수 있겠군.
④ ㉱: 행위자의 특정 행위가 이타적인 성격을 띠더라도 '적정성이 없다'라고 판정될 수 있겠군.
⑤ ㉲: 행위자의 특정 행위가 이기적인 성격을 띠더라도 판단 주체의 동감을 얻는다면 도덕적인 것으로 승인받을 수 있겠군.

3 ㉠, ㉡을 비교한 내용으로 적절한 것을 〈보기〉에서 모두 골라 묶은 것은 무엇인가요?

┤ 보 기 ├

ㄱ. ㉠은 공평한 관찰자의 동감을 얻을 수 있는 범위까지 이타적 행위가 확대되는 것이다.

ㄴ. ㉡은 공평한 관찰자의 동감을 얻을 수 있는 범위까지 이기적 행위가 확대되는 것이다.

ㄷ. ㉠은 ㉡과 달리 이를 실행하지 않더라도 타인의 보복 감정을 유발하지 않는다.

ㄹ. ㉡은 ㉠과 달리 수익자는 존재하지만 피해자가 존재하지 않는다.

① ㄱ, ㄴ ② ㄱ, ㄷ ③ ㄴ, ㄷ ④ ㄴ, ㄹ ⑤ ㄷ, ㄹ

4 문맥을 고려할 때, 다음 밑줄 친 말이 ⓐ와 동음이의어 관계인 것은 무엇인지 고르세요.

① 나는 영화를 <u>보다</u> 잠이 들었다. ☐

② 그녀의 사정을 <u>보니</u> 딱하게 되었다. ☐

③ 나는 거울을 <u>보고</u> 뽀루지를 확인하였다. ☐

④ 그는 <u>보다</u> 빠르게 뛰기 위해 훈련을 계속했다. ☐

⑤ 여가 시간에는 책을 <u>보는</u> 습관을 들이는 것이 좋다. ☐

다의어는 의미상 서로 연관성이 있지만 동음이의어는 소리만 같을 뿐 의미는 전혀 달라. 그러니 동음이의어는 의미상 가장 이질적인 것을 고르면 되겠지.

배가 크다! 뭐? 어떤 배가 크다고?

소리는 같지만 뜻이 다른 단어를 동음이의어라고 해.

동음이의어는 우연히 소리만 같은 거라서 사전에서도 다른 단어로 분류돼~

양방향 소통이 가능한 가상 존재

가상 세계와의 소통

Q '양방향 소통이 가능한 가상 존재'는 어떻게 인간과 의사소통을 하나요?

(가) 동서고금을 막론하고 인간은 그림이나 조각 등을 통해 자신과 닮은 것을 만들려는 욕망을 지니고 있었다. 이러한 욕망은 과학, 기술, 예술 분야 등의 발전에 따라 점차 실현되었고, 특히 컴퓨터 그래픽스(Computer Graphics, CG)의 비약적인 발전에 따라 추상적인 것에서 사실적인 모습으로 시각화되었다. CG 기술의 발달로 인간과 유사한 모습을 지닌 가상 존재인 아바타(avatar)가 탄생하였고, 이후 인공 지능, 실시간 기술 등과 융합하여 인간과 언어적 소통 및 비언어적 소통이 가능한 가상 존재를 구현할 수 있게 되었다.

(나) 이러한 가상 존재는 실시간 모션 캡처 기술과 실시간 엔진 등을 활용하여 2D 캐릭터 또는 3D 캐릭터로 표현되는 것이 일반적이다. 가상 존재의 여러 유형 중 '양방향 소통이 가능한 가상 존재'란 실제 공간과 사전에 제작된 모델링을 합성하여 표현되는데, 유튜브와 같은 동영상 플랫폼이나 사회관계망 서비스(Social Networking Service) 같은 실시간 의사소통 플랫폼이 상용화됨에 따라 주목받게 되었다. 양방향 소통이 가능한 가상 존재는 실시간 렌더링* 기술과 실시간 모션 캡처를 통해 더욱 생생하고 사실적인 캐릭터를 구현할 수 있다는 점과 더불어 인간과 의사소통 및 감정 교류가 가능한 존재라는 특징 때문에 그 사용 빈도가 점차 증가하고 있다.

(다) 양방향 소통이 가능한 가상 존재가 인간과 소통할 수 있는 것은 인공 지능 기술과 밀접한 관련이 있다. 인공 지능 기술의 발달은 빅 데이터의 효율적인 처리 및 분석을 가능하게 하였고, 이것이 양방향 소통이 가능한 가상 존재를 제작하는 환경에 변화를 불러왔기 때문이다. 이러한 인공 지능을 활용한 데이터 분석은 가상 존재의 자율적 움직임을 가능하게 하였고, 가상 존재와 인간이 양방향 감정 교류를 하는 데 필요한 언어적 소통 및 비언어적 소통을 가능하게 하였다.

(라) 첫째로 언어적 소통 부분에서는, 딥 러닝*을 이용한 자연어* 처리 및 음성 인식 기술의 개발로 가상 존재와 인간이 더욱 원활하게 의사소통할 수 있게 되었다. 예를 들어 거실이나 텔레비전 주위에 설치하여 사용하는 인공 지능 스피커는 사용자의 목소리를 인식하고, 언어를 통해 사용자와 소통한다. 최근에는 인공 지능 스피커에 음성 인식 엔진인 NEST(Neural End-to-end Speech Transcriber) 기술을 활용하여 인간의 비정형적인 음성의 인식률을 높이기 위한 연구가 계속되고 있다. 둘째로 비언어적 소통 부분에서는, 컴퓨터 비전*을 통해 사용자의 시선 및 행동 정보를 수집하고 이로써 사용자의 상태를 판단하여 의사소통에 활용할 수 있게 되었다. 양방향 소통이 가능한 가상 존재는 인간과 의사소통을 할 때, 인간의 행동을 시각적 부분과 청각적 부분으로 나누어 인식한다. 그중 비언어적 소통과 관련된 것은 시각적 부분인데, 이 정보를 정확히 파악하기 위해 양방향 소통이 가능한 가상 존재는 컴퓨터 비전으로 인간의 행동을 관찰한 후 인식 공간을 얼굴 부분과 몸 부분으로 구분하여 사용자의 상태를 판단한다. 이렇게 얻은 정보는 양방향 소통이 가능한 가상 존재가 인간과 의사소통할 때 인간의 행동과 상황을 보다 잘 이해할 수 있게 하고, 결과적으로 감정 교류와 같은 비언어적 소통까지 가능하게 만들었다.

(마) 이처럼 양방향 소통이 가능한 가상 존재는 인간과 언어적으로 의사소통하는 것뿐만 아니라 비언어적 영역에 해당하는 감정 교류의 역할까지도 수행하고 있다. 그리고 이러한 가상 존재의

즉각적이고 생생한 반응을 보면서 사용자는 가상 존재에게 편안함을 느끼며 공감대를 형성하게 되고, 마치 인간과 인간 사이에서 의사소통하고 정서적으로 교감하는 것처럼 느끼게 된다.

* 렌더링: 그림자나 색상과 농도의 변화 등과 같은 3차원 질감을 넣음으로써 컴퓨터 그래픽에 사실감을 추가하는 과정.
* 딥 러닝: 컴퓨터가 스스로 외부 데이터를 조합, 분석하여 학습하는 기술로 컴퓨터가 사람처럼 생각하고 배울 수 있도록 하는 기술을 말함.
* 자연어: 컴퓨터에서 사용하는 프로그램 작성 언어. 또는 기계어와 구분하기 위해 인간이 일상생활에서 의사소통을 위해 사용하는 언어를 가리키는 말.
* 컴퓨터 비전: 인간의 눈과 같은 시각적인 인식 능력을 컴퓨터에 행하게 하는 것.

0 이 글을 쓰기 위해 구상하면서 글쓴이가 떠올린 생각으로 가장 적절한 것을 고르세요.

① 양방향 의사소통이 어려운 기술적 문제점을 솔직히 제시해야지. ☐

② 언어적 소통과 비언어적 소통의 실현 방법과 그 장단점을 비교해야지. ☐

③ 양방향 소통에 영향을 준 다양한 기술들을 발달 순서대로 제시해야지. ☐

④ 양방향 소통이 가능한 가상 존재가 사회 발전에 미친 영향을 분석해야지. ☐

⑤ 기술 발전에 따른 가상 존재와 인간의 양방향 의사소통이 가능하게 된 과정을 설명해야지. ☐

1 (가)~(마)의 중심 내용으로 적절하지 <u>않은</u> 것을 고르세요.

① (가): 컴퓨터 그래픽스 기술의 발달에 따른 가상 존재의 등장 ☐

② (나): 양방향 소통이 가능한 가상 존재의 활용이 확대되는 배경 ☐

③ (다): 인공 지능 기술이 가상 존재 개발에 미치는 영향 ☐

④ (라): 언어적 소통과 비언어적 소통의 공통점과 차이점 ☐

⑤ (마): 양방향 소통이 가능한 가상 존재의 활용 의의 ☐

각 문단에서 핵심 화제를 찾고, 중요도가 높은 문장을 찾아보면 해당 문단의 중심 내용을 쉽게 파악할 수 있어!

2 이 글의 내용과 일치하지 <u>않는</u> 것은 무엇인가요?

① 아바타는 인간의 모습과 유사한 형태의 가상 존재를 의미한다.

② 인간과 언어적 소통 및 비언어적 소통이 모두 가능한 가상 존재는 개발되지 않았다.

③ 실시간 모션 캡처와 실시간 렌더링 기술을 통해 더욱 사실적인 캐릭터를 만들 수 있다.

④ 인간은 가상 존재의 생생하고 즉각적인 반응을 보며 다른 인간과 의사소통하는 것처럼 느낀다.

⑤ 인공 지능 스피커가 인간의 비정형적인 음성을 제대로 인식하게 되면 인간과의 의사소통은 더욱 원활해진다.

3 이 글을 바탕으로 할 때, 〈보기〉에 대한 반응으로 적절하지 <u>않은</u> 것은 무엇인가요?

┤보 기├

〈그림〉은 인간과 양방향 소통이 가능한 가상 존재가 소통하는 모습을 나타낸 것이다. A는 양방향 소통이 가능한 가상 존재이고, B는 사용자이다. C는 컴퓨터 비전을, D는 인공 지능 스피커를 나타낸다.

〈그림〉

① A는 C를 통해 B의 시선, 행동 정보를 수집하여 의사소통에 활용하겠군.
② A는 D에 탑재된 음성 인식 기술을 활용하여 B의 음성 (2)를 처리하겠군.
③ A는 B의 감정 상태를 파악할 때 B의 시각적 부분보다 청각적 부분을 먼저 인식하겠군.
④ A와 B는 각각 음성 (1)과 음성 (2)를 주고받으면서 언어적인 의사소통이 이루어지겠군.
⑤ B가 A를 바라보지 않고 뒤돌아서 있다면 B와 A 사이의 감정 교류가 제대로 이루어지지 않겠군.

4 이 글을 참고할 때, 〈보기〉의 ㉮~㉰에 들어갈 말을 바르게 짝지은 것은 무엇인가요?

┤보 기├

학생: 이 글을 통해 '가상 존재'에 관해 배운 것을 학습 기록장에 정리해 봐야겠다.

[학습 기록장]
학습 내용: '가상 존재'는 ┃ ㉮ ┃의 발전에 따라 등장하였고, 유튜브·SNS 등이 상용화되면서 ┃ ㉯ ┃이/가 주목받게 되었다. 이것은 사실적인 캐릭터이면서, 인간과 언어적인 의사소통은 물론이고 ┃ ㉰ ┃까지 가능한 존재라는 특징이 있다.

	㉮	㉯	㉰
①	컴퓨터 그래픽스	동영상 플랫폼의 필요성	정서적 교감
②	빅 데이터의 처리 기술	동영상 플랫폼의 필요성	정서적 교감
③	컴퓨터 그래픽스	양방향 소통이 가능한 가상 존재	물리적 상호 작용
④	빅 데이터의 처리 기술	가상 존재와의 소통 방식	감정 교류
⑤	컴퓨터 그래픽스	양방향 소통이 가능한 가상 존재	감정 교류

Q 다음은 생각을 읽을 수 있는 지문 구조도를 퍼즐로 나타낸 것입니다. 앞에서 읽은 글의 내용을 떠올리며 생각읽기 1~6에 해당하는 퍼즐을 선으로 연결해 보세요.

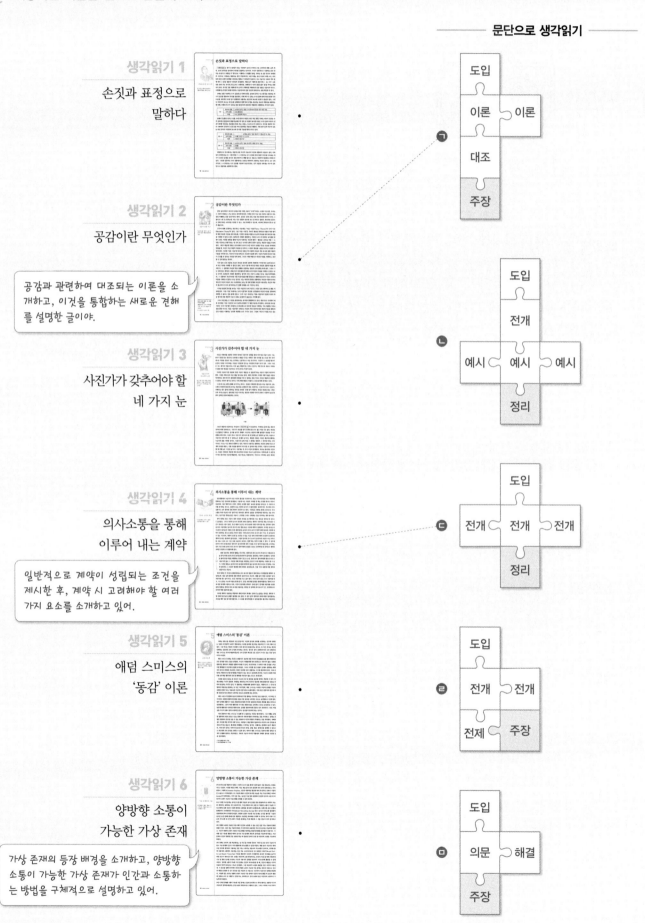

문단으로 생각읽기

생각읽기 1
손짓과 표정으로
말하다

생각읽기 2
공감이란 무엇인가

공감과 관련하여 대조되는 이론을 소개하고, 이것을 통합하는 새로운 견해를 설명한 글이야.

생각읽기 3
사진가가 갖추어야 할
네 가지 눈

생각읽기 4
의사소통을 통해
이루어 내는 계약

일반적으로 계약이 성립되는 조건을 제시한 후, 계약 시 고려해야 할 여러 가지 요소를 소개하고 있어.

생각읽기 5
애덤 스미스의
'동감' 이론

생각읽기 6
양방향 소통이
가능한 가상 존재

가상 존재의 등장 배경을 소개하고, 양방향 소통이 가능한 가상 존재가 인간과 소통하는 방법을 구체적으로 설명하고 있어.

ㄱ
도입
이론 — 이론
대조
주장

ㄴ
도입
전개
예시 — 예시 — 예시
정리

ㄷ
도입
전개 — 전개 — 전개
정리

ㄹ
도입
전개 — 전개
전제 — 주장

ㅁ
도입
의문 — 해결
주장

1 ☐☐는 음성 언어와 달리 손 운동 등으로 표현된 후 시각으로 이해되는 언어 체계로, 수지 신호와 비수지 신호를 함께 활용하는 의사소통 방식이다.

2 ☐☐을 설명하는 '이론-이론'은 마음의 작동 방식에 대한 개념적 이론을 바탕으로 논리적 추론을 하여 타인에 공감한다는 이론이고, '모의 이론'은 자신이 타인과 동일한 상황에 처해 있다는 상상을 통해 타인에 공감한다는 이론인데, 리버먼은 이 둘을 통합한 '두 체계 이론'을 주장하였다.

3 세상의 다양한 이미지 중 사진으로 담아낼 대상을 선택하기 위해 갖추어야 할 ☐☐☐의 ☐에는 '관찰의 눈', '존재의 눈', '시간의 눈', '소통의 눈'의 네 가지가 있다.

4 일반적으로 청약과 승낙의 합치를 통해 이루어지는 ☐☐은 의사소통 시간이 중요한 조건이 되며, 의사 실현이나 교차 청약에 의해서도 계약이 성립하고 계약 불이행시 그에 따른 손해 배상이 이루어질 수도 있다.

5 애덤 스미스가 말하는 ☐☐은 관찰자가 상상에 의한 역지사지를 통해 행위자와 감정 일치를 이루는 것으로, 개인이 자신을 판단할 때도 적용되며 공평한 관찰자의 동감 여부에 따라 도덕적 승인 여부도 달라진다.

6 인공 지능 기술의 발달로 등장한 ☐☐☐ 소통이 가능한 ☐☐ 존재는 언어적 소통과 비언어적 소통을 통해 인간과 의사소통 및 감정 교류를 한다.

우리는 어떻게 소통해야 할까?

"소통은 생각을 나누는 과정이다"

'소통'은 뜻이 서로 통하여 오해가 없는 것을 말하는데, 이 말은 '뜻을 주고받는다'는 것이 전제되어 있습니다. 그래서 '소통'은 곧 '의사소통'과 같은 말로 사용됩니다. 하지만 소통했다고 해서 공감까지 일어나는 것은 아닙니다. 서로 다른 생각, 주장, 의견, 감정을 주고받았다고 해서 서로가 같은 생각과 마음을 가지는 것은 아니기 때문입니다. 그래서 우리는 소통을 통해 상대방과 공감하는 데까지 나아가려고 합니다. 소통은 이렇게 공감으로 나아가는 과정이기 때문에 소통을 할 때의 태도나 내용도 중요하지만, 그 무엇보다 소통 행위 그 자체로도 큰 의미를 지닙니다.

> 사람들은 참 많은 벽들은 만들었지만,
> 그에 비해 다리는 충분하게 만들지 않았다.
> – 아이작 뉴턴

1. 소통 **37**

02 균형

생각의
발견

균형을 말하다!

'어느 한쪽으로 기울거나 치우치지 아니하고 고른 상태'를 뜻하는 균형은 '고르다'는 뜻의 '균'과 '저울대'를 의미하는 '형'으로
구성된 한자어입니다. 저울의 양팔이 고르게 되어 있는 모양을 뜻하지요. 균형의 핵심은 '고르다'에 있습니다. 무엇 하나 도드라지지
않고 가지런한 모습은 사람에게 안정감과 편안함을 줍니다. 이러한 안정감은 본래의 자연이 갖고 있던 모습이자 인간이 오랫동안
이상적이라고 여기던 가치와 맞닿아 있습니다. 인간을 비롯한 생명체들이 균형을 유지하며 살아가는 모습과 국가 간 세력의 균형을 찾기
위한 노력, 우리가 살아가는 지구가 균형을 유지하는 방법 등을 두루 살펴보며 균형의 기능과 가치 등을 이해해 볼까요?

비의 균형, 황금비

고대 이집트 시대부터 사람들은 자연의 아름다움을 예찬하면서 그 아름다움을 객관적으로 설명하려고 노력했다. 그 결과 자연의 곳곳에 숨어 있는 아름다움의 비율(약 1:1.618)을 찾아냈고, 그 비를 각종 건축물과 예술품을 만드는 데 이용하였는데 이것이 황금비이다.

[A] 사각형 가~마 중에서 각자의 눈에 가장 보기 좋은 직사각형이 무엇인지 생각해 보자. 100여 년 전에 독일에서 이러한 내용으로 실험을 진행했는데 당시에 많은 사람들이 '마'를 가장 보기 좋고 편안한 사각형으로 골랐다고 한다. 사람들이 왜 이러한 선택을 했는지 이유를 분석해 보니 사각형 마는 세로와 가로의 비가 약 1:1.618이고 이것이 우리가 익히 알고 있는 황금비에 해당함을 발견했다. 그래서 이 사각형은 황금 사각형으로 불린다.

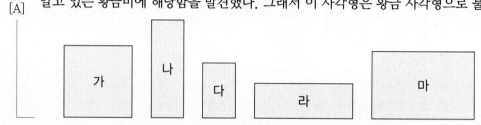

황금비는 전체와 부분의 비율이 반복적으로 균등하게 유지된다는 점이 시각적으로 안정감과 균형감을 주어 사람들이 편안함과 아름다움을 느낀다고 알려져 있다. 그래서 조화와 균형을 중시한 고대 그리스인들의 조각품이나 건축물에서는 황금비가 적용된 것들이 많다. 특히 기원전 5세기 당대 최고의 조각가 페이디아스가 총감독을 맡아 60여 년에 걸쳐 건설한, 전쟁의 여신 아테나를 기리기 위해 만든 파르테논 신전은 이러한 황금비가 사용된 대표적인 건축물이다. 오랜 세월 동안 서구 건축의 ㉠원형이 된 파르테논 신전은 가로와 세로의 비율이 약 1:1.6이다. 이는 황금비에 근접한 비율로 파르테논 신전을 보며 많은 이들이 안정감을 느낀다. 보통의 사람들은 비율적으로 균형을 이룬 것을 좋아한다. 황금비는 그러한 균형을 쉽게 만들 수 있도록 도와준다. 그래서 현대 사회에서 사람들이 흔하게 사용하는 카드나 노트 등도 비율을 따져 보면 황금비가 적용되었다.

그렇다면 황금비라는 개념은 언제 처음 생겨났을까? 기원전 300년경 활동한 고대 그리스의 수학자 유클리드가 쓴 『원론』에 오늘날 황금비라 불리는 개념이 등장한다. 황금비에 관한 가장 오래된 기록이다. 유클리드는 한 선분을 서로 다른 길이의 두 선분(긴 선분 ㄱ과 짧은 선분 ㄴ)으로 나눌 때, 전체 선분(ㄱ+ㄴ)과 긴 선분(ㄱ)의 길이의 비와 긴 선분(ㄱ)과 짧은 선분(ㄴ)의 길이의 비가 같도록 나누는 문제를 떠올렸다. 그래서 '(ㄱ+ㄴ):ㄱ=ㄱ:ㄴ'의 식을 세우고 문제를 푸니 '1.61803…'으로 이어지는 무리수 값이 나왔다. 유클리드는 자신의 책에서 이렇게 구한 비(약 1:1.618)를 '극대와 극대가 아닌 비'라고 소개했다. 이 당시까지도 황금비라는 용어는 사용되지 않았다.

그러다가 황금비 열풍이 불게 되는데, 이에 관해서는 여러 가지 설이 있다. 그중 이탈리아 수학자 루카 파치올리가 1509년 출간한 저서 『신성한 비례』에서 "이것이야말로 예술적 균형과 조화를 갖춘 완벽한 비"라고 언급하면서 주목받기 시작했다는 설에 무게가 실린다. 이 비가 언제부터 황금비로 알려졌는지 정확한 기록은 없지만, 황금비라는 단어는 1835년 독일 수학자 마틴 옴이 쓴 글에서 처음 발견되었다. 이후 황금비는 인간이 안정감을 느끼는 균형감 있는 비율로 널리 알려졌고, 많은 예술품이나 건축물은 물론 가전제품 등에 이르기까지 다양한 분야에서 황금비를 찾고 활용하려는 노력이 꾸준히 이어지고 있다.

0 이 글의 내용을 요약한다고 할 때, 요약문에 꼭 필요하지 <u>않은</u> 말은 무엇인지 고르세요.

① 안정감

② 유클리드

③ 1 : 1.618

④ 사각형의 종류

⑤ 파르테논 신전

내용 수집이란 글을 쓰기 위해 필요한 재료들을 모으는 걸 말해!
화제와 관련 있는 것들만 모아야겠지?

1 이 글을 읽고 알 수 있는 내용이 <u>아닌</u> 것은 무엇인가요?

① 자연의 아름다움을 객관적으로 설명하려는 노력은 오래전부터 있었다.

② 인간은 자연에서 찾아낸 황금비를 예술품을 만드는 데 활용하기도 하였다.

③ 고대 그리스의 수학자 유클리드는 '황금비'라는 용어를 가장 먼저 사용하였다.

④ 파르테논 신전을 보면서 사람들이 안정감을 느끼는 이유는 황금비와 관련이 있다.

⑤ 고대 그리스인들이 남긴 조각품이나 건축물을 통해 조화와 균형을 중시했던 그들의 성향을 알 수 있다.

2 [A]의 실험 을 통해 알 수 있는 내용으로 가장 적절한 것은 무엇인가요?

① 시대에 따라 사람들이 좋아하는 도형에 차이가 있다.

② 사람들은 삼각형보다 사각형을 보며 더 편안함을 느낀다.

③ 황금비와 관련한 연구는 독일에서 가장 활발하게 이루어졌다.

④ 인간이 시각적으로 안정감을 느끼는 일정한 비율이 존재한다.

⑤ 어떤 사각형이 가장 균형감 있게 느껴지냐고 물었다면 결과는 달라졌을 것이다.

3 이 글과 〈보기〉를 함께 읽고 보인 반응으로 적절하지 <u>않은</u> 것은 무엇인가요?

┤보 기├

　　1992년 미국의 조지 마코스키 교수는 자신의 논문 「황금비에 대한 오해」에서 "파르테논 신전에는 황금비가 없다."라고 주장했다. 그는 파르테논 신전이 황금비를 따른다고 설명하는 책마다 그 기준이 다르다는 사실을 발견했다. 황금비를 계산할 때 어떤 책은 신전 아래의 단을 기준으로 하고, 또 다른 책에서는 신전 꼭대기의 튀어나온 부분을 기준으로 하는 식이었다. 이후 파르테논 신전을 실제로 측정한 결과 파르테논 신전에는 황금비가 없으며, 파르테논 신전의 가로와 세로의 비는 '9:4'를 따른다는 것을 밝혀냈다.

① 황금비가 적용되지 않았다고 해도 파르테논 신전이 아름답지 않다고 말할 수는 없어.

② 파르테논 신전 이외에도 황금비로 알려져 있는 사례들 중에는 실제로 황금비가 나타나지 않는 것들도 있을 거야.

③ 파르테논 신전을 보고 사람들이 감탄하는 이유는 비율과 관계가 있으므로 황금비의 개념을 새롭게 규정할 필요가 있어.

④ 파르테논 신전의 완벽한 아름다움을 부각하고 싶은 욕구 때문에 과거의 사람들이 파르테논 신전이 황금비를 따른다고 생각했어.

⑤ 어떻게 측정하느냐에 따라 황금비로 설명할 수도 있고, 그렇지 않을 수도 있으니 황금비로만 옛 건축물을 평가하는 것은 위험해.

4 문맥상 ㉠과 가장 가까운 뜻으로 쓰인 것은 무엇인가요?

① 오늘 저녁에 <u>원형</u> 무대에서 공연을 합니다.

② 이것은 <u>원형</u>을 유지하는 성질을 갖고 있다.

③ 그는 동학 농민 운동을 혁명의 <u>원형</u>으로 보았다.

④ '뛰었다'의 <u>원형</u>은 '뛰-'에 어미 '-다'를 붙인 '뛰다'이다.

⑤ 로댕 미술관에 가면 「생각하는 사람」의 <u>원형</u>을 볼 수 있다.

지구 에너지의
균형

Q 허리케인과 태풍의 공통점
과 차이점은 무엇인가요?

글에 드러난 인과 관계, 어떻게
파악해야 할까
모든 일엔 원인이 있어~
결과를 만들어 내는 진짜 원인
을 찾자!

▶ 생각읽기가 수능이다 48쪽

태풍이 느려지는 이유

　지구는 태양으로부터 흡수하는 에너지와 우주로 방출*하는 에너지가 같아 에너지 평형 상태를 이루고 있지만, 위도별로 나누어 보면 입사*되는 태양 복사 에너지와 방출하는 지구 복사 에너지에 차이가 난다. 위도 약 38° 이하의 저위도 지역은 에너지 ⓐ과잉 상태이고, 그 이상의 고위도 지역은 에너지 부족 상태이다. 지구의 이러한 에너지 불균형은 대기와 해수의 순환을 ⓑ유발한다. 이 중 대기는 전반적으로 에너지 과잉인 적도 지방의 공기가 상승하여 극지방 쪽으로 이동하고, 에너지가 부족한 극지방의 찬 공기는 하강하여 적도 방향으로 이동하며 순환한다. 우리가 '태풍'이라고 부르는 열대성 저기압 또한 이러한 대기 순환의 하나이다. 열대성 저기압은 발생하는 지역에 따라 허리케인, 사이클론, 태풍 등의 이름으로 불리는데 이 중 북태평양 남서쪽에서 발생하는 것이 태풍이다.

　강한 바람과 폭우를 ⓒ동반하는 태풍은 인간에게 피해를 주는 자연재해이기도 하지만 대기를 순환시켜 지구의 에너지 불균형을 상당 부분 해소하는 역할을 한다. 그런데 최근 연구에 따르면 열대성 저기압의 속도가 전반적으로 느려졌고, 특히 우리나라에 영향을 끼치는 태풍의 이동 속도가 다른 열대성 저기압에 비해 감소의 폭이 매우 크다는 것을 알 수 있다. 과학 전문지 『네이처』는 1949년~2016년 사이에 전 세계에서 발생한 열대성 저기압의 평균 이동 속도를 분석한 결과를 발표했다. 이 분석에 따르면 지난 68년간 ㉠열대성 저기압의 이동 속도가 지구 전체적으로 10% 이상 느려진 것으로 나타났다. 특히 한국 등 동아시아 지역의 태풍 이동 속도는 평균보다 훨씬 높은 30%나 느려진 것으로 나타났다.

　그렇다면 태풍의 이동 속도는 왜 이렇게 느려진 것일까? 그 이유는 지구 온난화로 적도 지방과 극지방 사이에 에너지 ⓓ격차가 줄고 있기 때문이다. 태풍은 지구의 에너지 균형을 맞추려는 작용의 일환으로 나타나는 현상이다. 지구는 둥글기 때문에 위도에 따라 태양으로부터 받는 열량에 차이가 생긴다. 저위도인 적도 부근은 태양열을 많이 받아 에너지가 많고 고위도인 극지방은 태양열을 적게 받아 에너지가 적은, 열의 불균형이 생긴다. 두 지점 사이의 에너지 격차를 해소하기 위해 지구는 자체적으로 태풍을 통해 저위도의 열을 고위도로 옮긴다. 이때 태풍의 속도가 빠를수록 지구의 에너지 불균형은 쉽게 ⓔ해소된다. 그런데 바람은 두 지점 사이의 기압 차가 클 때 세게 불고, 공기 밀도는 특정 지역에 내리쬐는 태양열의 양에 차이가 생기면 달라진다. 열을 적게 받으면 공기 밀도가 높아져 고기압이 형성되고, 열을 많이 받으면 공기 밀도가 낮아져 저기압이 형성된다. 바람은 항상 기압이 높은 곳에서 낮은 곳으로 불기 때문에 저기압이 형성되면 바람이 불어오는데, 지구 온난화로 적도와 극지방 사이의 에너지 차이가 별로 나지 않아 태풍의 속도가 느려졌다는 설명이다.

　그런데 상식적으로 생각했을 때, 태풍의 속도가 느려졌다면 바람도 약해져 피해도 덜 입어야 한다. 그러나 지구 온난화로 인해 대기가 머금는 수증기 양이 증가한 상태에서 태풍의 속도가 느려지면 많은 수증기와

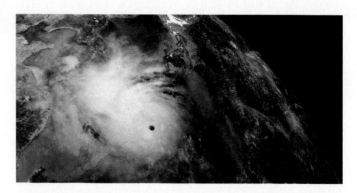

느려진 태풍의 이동 속도가 더해지면서 태풍이 특정 지역에 머무는 시간이 길어지게 된다. 결국 특정 지역에 집중적인 폭우를 퍼붓게 되면서 사람들의 피해가 커지는 것이다. 여기에 이동 경로도 한몫한다. 연구에 따르면 지난 30년간 북반구에서 태풍의 세력이 가장 강력한 지점이 적도 부근에서 약 160km 올라왔는데 그 영향을 직접 받는 위치가 바로 우리나라 부근이다. 즉 우리나라는 느려진 태풍 이동 속도에 경로의 변화까지 영향을 받아 태풍 피해의 직격탄을 맞을 가능성이 커진 것이다. 지구 온난화의 주범인 온실가스 배출 추세가 현재대로 유지될 경우 21세기 후반 우리나라의 기온은 현재보다 5.3℃ 높아질 것으로 예측된다. 이는 태풍의 이동 속도를 더 늦추고 태풍이 특정 지역에 머무는 시간이 더 길어진다는 의미이다. 태풍의 피해로부터 우리의 미래를 지키기 위해 어떤 노력이 필요할지 광범위한 논의가 필요한 때이다.

* 방출: 입자나 전자기파의 형태로 에너지를 내보냄.
* 입사: 하나의 매질(媒質) 속을 지나가는 소리나 빛의 파동이 다른 매질의 경계면에 이르는 일.

0 다음은 '우리가 몰랐던 태풍의 진실'이라는 제목으로 글을 쓰기 위해 마련한 개요입니다. ㉮, ㉯에 들어갈 적절한 말을 쓰세요.

처음	[태풍의 개념] 태풍은 (㉮)의 한 종류로, 북태평양 남서쪽에서 발생함.
중간	[태풍의 기능] 태풍은 지구 에너지의 (㉯)을 유지하는 데 중요한 역할을 함.
끝	[태풍의 현재] 태풍의 이동 속도가 수십 년 동안 지속적으로 느려지고 있음.

1 **이 글에서 다룬 내용으로 적절하지 않은 것은 무엇인가요?**

① 지구가 에너지 평형을 이루는 이유
② 해수 순환이 대기 순환에 끼치는 영향
③ 지구에서 대기의 순환이 일어나는 까닭
④ 태양열의 양과 공기 밀도, 기압 형성 간의 관계
⑤ 태풍이 지구의 에너지 불균형을 해소하는 원리

2 **㉠에 대해 이해한 내용으로 적절한 것을 모두 골라 바르게 묶은 것은 무엇인가요?**

> ㄱ. 다른 지역보다 동아시아 지역의 태풍 이동 속도의 감소 폭이 크다.
> ㄴ. 지구 온난화가 태풍의 이동 속도를 감소시키는 원인이 되고 있다.
> ㄷ. 특정 지역에 집중 호우를 유발해서 인간에게 끼치는 피해는 더 커진다.
> ㄹ. 태풍의 이동 속도가 느려지면 태풍의 이동 경로에도 반드시 변화가 생긴다.
> ㅁ. 적도 지방과 극지방 사이의 에너지 불균형을 이전보다 더 빠르게 해소시켜 준다.

① ㄱ, ㄴ, ㄷ
② ㄱ, ㄴ, ㄹ
③ ㄴ, ㄷ, ㄹ
④ ㄴ, ㄹ, ㅁ
⑤ ㄷ, ㄹ, ㅁ

3 ⓐ~ⓔ의 사전적 의미로 적절하지 <u>않은</u> 것은 무엇인가요?

① ⓐ: 예정하거나 필요한 수량보다 많이 남음.
② ⓑ: 어떤 일이 다른 일을 일어나게 함.
③ ⓒ: 어떤 사물이나 현상이 함께 생김.
④ ⓓ: 둘 이상의 대상을 각각 등급이나 수준 따위의 차이를 두어서 구별함.
⑤ ⓔ: 어려운 일이나 문제가 되는 상태를 해결하여 없애 버림.

4 이 글을 읽고 학생들이 나눈 대화입니다. 글쓴이의 의도를 가장 바르게 이해한 학생은 누구인가요?

> 은정 대기의 순환은 지구의 에너지 균형에 기여하지만, 해수의 순환은 지구 에너지 불균형의 원인이라는 것을 알 수 있었어. ……………………………………… ①
>
> 주원 온실가스 배출을 줄이기 위해 모두가 노력하지 않으면 태풍의 이동 속도가 다시 빨라져서 인류에게 큰 피해를 입히게 되지 않을까? …………………… ②
>
> 수아 경제의 급격한 발달은 극지방과 적도 지방의 에너지 차이를 만들어 내어 지구의 에너지 불균형을 유발한다는 것을 새롭게 알게 되었어. ……………… ③
>
> 지민 태풍이 다른 열대성 저기압에 비해 속도와 이동 경로에서 큰 변화를 겪은 것은 해당 지역의 문화적 특성과 연관이 있다는 것을 깨닫게 되었어. 우리나라 문화에도 더욱 자부심을 가져야겠어. ……………………………………… ④
>
> 새하 최근 태풍으로 인한 피해가 늘어난 것이 우리의 평소 잘못된 습관과도 관련이 있다는 생각이 들었어. 지구 온난화 해소를 위해 일회용품 사용을 줄이고, 가까운 곳은 걸어다니도록 노력해야겠어. ……………………………………… ⑤

설명을 위주로 하는 글에서 글쓴이의 의도는 대체로 글의 끝부분에서 나타나. 이 글에서도 끝부분에 글쓴이의 당부가 나타나는데, 이를 파악한다면 글쓴이의 의도도 알 수 있겠지?

결과를 만들어 낸 진짜 이유를 찾자

이누이트들이 냉장고를 구입한 진짜 이유는 무엇일까요?

음식을 집 밖에 두면 냉동고가 되고, 집 안에 두면 냉장고가 되는
북극해 연안에 사는 이누이트들에게 냉장고는 불필요한 물건이었습니다.
그래서 일본인보다 더 이전에 왔던 미국인들과 유럽인들은 그들에게
냉장고를 팔지 못했습니다. 하지만 일본인들은 이누이트 남성의
평균 수명이 전 세계 남성들보다 10년이나 더 짧다는 것을
알아냈습니다. 그리고 그 원인이 부패한 음식을 많이
먹었기 때문이라고 분석했습니다. 자연 상태에서 보관한
생선에 육안으로 관찰되지 않는 부패가 진행되고 있었기
때문이었죠. 그런 부패한 음식을 먹게 된 원인이 냉장고를 쓰지 않기 때문이라는 일본인들
의 주장에 이누이트들은 냉장고를 구입하기 시작했습니다.

독서 지문은 일정한 구조 속에서 흐름에 따라 서술됩니다. 이러한 글을 잘 이해하기 위해서는,
단어와 단어, 문장과 문장의 관계, 문단과 문단의 관계에 주목해야 합니다. 또한 글의 내용 요소
들이 어떤 순서에 따라 어떻게 조직되었고, 서술되었는지 정확히 파악하는 것이 중요합니다. 특
히 **인과 관계에 주목하면 글의 주제와 글쓴이의 의도에 가까이 다가갈 수
있습니다.**

여기서 인과 관계란 한 현상이 다른 현상의 원인이 되고, 그 다른 현상은 먼저 현상의 결과가
되는 관계를 의미합니다. 이 글에서 이누이트들이 냉장고를 구입하게 된 원인은 자연 상태에서
보관한 음식물이 부패한 사실을 알았기 때문입니다. 일반적인 글에서 **인과 관계를 파악하면
원인이 되는 상황과 그로 인한 결과가 구분되어 내용 이해가 쉬워지고 내용이
구조화되어 보입니다.** 그렇게 되면 글의 핵심도 더 쉽게 파악이 되겠죠?

44쪽 지문

그렇다면 태풍의 이동 속도는 왜 이렇게 느려진 것일까? 그 이유는 지구 온난화로 적
도 지방과 극지방 사이에 에너지 ⓓ격차가 줄고 있기 때문이다. 태풍은 지
구의 에너지 균형을 맞추려는 요인 이하으 나타나는 현상이다. 지그느 두글기 때문에 위도
에 따라 태양으로부터 ～～～～ ～～～～ 받아 에너지가
많고 고위도인 극지방 ～～～～ ～～～ 생긴다. 저위도인

> **결과를 만들어 내는 진짜 원인을 찾아낼 수 있어야
> 인과 관계로 된 글의 구조와 핵심이 보인다!**

두 지점 사이의 에너지 격차를 해소하기 위해 지구는 자체적으로 태풍을 통해 저위도의 열을 고
위도로 옮긴다. 이때 태풍의 속도가 빠를수록 지구의 에너지 불균형은 쉽게 ⓔ해소된다.

독해실전 | **배운 글을 다시 읽고, 물음에 답해 보세요.**

생각독해 III 10쪽

당시 귀족들은 사치스러운 과소비를 함으로써, 자신의 지위를 과시하고 가문의 명예를 높이려는 욕망을 가지고 있었다. 그래서 귀족들이 한 자리에 모이면, 이내 그곳은 귀족들이 욕망을 분출하고 경쟁하는 장이 되었다. 경제관념이 없었던 그들은 오직 자신들의 욕망을 위해 1년 치 생활비를 드레스 한 벌 값으로 써 버릴 정도의 소비를 했으며, 이를 감당하지 못해 궁을 떠나는 것을 수치스러운 일로 여겼다. 파리와 프랑스 전역에 퍼져 살다가 베르사유 궁에 머물며 생활하는 '궁정 귀족'이 되었던 귀족들 중에는 결국 과도한 소비를 감당하지 못해 몰락하는 귀족들이 생겨나기 시작했다. 심지어는 빚을 갚기 위해 작위를 팔아 평민으로 전락하는 경우도 허다했다. 이때 루이 14세는 일부 귀족들에게만 엄청난 후원금을 지원해 주었는데, 계속해서 궁정 귀족으로 지내고자 했던 귀족들은 왕의 후원을 받기 위해 노력했다. 결국 베르사유 궁은 왕의 후원을 받기 위한 궁정 귀족들의 충성 경쟁의 장으로 변모되었다.

1 위 글을 읽고, 사건의 인과 관계를 고려하여 ㉠~㉢을 순서대로 바르게 배열해 보세요.

㉠ 귀족들은 자신들의 과시욕을 드러내기 위해 사치스럽고 과도한 소비 경쟁을 하게 되었다.

㉡ 베르사유 궁에 온 귀족들이 궁정 귀족이 되어 베르사유 궁에서 생활하게 되었다.

㉢ 귀족들은 궁정 귀족으로 지내기 위해 왕에게 충성 경쟁을 하게 되었다.

수능실전 | **아래 글을 읽고, 수능 실전감각을 길러 보세요.**

2012학년도 수능

조선 시대 역관들에게는 중국의 한자음을 정확히 익히는 일이 중요했다. 중국에서는 한자의 발음 사전인 운서(韻書)에서 한자음을 초성과 중·종성으로 이분하여 이를 두 개의 한자로 표시하는 반절법을 사용했다. 한자 '동(東)'의 발음을 중국의 운서에서는 반절법에 의해 '덕(德)'의 초성 [t]와 '홍(紅)'의 중·종성[ug]을 이용해 표시했다. 이때 '덕(德)'과 '홍(紅)' 대신에 다른 한자들이 사용될 수도 있었으며, '동(東)'이 다른 한자들의 발음 표시에 사용되기도 했다. ㉠이러한 발음 표시 방식은 조선의 역관들이 중국의 한자음을 학습하는 데 효율적이지 못했다.

1 ㉠의 이유를 가장 바르게 짐작한 것은 무엇인가요?

① 어떤 한자가 둘 이상의 발음을 가질 때에는 그 발음을 표시할 수 없었기 때문에

② 발음과 기호가 일대일로 대응하는 이상적인 발음 기호였기 때문에

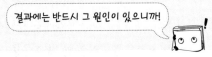
결과에는 반드시 그 원인이 있으니까

생각읽기가 수능이다! | 🧠 **[원인-결과]의 생각 구조에서 글쓴이의 생각은 어떻게 알 수 있나요?**

실제 수능에서 결과에 대해 묻는 문제는 그 답의 근거가 원인에 있는 경우가 많아서 다양한 가짜 원인들 중에서 진짜 원인을 가려내는 것이 필요해! 결과에 대해 물을 땐 그 진짜 원인에, 원인에 대해 물을 땐 그 결과에 주목해야 글쓴이의 생각을 알 수 있어!

국가 세력 간의 균형

Q 국가 간 동맹이 결성, 유지되기 위해 가장 중요한 조건은 무엇인가요?

국가는 왜 동맹을 맺을까

국가는 자국의 힘이 외부의 군사적 위협을 견제하기에 충분하지 않다고 판단할 때나, 역사와 전통 등의 가치가 위협받는다고 느낄 때 다른 나라와 동맹을 맺는다. 동맹 결성의 핵심적인 이유는 동맹을 통해서 확보되는 이익이며 이는 동맹 관계 유지의 근간이 된다.

동맹의 종류는 그 형태에 따라 방위 조약, 중립 조약, 협상으로 나눌 수 있다. 먼저 방위 조약은 조약에 서명한 국가들 중 어느 한 국가가 침략을 당했을 경우, 다른 모든 서명국들이 공동으로 방어하기 위해서 참전하기를 약속하는 것이다. 다음으로 중립 조약은 서명국들 중 한 국가가 제3국으로부터 침략을 받더라도, 서명국들 간에 전쟁을 선포하지 않고 중립을 지킬 것을 약속하는 것이다. 마지막으로 협상은 서명국들 중 한 국가가 제3국으로부터 침략을 당했을 경우, 서명국들 간에 공조* 체제를 유지할 것인지에 대해 이후에 협의할 것을 약속하는 것이다. 정리하면 세 가지 유형 중 방위 조약의 경우는 동맹국의 전쟁에 개입해야 한다는 강제성이 있기에 동맹국 간의 정치·외교적 관계의 정도가 매우 가깝다. 또한 조약의 강제성으로 인해 전쟁이 일어났을 때 동맹 관계 속에서 국가가 펼칠 수 있는 정치·외교적 자율성은 매우 낮다. 이러한 이유로 방위 조약이 동맹국 간의 자율성이 가장 낮고, 다음으로 중립 조약, 협상 순으로 자율성이 높아진다. 한 연구에 따르면, 1816년부터 1965년까지 약 150년간 맺어진 148개의 군사 동맹 중에서 73개는 방위 조약, 39개는 중립 조약, 36개는 협상의 형태인데, 동맹의 평균 수명은 방위 조약이 115개월, 중립 조약이 94개월, 협상은 68개월 정도였다. 따라서 동맹 관계가 가깝고 자율성이 낮을수록 그 수명이 연장되었음을 알 수 있다.

위와 같이 동맹 관계는 항상 고정되어 있지 않다. 그 이유에 대해 ㉠현실주의자들과 ㉡구성주의자들은 서로 다른 견해를 보이는데, 이는 국제 사회를 바라보는 시각의 차이에서 비롯된다. 우선 현실주의자들은 국가는 이기적 존재이며 국제 사회의 유일하고 중요한 행위 주체라고 생각한다. 국제 사회는 국가 이상의 단위에서 작동하는 중앙 정부와 같은 존재가 없는 일종의 무정부 상태이므로 개별 국가는 힘의 논리로부터 스스로를 지켜야 한다고 ⓐ본다. 따라서 각 나라는 군사적 동맹을 통해 세력의 균형을 이루어 안정을 취하려 한다. 특정한 패권* 국가가 출현하면 그 힘을 견제하기 위한 국가들 간의 동맹이 형성되기도 하고, 그 힘에 편승*하는 동맹이 형성되기도 한다. 이렇듯 힘의 균형점이 이동함에 따라 세력의 균형을 끊임없이 찾는 과정에서 동맹 관계가 변할 수 있다고 보는 것이다.

구성주의자들 역시 현실주의자들처럼 동맹 관계가 상황에 따라 변할 수 있는 약속이라고 본다. 구성주의자들은 무정부적 국제 사회를 힘의 분배와 균형 등의 요소로 분석할 수 없다고 비판하며 그보다는 관계에 주목한다. 구성주의자들은 국제 사회의 구성원들이 상호 작용을 하여 상호 간 역할과 가치를 형성하면서 국제 사회 환경의 변화를 만들어 낸다고 본다. 상호 작용의 변화에 따라 동맹은 달라질 수 있는데, 다른 나라나 국제 사회에 대한 인식이 긍정적이고 국제 사회에서 구성원들의 역할이 가치가 있다고 판단될 때, 긍정적인 동맹 관계를 맺고 평화로울 수 있지만, 그렇지 않으면 동맹은 깨질 수 있다고 본 것이다.

* 공조: 여러 사람이 함께 도와주거나 서로 도와줌.
* 패권: 국제 정치에서, 어떤 국가가 경제력이나 무력으로 다른 나라를 압박하여 자기의 세력을 넓히려는 권력.
* 편승: 세태나 남의 세력을 이용하여 자신의 이익을 거둠을 비유적으로 이르는 말.

0 국가 간 동맹의 종류를 〈보기〉와 같은 순서로 배치한다고 할 때, 그 기준이 적절한 것으로 묶인 것은 무엇인가요?

┤보 기├

방위 조약 > 중립 조약 > 협상

① 동맹의 평균 수명, 동맹 관계의 가까운 정도
② 서명국 간의 전쟁 비율, 동맹 관계의 가까운 정도
③ 동맹의 평균 수명, 현실주의자들이 선호하는 동맹 순서
④ 서명국 간의 전쟁 비율, 현실주의자들이 선호하는 동맹 순서
⑤ 동맹 관계의 가까운 정도, 현실주의자들이 선호하는 동맹 순서

방위 조약이 가장 크고 협상이 가장 작다고? 무엇을 기준으로 할 때, 크기나 정도가 '방위 조약 > 중립 조약 > 협상' 순으로 나타날 수 있는지 파악해 봐!

1 이 글을 읽고 알 수 있는 내용을 모두 고른 것은 무엇인가요?

> ㄱ. 동맹의 종류
> ㄴ. 방위 조약의 기원
> ㄷ. 국가 간 동맹 결성의 이유
> ㄹ. 동맹 관계의 자율성과 동맹 지속 기간의 관계
> ㅁ. 중립 조약의 수명 연장을 위해 국제 사회가 기울이는 노력

① ㄱ, ㄴ, ㄹ
② ㄱ, ㄷ, ㄹ
③ ㄴ, ㄷ, ㄹ
④ ㄴ, ㄹ, ㅁ
⑤ ㄷ, ㄹ, ㅁ

2 이 글을 이해한 내용으로 적절하지 <u>않은</u> 것은 무엇인가요?

① 방위 조약을 맺었을 경우 동맹국의 전쟁 개입에 대해 국가가 펼칠 수 있는 자율성은 낮다.
② 협상을 맺은 경우 서명국들 중 하나가 제3국으로부터 위협을 받았다고 해도 무조건 도와줄 필요는 없다.
③ 중립 조약을 맺었다면 서명국들 중 하나가 국제적으로 위험에 처할 때 공동 방어를 하는 것이 원칙이다.
④ 제3국으로부터 침략을 당했을 때 다른 국가들의 절대적인 도움이 필요하다면 방위 조약을 맺는 것이 효과적이다.
⑤ 동맹을 통해 얻게 되는 이익이 동맹을 맺지 않았을 때의 이익보다 크지 않다고 판단될 경우에는 동맹을 깰 수도 있다.

3 ㉠과 ㉡을 이해한 내용으로 적절하지 **않은** 것은 무엇인가요?

① ㉠, ㉡ 둘 다 국가 간의 동맹 관계가 변할 수 있다고 본다.
② ㉠은 국제 사회에서의 힘의 균형은 수시로 변할 수 있다고 본다.
③ ㉠은 개별 국가 간의 동맹은 힘의 논리에 따라 형성된다고 생각한다.
④ ㉡은 국제 사회의 구성원들 사이의 관계와 상호 작용의 중요성에 주목한다.
⑤ ㉡은 ㉠이 개별 국가의 힘과 능력에 대해 지나치게 비관적이라고 비판한다.

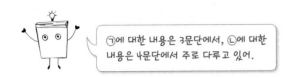

㉠에 대한 내용은 3문단에서, ㉡에 대한
내용은 4문단에서 주로 다루고 있어.

4 문맥상 ⓐ와 의미가 가장 유사한 것은 무엇인가요?

① 그는 뛰어난 상술로 큰 이익을 <u>보았다</u>.
② 그간의 노력이 결실을 <u>보기를</u> 바란다.
③ 저는 선생님을 <u>보고</u> 이 일을 시작하였습니다.
④ 할머니는 아버지만 <u>보고</u> 긴 세월을 견디셨다.
⑤ 나는 모든 계획을 새롭게 세워야 한다고 <u>본다</u>.

동물들의 삼투 조절

삼투 현상이란 반(半)투과성* 막을 사이에 두고 농도가 다른 양쪽의 용액 중, 농도가 낮은 쪽의 용매가 농도가 높은 쪽으로 옮겨 가는 현상을 말한다. 소금물에서는 물에 녹아 있는 소금을 '용질', 그 물을 '용매'라고 할 수 있는데, 반투과성 막의 양쪽에 농도가 다른 소금물이 있다면, 농도가 낮은 쪽의 물이 높은 쪽으로 이동하게 된다. 이때 양쪽의 농도가 같다면, 물의 순 이동은 없다.

미역국을 끓이려고 마른 미역을 물에 넣고 불리는 것, 오이 무침을 만들기 위해서 오이에 소금을 뿌려서 절여 두는 것, 이 둘도 '삼투 현상'이 작용한다. 마른 미역을 구성하는 세포의 세포질은 물보다 농도가 짙으므로 마른 미역에 물을 넣으면 삼투 현상에 따라 물이 미역 세포 안으로 이동하여 미역이 부풀어 오른다. 반대로 오이에 소금을 뿌리면 오이 세포보다 오이 표면에 녹은 소금물의 농도가 짙으므로 오이 세포 안의 수분이 빠져나와 물기가 흥건해지고 오이는 꼬들꼬들해진다. 이러한 삼투 현상은 식물뿐만 아니라 동물에서도 찾아볼 수 있다. 모든 동물들은 생리적 장치들이 제대로 작동하기 위해서 체액*의 농도를 어느 정도 일정하게 유지해야 한다. 이를 위해 수분의 획득과 손실의 균형을 조절하는 작용을 삼투 조절이라 한다. 동물은 서식지와 체액의 농도, 특히 염도 차이가 있을 경우에는 삼투 현상에 따라 체내 수분의 획득과 손실이 발생하기 때문에, 이러한 상황에서 체액의 농도를 일정하게 유지하는 것이 중요한 생존 과제이다.

동물들은 이러한 삼투 현상에 대하여 수분 균형을 어떻게 유지하느냐에 따라 ㉠삼투 순응형과 ㉡삼투 조절형으로 나눌 수 있다. 먼저 삼투 순응형 동물은 모두 해수(海水) 동물로 체액과 해수의 염분 농도, 즉 염도가 같기 때문에 수분의 순 이동이 없다. 쉽게 말해, 주변 환경과 체내의 농도가 같도록 진화해 삼투압을 아예 없애 버린 종으로 게나 홍합, 갯지네 등이 여기에 해당한다. 이와 달리 삼투 조절형 동물은 체액의 염도와 서식지의 염도가 달라, 체액의 염도가 변하지 않도록 삼투 조절을 하며 살아간다. 삼투 조절형 동물 중 해수에 사는 대다수 어류의 체액은 해수에 비해 염도가 낮기 때문에 체액의 수분이 빠져나갈 수 있다. 표피*는 비투과성이지만, 아가미는 그렇지 않아 이를 통해 물을 쉽게 빼앗긴다. 이렇게 삼투 현상에 의해 빼앗긴 수분을 보충하기 위하여 이들은 계속 바닷물을 마시게 된다. 이로 인해 이들의 창자에서 바닷물의 70~80%가 혈관 속으로 흡수되는데, 이때 염분도 혈관 속으로 들어간다. 그러면 아가미의 상피 세포에 있는 염분 분비 세포를 작동시켜 과도해진 염분을 밖으로 내보낸다.

담수에 사는 동물들의 삼투 조절 문제는 해수 동물과는 정반대로 이루어진다. 담수 동물의 체액은 담수에 비해 염도가 높기 때문에 아가미를 통해 수분이 계속 유입될 수 있다. 그래서 담수 동물들은 물을 거의 마시지 않고 많은 양의 오줌을 배출하여 문제를 해결하고 있다. 이들의 비투과성 표피는 수분의 유입을 막기 위한 것이다.

농도의 균형

Q 동물들이 삼투 조절을 하는 이유는 무엇인가요?

비교와 대조, 어떻게 구분할까
대상을 비교하거나 대조할 땐
그 기준점부터 찾아야 해!
► 생각읽기가 수능이다 58쪽

---

* 반투과성: 용액의 용매는 통과시키지만 용질은 통과시키지 아니하는 막의 성질.
* 체액: 동물의 몸속에 있는 혈관이나 조직의 사이를 채우고 있는 혈액, 림프, 뇌척수액 따위를 통틀어 이르는 말.
* 표피: 동물체의 표면을 덮고 있는 피부의 상피 조직.

0 이 글을 바탕으로 〈보기〉를 이해할 때, 적절하지 <u>않은</u> 것은 무엇인가요?

─┤ 보 기 ├─

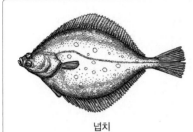

넙치

넙치는 아가미와 창자를 지닌 어류이다. 아가미에는 상피 세포가 있고, 상피 세포에는 염분 분비 세포가 있다. 그리고 물에 비투과성인 표피를 지니고 있다.

① 넙치의 창자에서는 수분이 혈관으로 흡수되겠군.
② 넙치의 아가미에서는 삼투 현상이 일어나지 않겠군.
③ 넙치의 표피는 수분 손실을 막을 수 있도록 되어 있군.
④ 넙치의 염분 분비 세포를 통해 체내의 과도한 염분이 배출되겠군.
⑤ 넙치는 체액의 염도가 서식하고 있는 물의 염도보다 낮은 삼투 조절형 동물이겠군.

1 〈보기〉는 글쓴이가 이 글을 쓰기 전에 작성한 메모입니다. ㉮~㉱ 중 이 글에서 확인할 수 있는 것끼리 묶은 것은 무엇인가요?

┤보 기├

㉮ 실생활에서 확인할 수 있는 삼투 현상을 소개해야지.

㉯ 삼투 순응형 동물에 대한 이해를 돕기 위해 시각 자료를 활용해야지.

㉰ 일반적으로 삼투 현상이 어떤 과정을 거쳐 일어나는지 설명해야지.

㉱ 삼투 현상이 식물과 동물에 미치는 영향과 그것의 장단점을 제시해야지.

① ㉮, ㉯   ② ㉮, ㉰

③ ㉯, ㉰   ④ ㉯, ㉱

⑤ ㉰, ㉱

2 이 글의 내용과 일치하지 <u>않는</u> 것은 무엇인가요?

① 음식을 조리하는 데 삼투 현상이 활용되기도 한다.

② 물에 담근 마른 미역의 부피가 커지는 것은 삼투 현상으로 설명할 수 있다.

③ 반투과성 막을 중심으로 양쪽의 농도가 같다면 삼투 현상은 일어나지 않는다.

④ 동물의 삼투 조절은 체액의 농도를 어느 정도 일정하게 유지하기 위한 방법이다.

⑤ 해수 동물들은 담수 동물들과 달리 몸 안의 수분 증가를 막기 위해 다량의 오줌을 몸 밖으로 배출한다.

3 ㉠과 ㉡을 비교한 설명으로 가장 적절한 것은 무엇인가요?

① 해수에 사는 모든 동물은 ㉠에 해당한다.
② ㉠과 ㉡을 분류하는 기준은 '삼투 현상의 목적'이다.
③ ㉠에 속하는 동물들은 삼투 현상이 거의 일어나지 않는다.
④ ㉡에 해당하는 동물들은 체액의 염도가 서식지의 염도와 같은 경우가 많다.
⑤ ㉡에 속하는 동물들은 염분 분비 세포를 통해 바닷물에 포함된 소금을 흡수한다.

4 이 글을 바탕으로 할 때, '삼투 현상'으로 설명할 수 없는 사례는 무엇인가요?

① 오랜 시간 동안 목욕을 하고 나오면 손가락과 발가락이 쭈글쭈글해진다.
② 얼음을 담은 물컵을 더운 날 상온에 두면 컵 표면에 작은 물방울이 맺힌다.
③ 생선에 소금을 뿌려 생선 안의 수분이 자연스럽게 빠지도록 하여 생선의 부패를 방지하고 저장 기간을 늘인다.
④ 바닷물의 염분 농도가 우리 몸의 체액 농도보다 훨씬 진해서 바닷물을 마시면 체내 수분이 손실되어 심한 갈증을 느끼게 된다.
⑤ 딸기의 단맛이 덜할 때 딸기를 소금물이나 설탕물에 담가 두었다가 빼면 딸기 속에 있던 물들이 밖으로 빠져나와 단맛이 강해진다.

삼투 현상은 수분의 이동에 따른 획득과 손실의 균형을 이루기 위한 작용이라는 점을 염두에 두고, 선지의 사례에 이러한 원리가 나타나는지 살펴봐!

비교가 나오면 그 기준부터 찾자

다음 연어의 사례를 통해 해수와 담수에서의 삼투 조절 방법을 비교해 볼까요?

강에서 태어난 연어는 바다로 내려가면 해수어와 같은 방법으로 삼투 조절을 해서 수분을 최대한 체내에 저장하고 염류를 배출한다. 그러나 산란기에 다시 모천으로 회귀하게 되면 이와는 반대의 방법으로 삼투 조절을 한다. 따라서 연어는 바다에서는 수분 손실로 인한 체형 수축이 일어나지 않으며, 강에서는 수분 유입으로 인해 풍선처럼 몸이 불어나는 일도 없다. 연어와 같이 물이라는 환경에 직접 노출되어 있는 대부분의 어류에게 있어서 삼투 조절은 주위 환경 속에서 생존하기 위한 필수적인 작용이다.

연어

이 글의 연어는 해수와 담수에서 각각 다른 방식으로 삼투 조절을 합니다. 해수에서는 수분을 저장하고 염류를 배출하며, 담수에서는 이와 반대로 하지요.

'비교'의 사전적 정의는 이렇게 '둘 이상의 것을 견주어 공통점이나 차이점, 우열을 살핌.'입니다. 즉, 비교를 한다는 것은 일단 둘 이상의 대상 혹은 상황을 전제로 하며, 그 두 대상을 다양한 측면에서 파악할 수 있어야 함을 의미하죠. 비교할 것을 요구받는 둘 이상의 대상 혹은 견해 사이에는 공통점도 있고 차이점도 있습니다.

그럼 글에서 다른 개념, 용어 혹은 관점을 소개하고 이를 비교하게 하거나 〈보기〉에서 설명하고 있는 내용과 비교할 수 있는지를 묻는 문제가 나오면 어떻게 접근해야 할까요? **비교할 때 우선적으로 해야 할 일은 기준점을 잡는 데 있습니다.** 이때 공통점과 차이점을 구분하는 기준은 당연히 지문 속 내용이 되어야겠죠? 문제에서 〈보기〉가 나오는 경우도 마찬가지입니다. 지문에서 나온 내용과 〈보기〉의 내용이 어떤 점에서 같고, 어떤 점에서 다른지를 파악하는 것이 곧 '비교'입니다.

54쪽 지문

동물들은 이러한 **삼투 현상에 대하여 수분 균형을 어떻게 유지하느냐에 따라 ㉠삼투 순응형과 ㉡삼투 조절형으로 나눌 수 있다.** 먼저 삼투 순응형 동물은 모두 해수(海水) ~~~~ 해에게 해수의 염분 농도 중 염도가 각기 체액 내 수분의 순 이동이 없다. 쉽게 말해 ~~~~ 린 종으로 게나 홍합, 갯지네 ~~~~ 와 서식지의 염도가 달라, 체액의 염도가 변하지 않도록 삼투 조절을 하며 살아간다. 삼투 조절형 동물 중 해수에 사는 대다수 어류의 체액은 해수에 비해 염도가 낮기 때문에 체액의 수분이 빠져나갈 수 있다. 표피*는 비투과성이지만, 아가미는 그렇지 않아 이를 통해 물을 쉽게 빼앗긴다. 이렇게 삼투 현상에 의해 빼앗긴 수분을 보충하기 위하여 이들은 계속 바닷물을 마시게 된다.

> **대상을 비교하는 데서 그치는 것이 아니라**
> 비교의 기준이 무엇인지까지 파악할 수 있어야 진짜 비교다!

독해실전

배운 글을 다시 읽고, 물음에 답해 보세요.

생각독해 Ⅱ 138쪽

> 우리 몸에서 일어나고 있는 생명 활동 중에서 자기 조절 능력이라는 것이 있다. 이 자기 조절 능력을 항상성의 원리라고 하는데, 체내외의 환경이 변하더라도 체내 상태를 항상 일정하게 유지하려는 성질을 말한다. 우리 몸의 항상성 원리가 작동하기 위해서는 세포 간 정보 전달이 이루어져야 하며 이를 위해서는 전달 수단이 있어야 하는데, 그중 하나가 바로 호르몬이다. 우리 몸의 정보 전달 수단에는 신경과 호르몬이 있다. 신경은 호흡이나 감각 인지, 운동처럼 즉각적인 정보 전달을 주로 담당한다면, 호르몬은 소화나 혈당 조절, 성장같이 어느 정도 시간을 가지는 정보 전달을 담당한다고 보면 된다.

1 글쓴이가 위 글을 쓰기 위해 계획한 내용으로 적절한 것은 무엇인가요?

① 호르몬의 역할을 나타내기 위해 다른 대상과 비교한다.

② 호르몬의 역할을 쉽게 전달하기 위해 같은 원리를 지닌 다른 대상에 비유하여 설명한다.

수능실전

아래 글을 읽고, 수능 실전감각을 길러 보세요.

2008학년도 고1

> 역사 연구는 거시사적 연구와 미시사적 연구로 나눌 수 있다. 이는 역사 연구를 통해서 서술하고자 하는 대상이 무엇이냐에 따른 것으로 거시사적 연구가 정치, 경제, 사회의 전체적인 구조를 대상으로 한다면 미시사적 연구는 주로 개인들의 구체적인 삶을 대상으로 한다. 거시사는 딱딱한 이론 형태의 역사 진술로 인해 역사를 대중으로부터 멀어지게 만드는 문제점도 있지만, 역사를 구조적인 측면에서 체계적으로 파악할 수 있게 해 준다는 장점이 있다. 반면 미시사는 역사를 체계적으로 살펴볼 수 있는 안목을 제공하기 어렵다는 점에서 한계가 있지만, 개인들의 삶을 이야기 형식으로 생생하게 복원해 내어 대중들로 하여금 역사의 역동성과 구체성을 느낄 수 있게 해 준다. 거시사와 미시사는 서로 (   ) 관계가 바람직하다.

1 위 글의 내용으로 보아 〈보기〉의 (   ) 안에 들어갈 단어로 가장 적절한 것은 무엇인가요?

┤보 기├

거시사와 미시사는 서로 (   ) 관계가 바람직하다.

① 보완(補完)하는   ② 대항(對抗)하는   ③ 대체(代替)하는

④ 대립(對立)하는   ⑤ 경쟁(競爭)하는

> 대상을 비교할 땐 그 기준부터 찾자!

생각읽기가 수능이다! [비교–대조]의 생각 구조에서 글쓴이의 생각은 어떻게 알 수 있나요?

실제 수능에서 비교와 대조의 구조로 전개되는 글이 나오면 대상 간의 공통점과 차이점 모두를 알아야 풀 수 있는 문제가 나와! 두 대상 간의 공통점과 차이점을 파악하려면 당연히 대상을 비교하는 기준이 무엇인지부터 알아야겠지?

균형 잡힌 삶이란

중용을 지키는 삶

Q 동양에서 모든 사람에게 똑같은 양을 나누지 않더라도 중용을 지킨 것으로 인정하는 이유는 무엇인가요?

『대학』, 『논어』, 『맹자』와 더불어 사서(四書)의 하나인 『중용』은 유교 철학의 개론서라고 불린다. '중용'은 책의 제목이기도 하지만 동양 철학에서 가치 있게 여긴 덕의 한 형태이다. '중용'이라는 말이 처음 쓰인 책인 『논어』에는, '중용이 덕에서 차지하는 비중이 아마 최고라고 할 수 있을 것이다. 그런데 사람들 사이에 희미해진 지 참 오래되었구나.'라는 구절이 등장한다. 이러한 설명을 토대로 동양 철학에서 '중용'을 어떤 식으로 ⓐ규정하고 있는지 살펴보면 '중용'의 본질을 알 수 있다. 중용을 '중'과 '용'으로 나누어 각각의 의미를 구체적으로 살펴보자.

먼저 '중'은 이론의 측면과 실천의 측면으로 나누어 이해할 수 있다. 이론적 측면에서 중은 중심, 균형, 중립, 비편향성, 공정성을 의미한다. 쉽게 말해, 판단을 내리거나 감정을 드러낼 때 기울지도 치우치지도 않는다는 것이다. 그렇기 때문에 중은 세계의 만물과 형상을 생성하고 의미를 부여하기도 하며, 사람을 동등하게 대우하도록 하는 원칙으로 작용하기도 한다. 실천의 측면에서 중은 '시중(侍中)', 풀어서 이해하면 현실 적합성, 적절성을 나타낸다. 예를 들어, 5명에게 10조각의 피자를 나누어야 한다면 ⓑ산술적으로 가장 공평한 분배는 각각 2조각씩 먹는 것이다. 이러한 나누기는 어떤 한 사람에게 더도 덜도 가지 않고 누구나 똑같은 양을 차지하게 되는 것이므로 중립으로서의 '중'의 뜻에 부합한다. 그러나 5명 중 방금 식사를 해서 피자 한 조각도 다 먹지 못하는 사람이 있다면 어떨까? 이러한 개인의 상황을 고려해 배가 고픈 사람에게 3조각, 배부른 사람에게 1조각을 나누는 것은 적절하지 않은 것일까? 실천의 측면에서의 중, 즉 '시중'은 ⓒ획일적으로 피자를 나누는 것이 아니라 균형의 의미를 살리면서 상황에 따라 달리 나누는 것과 관련된다.

다음으로, '용'은 관계의 측면과 성품의 측면으로 나누어 이해할 수 있다. 관계의 측면에서의 용은 평범성, 일상성을 뜻한다. 이때 용의 대상은 특별하지도 자극적이지도 않다. 예컨대 현대 윤리학에서는 안락사, 낙태 등이 중요한 문제인데, 이러한 주제는 중용의 세계에 들어설 틈이 없다. 반면 부모와 자식, 남편과 아내처럼 오륜의 관계에서 흔히 일어나는 일을 윤리적 삶의 문제로 삼는다. 성품의 측면에서 용은 습관, ⓓ조율된 반응을 나타낸다. 윤리적 삶은 한 번의 행위로 평가를 받기도 하지만 그것으로 완성되지는 않는다. 웃어른에게 전화를 걸어 안부를 묻는 행위는 효도에 해당하지만, 한 번의 전화로 효도가 완성되는 것은 아니다. 그보다는 동일한 대상에게 비슷한 행위가 안정적으로 지속되는 것이 중요하다고 이해할 수 있다.

서양 철학에서도 동양 철학 못지않게 중용의 가치를 높이 쳐 왔다. 특히 아리스토텔레스는 윤리적 삶과 중용이 연관되어 있음을 강조한 사상가로 유명하다. '중용'에 해당되는 그리스어는 '메소테스'인데, 지나침과 모자람의 극단으로 기울지 않는 중간을 나타낸다. 이 메소테스는 동양 철학에서 말하는 중용과 큰 틀에서는 유사하지만, 아리스토텔레스가 말하는 메소테스는

교육과 수련을 통해서 극단으로 흐르지 않는 탁월한 품성을 길들이는 데에 초점을 두고 있다는 점에서 동양 철학의 중용과는 차이를 보인다. 중용의 본질에 대한 앞선 설명을 토대로 할 때 중용은 공정성에 기반을 둔 균형 잡힌 삶으로 나타난다. 이러한 삶의 태도는 반대되는 가치와 성향들을 ⓔ배척하지 않고 창조적으로 종합한다. 예컨대 아리스

토텔레스는 금전과 관련해서 반대되는 가치인 인색함과 낭비의 극단적인 씀씀이보다 절약을 강조한다. 반면에 동양 철학에서의 중용은 중간을 인정하기도 하지만 경우에 따라서 인색과 낭비를 모두 인정하기도 한다. 또 사람을 대우할 때 관대함과 엄격함 사이의 중간 상태로서 중용이 있는 것이 아니라, '관대하면서도 엄격하게 하는 것'이 중용이라고 말한다.

0 **이 글을 읽고 답을 찾을 수 있는 질문이 <u>아닌</u> 것은 무엇인가요?**

① 사서에 해당하는 유교 경전에는 무엇이 있나요?

② 중용이라는 말이 처음으로 쓰인 책은 무엇인가요?

③ 중용에서 이론적 측면에서의 '중'은 어떤 의미를 갖고 있나요?

④ 우리 조상들이 삶에서 중용의 덕을 실천하기 위해 사용한 방법은 무엇인가요?

⑤ 서양 철학자인 아리스토텔레스는 윤리적 삶과 중용의 관계를 어떻게 이해했나요?

1 이 글에 대한 설명으로 가장 적절한 것은 무엇인가요?

① '중'과 '용'이 내포하는 의미를 토대로 중용의 본질을 밝히고 있다.

② 중용이 탄생하게 된 배경을 바탕으로 중용의 가치를 강조하고 있다.

③ 중용에 관한 여러 가지 물음에 답을 하는 방식으로 내용을 전개하고 있다.

④ 중용의 사전적 개념을 검토한 후 중용의 현대적 의미를 새롭게 제시하고 있다.

⑤ 동양과 서양의 문화적 차이가 중용의 탄생에 어떤 영향을 주었는지 밝히고 있다.

"나, 내포 안엔 많은 게 담겨 있지!"

내포란 **어떤 성질이나 뜻 등이 그 안에 담겨 있다**는 말이야!

주로 말의 속뜻을 의미할 때 사용해. '내포'의 반대는 겉으로 드러난 의미인 '외연'이라고 해.

2 이 글의 내용과 일치하지 않는 것은 무엇인가요?

① 중용에서 '중'은 어느 한쪽에 치우치지 않는 비편향성과 균형, 공정성을 의미한다.

② '중용'은 유교의 철학 개론서 제목이자 동양 철학에서 가치 있게 여긴 덕의 한 형태이다.

③ 서양 철학의 '메소테스'는 동양 철학의 '중용'과 큰 틀에서 유사하지만 초점을 두는 대상에 차이가 있다.

④ 중용의 '용'과 관련지어 볼 때, 어떤 행위의 가치를 판단하기 위해서는 그 행위의 지속성이 중요한 기준이 된다.

⑤ 현대 사회에서 찬반으로 의견이 나뉘는 논쟁적인 문제는 동양 철학의 중용의 측면에서 중요하게 다루어지는 주제 유형에 속한다.

3 이 글을 읽고 난 후 '중용'을 주제로 학생들이 나눈 대화입니다. 이 글의 내용을 잘못 이해한 학생은 누구인가요?

> 원석: 중용이 동양 철학에서만 다루는 개념이라고 생각했는데, 서양에서도 중용의 가치를 인정했다는 것이 놀라웠어.
>
> 지연: 특히 아리스토텔레스가 교육과 훈련을 통해 중용의 품성을 길러야 한다고 말했는데, 이것은 동양 철학에서 중용의 덕을 기르는 방법과 똑같아서 신기했어.
>
> 민서: 나는 '중용'이 무조건 공평한 것만을 추구하는 것이 아니라, 균형의 의미를 살리되 상황에 따라 달리 적용할 수 있다는 의미도 담겨 있다는 것을 새롭게 알게 되었어.
>
> 규진: 균형과 중립을 기본으로 하되, 현실적 상황에 적절한지를 충분히 고려해야 한다는 것이 동양에서 말하는 중용의 의미인 거지.
>
> 승우: 동양에서는 경우에 따라 인색하게 굴고 낭비하는 것 또한 중용을 지킨 삶으로 인정받을 수 있다는 것이 인상적이었어.

① 원석　　② 지연　　③ 민서　　④ 규진　　⑤ 승우

> 글을 읽고 난 후 학생들이 나누는 대화는 내용 확인 문제의 다른 형태야. 읽은 내용을 떠올리며 대화 내용의 옳고 그름을 판단해 봐!

4 ⓐ~ⓔ를 사용하여 만든 문장으로 적절하지 않은 것은 무엇인가요?

① ⓐ: 예술 활동에 대한 <u>규정</u>은 표현의 자유를 침해할 수 있다.

② ⓑ: 사랑의 마음을 <u>산술적</u>으로 나타내기는 어렵다.

③ ⓒ: 이곳은 아이들을 <u>획일적</u>으로 길들이는 곳이 아니다.

④ ⓓ: 두 집안의 갈등을 해결하기 위해서는 <u>조율</u>이 필요하다.

⑤ ⓔ: 반대파에게 <u>배척</u>을 당하면서 고난이 시작되었다.

인체의 균형 잡기, 전정 기관

　인간의 신체와 유사한 모습을 갖추어 인간의 행동을 가장 잘 모방할 수 있는 로봇을 휴머노이드라고 한다. 그런데 이러한 휴머노이드가 인간의 행동 중에서 구현*하기 가장 어려운 것 중 하나가 걷고 뛰고 계단을 오르는 등의 동작이라고 한다. 로봇이 걷고 뛰는 것을 자연스럽게 하기 위해서는 몸의 균형을 제대로 잡아야 하는데 많은 경우의 수를 포함한 복잡한 프로그램을 거쳐도 로봇이 변화에 따라 민감하게 반응하여 균형을 유지하는 일이 쉽지 않기 때문이다. 하지만 인간은 걷고 뛰고 계단을 오르기 위해 복잡한 계산이나 생각을 할 필요가 없다. 왜냐하면 인간에게는 무게 중심의 변화를 인지*하고 몸의 변화를 수정하여 인체의 균형을 유지할 수 있게 하는 전정 기관이 있기 때문이다.

　전정 기관은 귀의 가장 안쪽에 있는 내이에 위치해 있으며, 소리를 듣고 인식하는 달팽이관과 연결되어 있다. 전정 기관은 이동과 평형 감각을 주관하는 기관으로, 머리의 수평·수직·회전 운동을 감지하고 이를 뇌에 전달하여 신체의 균형을 유지하도록 돕는다. 전정 기관에는 림프액과 이석이 포함되어 있는데, 몸을 기울이거나 회전하는 등 몸의 움직임으로 인해 머리의 자세가 바뀌면 이석이 중력의 방향으로 움직이고, 림프액도 함께 따라 움직이면서 상하, 전후의 움직임, 회전 상태 등을 감지한다.

　전정 기관은 평형 감각을 담당하는 구형낭과 난형낭, 그리고 위치를 감지하는 세반고리관으로 ㉠이루어져 있다. 구형낭과 난형낭에는 평형반이라고 하는 기관이 있는데, 그 내부를 들여다보면 외부 자극을 민감하게 받아들이는 가는 털인 감각모가 있고 이 털 위에 작은 알갱이 모양의 이석들이 얇게 펼쳐져 있다. 우리 몸이 움직이면 이석도 움직이고, 그 움직임에 따라 감각모가 우리 몸의 기울기, 가속도 등을 인지하게 된다. 세반고리관은 반원 모양으로 된 세 개의 반고리관이 서로 다른 각도로 위치하고 있어 머리의 회전 운동에 대한 정보를 정확하게 받아들인다. 이 관들의 내부도 감각모로 이루어져 있는데, 평형반이 이석으로 덮여 있는 것과는 달리 반고리관은 림프액으로 채워져 있다. 머리가 회전하면 반고리관은 같은 방향으로 움직이나, 그 내부의 림프액은 반대 방향으로 흐르면서 감각모에 자극을 주어 신체의 회전 운동을 인지하게 된다. 몸의 균형 유지에 매우 중요한 역할을 하는 전정 기관에 이상이 생기면 어지럼증이 발생하기도 한다. 갑자기 머리나 몸의 위치를 바꿀 때 어지럼을 느꼈던 경험은 누구나 있을 것이다. 이러한 증상은 안정을 취하면 금세 해소되지만 균형 유지에 관여하는 물질인 이석이 원래 위치에서 떨어져 나오거나 다른 어딘가에 붙어 있게 되면 자세를 느끼는 신경을 과도하게 자극하여 주위가 돌아가는 듯한 어지럼증을 느끼게 된다.

　그런데 이러한 전정 기관이 인간에게 착각을 불러오기도 한다. 예를 들어 코끼리 코를 하고 제자리에서 여러 바퀴를 돌고 나면 가만히 서 있는데도 주변이 빙글빙글 돌고 있다고 느끼게 되는 경우이다. 이는 허리를 구부리고 빙글빙글 돌면 반고리관에 있는 림프액이 한 방향으로 쏠리게 되고 정지했을 때에도 관성에 의해 이 림프액이 계속 같은 방향으로 쏠리게 되면서 나타나는 현상이다. 이때 우리 몸은 실제로는 서 있음에도 불구하고 여전히 주변이 빙그르 도는 듯한 착각을 일으켜 반듯하게 걸을 수 없게 되는 것이다. 비행기 조종사가 진정 기관을 통해 느끼는 평형 감각이 비행 중에 착각을 일으켜, 전정 기관이 느끼는 감각과 눈을 통해 보이는 상황이 다르게 인지되는 비행 착각도 비슷한 예이다. 비행사가 오랜 시간 기울어진 상태의 비행기를 타고 있거나, 어두운 밤이나 구름 속에서 뒤집힌 상태로 비행을 오래 하면 전정 기관의 림프액이 한 방향으로 치우치게 되고, 전정 기관이 잘못된 정보를 뇌에 보내게 되면서 비행기가 기울어져 있는데도 수평 비행을 하고 있다고 착각하거나 하늘을 바다로 착각하는 것이다.

* 구현: 어떤 내용을 구체적인 사실로 나타나게 함.
* 인지: 어떤 사실을 인정하여 앎.

0 다음은 전정 기관과 달팽이관을 비교한 표입니다. ㉮, ㉯에 들어갈 적절한 말을 쓰세요.

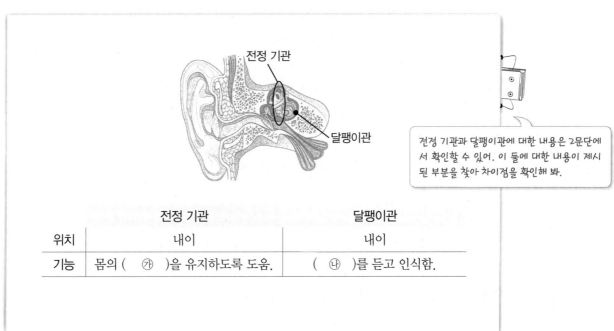

전정 기관과 달팽이관에 대한 내용은 2문단에서 확인할 수 있어. 이 둘에 대한 내용이 제시된 부분을 찾아 차이점을 확인해 봐.

	전정 기관	달팽이관
위치	내이	내이
기능	몸의 (㉮)을 유지하도록 도움.	(㉯)를 듣고 인식함.

1 이 글의 내용과 일치하지 <u>않는</u> 것은 무엇인가요?

① 전정 기관에 속하는 세 개의 반고리관에는 림프액이 채워져 있다.

② 감각모와 이석은 외부의 소리 자극을 감지하는 달팽이관 내부에 있다.

③ 전정 기관은 귀의 가장 안쪽인 내이에 위치하고 있으며 달팽이관과 연결되어 있다.

④ 현재 기술로 로봇이 인간처럼 자연스럽게 걷고 뛰는 동작을 하도록 만드는 것은 쉽지 않다.

⑤ 제자리 돌기로 인한 어지러움은 전정 기관의 림프액이 한쪽 방향으로 쏠림으로 인해 발생한다.

2 이 글을 바탕으로 할 때, 〈보기〉의 밑줄 친 부분에 대한 이해로 가장 적절한 것은 무엇인가요?

┤보 기├

물리적 감각이 두뇌에 잘못된 신호를 보냄으로써 공간과 방향의 감각이 상실되는 비행 착각은 매우 큰 사고로 이어질 수 있다. 비행기 조종사가 아무리 충분한 훈련을 거쳤다고 하더라도 실제 비행 중에 공간 방향 감각의 상실은 언제든 일어날 수 있으므로 <u>비행 착각을 최소화하기 위한 노력</u>이 필요하다.

① 사람은 신체의 균형을 유지할 수 있는 기관을 갖고 태어나기 때문에 비행 착각의 두려움에 사로잡힐 필요는 없다.

② 비행 착각은 전정 기관에 장애가 생겼을 때 나타나는 대표적인 증상으로, 일상에서 어지럼을 느끼는 모든 상황은 비행 착각에 해당한다.

③ 인간의 뇌는 다양한 상황에서 신뢰할 수 없는 신호를 보내는 경우가 발생하므로 비행기 조종사가 되기 위해서는 끊임없이 의심하는 습관을 길러야 한다.

④ 달팽이관은 전정 기관의 신호를 받아 뇌에 전달하며 인간의 균형을 조절하는 필수 기관이므로 비행 착각을 줄이기 위해서는 달팽이관의 역할이 중요하다.

⑤ 비행 착각은 인간의 감각으로 인해 생기는 자연스러운 현상이므로, 사고 예방을 위해서는 자신의 감각보다 비행기의 계기판 수치를 믿고 그에 따라 비행기를 조종해야 한다.

3 이 글의 내용으로 발표를 하려고 준비할 때, 필요한 자료가 <u>아닌</u> 것을 고르세요.

① 내이의 구조를 보여 주는 그림 자료 ☐

② 어지럼증 치료에 효과적인 약물의 종류를 정리한 표 ☐

③ 사람이 몸을 움직일 때 림프액의 변화를 촬영한 자료 ☐

④ 휴머노이드의 걷기 동작과 인간의 걷기 동작을 비교한 영상 ☐

⑤ 세반고리관, 구형낭, 난형낭의 위치를 알 수 있는 전정 기관의 단면도 ☐

"이걸 자르면 어떤 모습일까?"

단면도란 대상이나 물체의 한 면을 잘랐을 때 나타나는 면을 말해!

4 문맥상 ㉠과 바꾸어 쓸 수 있는 말로 가장 적절한 것은 무엇인가요?

① 구분되어 있다.

② 분류되어 있다.

③ 구성되어 있다.

④ 분리되어 있다.

⑤ 분별되어 있다.

Q 다음은 생각을 읽을 수 있는 지문 구조도를 퍼즐로 나타낸 것입니다. 앞에서 읽은 글의 내용을 떠올리며 생각읽기 1~6에 해당하는 퍼즐을 선으로 연결해 보세요.

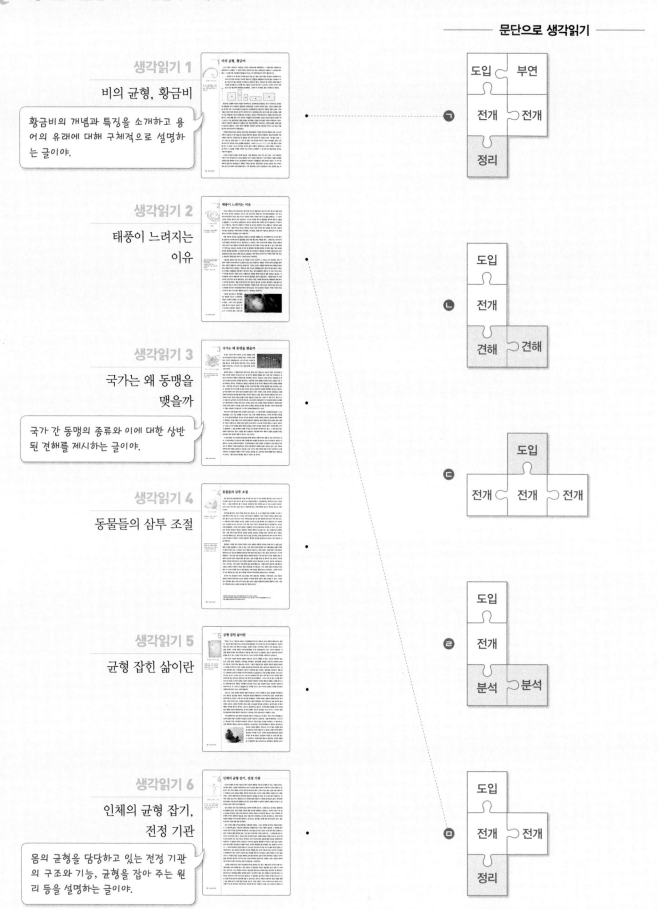

문단으로 생각읽기

생각읽기 1

비의 균형, 황금비

황금비의 개념과 특징을 소개하고 용어의 유래에 대해 구체적으로 설명하는 글이야.

ㄱ
도입 / 부연
전개 / 전개
정리

생각읽기 2

태풍이 느려지는 이유

ㄴ
도입
전개
견해 / 견해

생각읽기 3

국가는 왜 동맹을 맺을까

국가 간 동맹의 종류와 이에 대한 상반된 견해를 제시하는 글이야.

ㄷ
도입
전개 / 전개 / 전개

생각읽기 4

동물들의 삼투 조절

ㄹ
도입
전개
분석 / 분석

생각읽기 5

균형 잡힌 삶이란

생각읽기 6

인체의 균형 잡기, 전정 기관

몸의 균형을 담당하고 있는 전정 기관의 구조와 기능, 균형을 잡아 주는 원리 등을 설명하는 글이야.

ㅁ
도입
전개 / 전개
정리

1 황금비는 안정감과 균형감을 주는 비율로, 대표적 사례로 [　][　][　][　] 신전이 있으며, 현재에도 다양한 분야에서 적용되고 있다.

2 태풍은 지구의 에너지 균형을 유지하게 해 주는 현상으로, 지구 온난화에 의한 태풍의 이동 속도 [　][　]는 인간에게 큰 피해를 끼칠 수 있으므로, 지구 온난화를 막기 위해 노력해야 한다.

3 동맹의 종류에는 방위 조약, 중립 조약, 협상 등이 있는데, 국가들의 동맹 관계가 고정되어 있지 않은 이유를 두고 국가 간의 힘의 논리에서 보는 현실주의와 [　][　]에 주목하는 구성주의의 견해 대립이 있다.

4 동물이 수분 획득과 손실의 균형을 조절하는 작용인 [　][　][　] 조절은 몸에 균형을 유지하고 건강하게 생존하기 위해 필수적인 과정인데, 조절 방식에 따라 삼투 순응형 동물과 삼투 조절형 동물로 나뉜다.

5 [　][　]은 관대함과 엄격함을 동시에 갖고 있으며, 공정성에 기반을 둔 균형 잡힌 삶을 위해 필요한 것으로 동서양에서 모두 가치 있게 다루는 덕목이다.

6 [　][　] 기관은 이동과 평형 감각을 주관하는 신체 기관으로서 이상이 생기면 어지럼증을 유발할 수 있으며, 상황에 따라 인간의 착각을 불러일으키기도 한다.

우리는 어떻게 균형을 이룰까?

"삶 속에서 진정한 나를 지키기 위해서이다"

균형은 인간과 자연의 가장 자연스럽고 편안한 상태를 만들어 냅니다. 지구도 에너지의 균형을 이루고 있을 때 가장 안정감 있고, 세계 속 여러 국가들도 균형을 유지하고 있을 때 평화롭습니다. 그래서인지 오랫동안 인간은 다양한 영역에서 균형을 추구하며 살아왔고, 균형 있는 삶을 가치 있게 여긴 '중용'의 덕도 오늘날 중요한 가치로 받아들여지고 있습니다.

그런데 모두가 똑같은 것을 동일하게 나누어 가지는 절대적인 평등으로서의 균형이 아니라, 나에게서 넘치는 것을 타인에게 기꺼이 나누는 것이 진정한 균형이 될 것입니다. 이러한 균형을 추구하는 삶이 결국에는 나를 편안하게 하며 나를 지키는 일이라는 것을 기억하기 바랍니다.

인생은 자전거를 타는 것과 같다.
균형을 잡으려면 움직여야 한다.
– 알버트 아인슈타인

03 변화

생각의 발견

변화를 말하다!

우리는 변화 속에서 살고 있습니다. 여러분들이 빨리 어른이 되기를 바라는 것처럼 빨리 변하기를 바라는 것도 있지만, 반대로 영원히 변하지 않기를 바라는 것들도 있습니다. 또한 사람들은 대체로 변화가 긍정적인 방향으로 일어나기를 바라지만, 실제로는 그렇지 않을 경우들도 많습니다. 그런데 무엇은 변하고, 무엇은 변하지 않을까요? 변하지 않는 것이 있을까요? 혹시 실제로는 변하는데 변하지 않는다고 믿는 것은 아닐까요? 그리고 지금까지 인간 사회와 문화 그리고 자연 세계는 어떻게 변해 왔으며, 어떻게 변화하게 될까요? 지금부터 이러한 질문들에 대한 답을 함께 찾아봅시다.

변화란 무엇인가

변화에 대한
철학적 논의

Q 아리스토텔레스의 변화론
이 지닌 의의는 무엇인가요?

고대 그리스의 철학자들은 변화에 대해 많은 관심을 가졌다. 그들은 변화라는 현상의 실재(實在) 자체에서부터 종류, 원인 등에 이르기까지 변화에 대해 많은 의문을 제기하였고, 특히 아리스토텔레스에 이르러 그와 관련된 학문적 성과를 이룰 수 있었다. 먼저 헤라클레이토스는 모든 것이 항상 변화하고 있다고 믿었다. 그는 그 믿음을 "같은 강물에 두 번 들어갈 수 없다."라는 말로 표현했다. 새로운 강물이 끊임없이 흘러들기 때문에 같은 강물에 다시 들어가는 것은 불가능하다는 것이다. 또한 그는 불꽃이 끊임없이 흔들리듯이 항상 변화하고 있는 '불'을 세계의 근원적 요소로 보았다. 반면 파르메니데스는 변화라는 현상 그 자체를 부정했다. 그는 '존재하는 것은 이미 존재하고 있으며, 존재하지 않는 것은 아무것도 존재하지 않는 것'이라고 인식했으므로, 절대적인 무(無)에서의 생성과 절대적인 무(無)로의 소멸과 같은 변화는 있을 수 없다고 주장했다. 또한 세계는 존재하는 것들이 하나로 뭉쳐 있고 빈 공간이 없기 때문에 변화가 가능하지 않다고 보았다. 따라서 그는 우리가 일상에서 감각을 통해 흔히 경험하는, 변화라고 믿는 현상이 사실은 착각 또는 환상에 불과한 것이라고 주장했다.

이와 같이 변화라는 현상의 실재성에 대한 상반된 견해가 제시된 이후, 후대에 이르러 플라톤과 아리스토텔레스는 변화의 문제에 대해 깊이 있는 논의를 ㉠펼쳤다. 그들은 변화에 대한 앞선 두 철학자의 견해를 받아들였지만 그 방식에는 서로 차이가 있었다. 플라톤은 모든 것이 항상 변화한다는 헤라클레이토스의 견해를 현실 세계에, 아무것도 변화하지 않는다는 파르메니데스의 견해를 이상 세계에 적용하여 이원론적 세계관을 확립했다. 하지만 아리스토텔레스는 플라톤이 주장하는 이상 세계를 거부했다. 그는 변화의 실재에 대한 헤라클레이토스와 파르메니데스의 상반된 견해를 어떤 방식으로든 현실 세계에 적용하려고 노력했다.

아리스토텔레스는 『자연학』에서 '기체(基體)'와 '형상(形相)'이라는 개념을 통해 변화의 문제를 설명하려고 했다. '기체'란 변화의 시작부터 끝까지 유지되는 변화의 토대를 의미한다. 그리고 '형상'이란 그런 토대 위에 구현되어 현실 세계에서 감각적으로 나타나는 것을 의미한다. 예를 들어 검은색의 머리카락이 흰색으로 변할 때 머리카락은 변화의 시작부터 끝까지 유지되는 기체이며, 검은색과 흰색과 같은 머리카락의 색깔이 형상에 해당한다. 이처럼 아리스토텔레스는, 변화란 현실 세계에서 실체의 밑바탕에 깔린 머리카락이라는 기체 위에서 검은색의 형상이 흰색의 형상으로 대체되는 현상과 같은 것이라고 보았다.

[A]
또한 그는 변화의 종류와 성격에 대해서도 분석했는데, 먼저 변화를 실체적 변화와 비실체적 변화로 구분하였다. 실체적 변화란 실체의 변화 정도가 커서 기체가 무엇인지 분명하지 않은 변화를 가리킨다. 애벌레가 나비가 되는 것을 그 예로 들 수 있는데, 이는 변화의 전체 과정을 관찰하지 않는다면 마치 애벌레 자체가 소멸하고 나비가 생성되는 것으로 생각될 수도 있다. 그러나 아리스토텔레스는 파르메니데스와 마찬가지로 무에서의 생성과 무로의 소멸을 인정하지 않는다. 왜냐하면 모든 변화에서 기체가 유지된다는 것을 전제하기 때문이다. 따라서 실체적 변화는 변화의 시작부터 끝까지 유지되는 기체가 정확히 무엇인지 알 수 없다는 것을 의미할 뿐이지, 기체가 없이 무로부터의 생성이나 무로의 소멸이 일어난다는 것은 아니다. 비실체적 변화에는 얼굴이 빨개지는 등의 질적 변화, 작은 풍선이 커지거나 살이 찌거나 빠지는 등의 양적 변화, 이곳에서 저곳으로 장

소를 이동하는 장소 변화가 있는데, 이들이 비실체적이라는 것은 실체가 전혀 또는 많이 변하지 않아서 기체가 분명하게 구별된다는 것을 의미한다. 특히 장소 변화의 경우 실체 자체는 아무런 변화를 겪지 않는다.

이처럼 아리스토텔레스는 이전 철학자들과는 달리 새로운 방식으로 변화를 정의했다. 그는 다수의 저술 속에서 변화 자체에 대한 분석뿐만 아니라 그 결과를 우주, 자연물, 인간 등의 사례에 적용할 정도로 변화의 문제에 깊은 관심을 보였으며, 이는 근대 자연 과학의 발전에 밑바탕이 되었다.

0 이 글을 읽고 변화 에 대한 '플라톤'과 '아리스토텔레스'의 견해를 〈보기〉와 같이 정리했을 때, ㉮와 ㉯에 들어갈 내용으로 적절하지 **않은** 것은 무엇인가요?

┤보 기├

변화의 실재에 대한 플라톤과 아리스토텔레스의 견해

플라톤	아리스토텔레스
㉮	㉯

① ㉮: 아무것도 변화하지 않는다는 파르메니데스의 견해를 이상 세계에 적용함.
② ㉮: 모든 것이 항상 변화한다는 헤라클레이토스의 견해를 현실 세계에 적용함.
③ ㉯: 아무것도 변화하지 않는다는 파르메니데스의 견해를 현실 세계에 적용함.
④ ㉯: 모든 것이 항상 변화한다는 헤라클레이토스의 견해를 현실 세계에 적용함.
⑤ ㉯: 변화의 실재에 대한 파르메니데스의 견해와 헤라클레이토스의 견해를 이상 세계에 적용함.

이상 세계란 현실적 모순과 부조리가 없는 **이상적이며 완전한 세계**를 말해.
그에 비해 **현실 세계**는 지금 내가 발 딛고 있는 **실제로 존재하는 세계**를 말하지.

1 이 글의 내용과 일치하지 <u>않는</u> 것은 무엇인가요?

① 파르메니데스는 감각을 통해 경험한 변화를 착각으로 보았다.

② 헤라클레이토스는 변화의 실재를 자연 현상을 활용하여 설명하였다.

③ 플라톤은 변화에 대한 견해를 적용하여 이원론적인 세계관을 확립하였다.

④ 변화에 대한 학문적 성과를 이룬 아리스토텔레스는 근대 자연 과학의 발전에 큰 영향을 미쳤다.

⑤ 파르메니데스는 세계를 존재하는 것들과 존재하지 않는 것들이 하나로 뭉쳐 있는 것이라고 인식하였다.

2 [A]를 바탕으로 '아리스토텔레스'의 입장에서 〈보기〉를 이해한 내용으로 적절하지 <u>않은</u> 것은 무엇인가요?

'변화 전'과 '변화 후'에 가장 크게 달라진 점이 무엇인지 파악하고 실체적 변화인지, 비실체적 변화인지 생각해 봐.

|보 기|

구분	변화 전	→	변화 후
ㄱ		→	
ㄴ		→	
ㄷ		→	

① ㄱ에서 변화 전의 개구리가 다른 장소에서 이동해 왔다면 그것은 비실체적 변화라고 볼 수 있다.

② ㄱ에서 변화 전의 개구리의 피부색이 변화 후와 같이 바뀌었다면 색깔이라는 형상이 대체된 질적 변화가 나타났다고 볼 수 있다.

③ ㄴ은 실체의 변화 정도가 커서 기체가 무엇인지 분명하게 구별되는 변화라고 볼 수 있다.

④ ㄷ은 변화 전에 비해 변화 후의 실체의 크기가 양적으로 증가한 비실체적 변화라고 볼 수 있다.

⑤ ㄱ, ㄴ, ㄷ은 모두 변화 과정에서 기체가 실체의 밑바탕에 깔려 있다는 점에서 공통점을 갖는다고 볼 수 있다.

3 이 글과 〈보기〉를 읽은 학생이 보일 수 있는 반응으로 가장 적절한 것은 무엇인가요?

┤보 기├

　　탈레스는 '물'을 만물의 근원이라고 보았다. 그는 물이 그 본성상 여러 가지로 변형되면서 다양한 형태의 사물들을 구성하므로, 현실에서 경험적으로 나타나는 변화를 인정할 수밖에 없다고 인식하였다. 그러나 근원적인 요소인 물 자체는 결코 변하지는 않는다고 보았다. 이처럼 그 자체는 변화하지 않으면서도 세계의 변화를 가능하게 해 주는 만물의 근원을 '아르케(arche)'라고 한다. 아르케를 주장한 그리스 철학자들은 절대적인 무(無)에서의 생성과 절대적인 무로의 소멸을 인정하지 않았다.

① 헤라클레이토스와 탈레스는 모두 '불'을 통해 변화를 설명하려고 하였군.
② 탈레스는 아리스토텔레스와 달리 현실에서 경험적으로 나타나는 변화를 인정하였군.
③ 파르메니데스는 탈레스와 달리 만물의 근원적 요소 그 자체는 변할 수 없다고 여겼군.
④ 파르메니데스와 탈레스는 모두 '물'이 다양한 형태의 사물들을 구성한다고 인식하였군.
⑤ 아리스토텔레스와 탈레스는 모두 절대적인 무에서의 생성과 절대적인 무로의 소멸을 인정하지 않았군.

 근원 = 물줄기가 나오기 시작하는 곳

4 문맥상 의미가 ㉠과 가장 유사한 것은 무엇인가요?

① 큰 독수리가 날개를 펼쳤다.
② 그 아이는 동화책을 펼쳤다.
③ 무용단은 환상적인 무대를 펼쳤다.
④ 그는 자신의 생각을 마음껏 펼쳤다.
⑤ 그는 오랜 시간 동안 독립운동을 펼쳤다.

언어의 변화

조선에서 온 편지

몇 해 전 조선 시대에 조성된 양반 집안의 묘를 이장하는 과정에서 발견된 한글 편지가 복원되어 세간의 관심을 끌었다. 이와 같이 조선 시대에 쓰인 옛 한글 편지를 '언간(諺簡)'이라 한다. 언간은 우리말의 옛 모습을 살펴볼 수 있고 당시 사람들의 생활상을 엿볼 수 있는 귀중한 문헌 자료이다. 지금까지 많은 언간이 전해지지만 사대부들은 주로 한문을 사용하였기 때문에 사대부 간에 주고받은 언간은 찾아보기 어렵다.

	[현대어 풀이]
[A] 자내 여히고 아므려 내 살 셰 업스니 수이 자내흔듸 가고져 ᄒ니 날 ᄃ려 가소 자내 향히 ᄆᆞ으믈 ᄎ싱 니즐 주리 업스니	자네 여의고 아무래도 내 살 수가 없으니 빨리 자네한테 가고자 하니 날 데려 가소 자네 향한 마음을 이승에서 잊을 줄이 없으니

– 이응태 묘 출토 언간(1586년)

위의 자료는 먼저 세상을 떠난 남편에 대한 아내의 절절한 애도의 마음과 함께 언간의 구어적 성격과 당시 부부간의 호칭 및 관계의 대등성을 보여 준다. 언간은 특정 청자와의 대화 상황을 전제하기 때문에 어느 자료보다 구어적 성격이 강하다. 현대 국어에는 어떤 행동이 미치는 대상을 나타내는 조사로 '에게'와 '한테'가 있는데, '한테'가 '에게'에 비해 구어적인 성격이 더 강하다. 그런데 위의 자료에서 '한테'의 옛 형태인 '한듸'가 사용된 것을 확인할 수 있다. 그리고 위의 자료에서는 아내가 남편을 '자내'라고 부르며 애틋한 마음을 드러내고 '가소'에서 하소체를 사용하고 있다. 현대 국어에서 '자네'는 듣는 이가 친구나 아랫사람인 경우, 그 사람을 대우하여 이르는 이인칭 대명사이고, '가소'의 어미 '-소' 역시 대등하거나 손아랫사람을 대우할 때 사용하는 말투이다. 그런데 위의 자료에서 아내가 남편을 '자내'라고 칭하며 하소체를 사용하고 있다. 일반적으로 조선 시대 부부 관계를 남성 중심의 수직적 관계로 생각하기 쉬우나 위의 자료를 통해 실제로는 부부간의 관계가 서로 대등했음을 알 수 있다.

한편, 언간에는 관습적으로 사용하는 표현, 즉 관용적 표현이 자주 사용되었다. 언간도 오늘날 편지에서 사용되는 모든 형식적 요소를 다 갖추고 있었는데, 그중에서도 특히 '받는 사람, 첫인사'의 경우 독특한 표현이 발견된다. 요즘은 웃어른에게 편지를 쓸 때 '○○께'로 시작하지만, 언간에서는 '○○샹셔'라는 표현을 사용하였다. '상서'의 옛 형태인 '샹셔'는 웃어른에게 글을 올린다는 의미의 말인데, 언간에서는 주로 '전(前)'의 옛 형태인 '뎐'과 결합되어 쓰였다. 또한 웃어른에게 쓴 언간의 첫인사에서 상대의 안부를 물을 때, '몸과 마음의 형편'을 의미하는 '기체후(氣體候)'의 옛 형태인 '긔톄후', '긔체', '긔후' 등의 표현을 사용하였다. '기체후'는 단독으로 쓰이기도 했지만 '강녕(康寧)*', '일향(一向) 만강(滿腔)*' 등의 표현과 함께 쓰이기도 하였다.

이 밖에 언간은 직접 손으로 쓴 편지이기 때문에 표기의 효율성과 관련된 특징이 나타난다. 우선, 같은 단어를 반복할 때에는 '〃'(재점)을 이용하였다. ㉠'황송* 〃 ᄒ오이다(황송 황송합니다)', '총 〃 그만 그치압(총총* 그만 그치옵니다)', '부듸 〃 잘 지ᄂ여라(부디부디 잘 지내여라)', '더옥 〃 근심코 인노라(더욱 더욱 근심하고 있노라)', '너희나 가 보고쟈 〃 ᄇ라ᄂ니(너에게 가 보고자 보고자 바라니)'에서 알 수 있듯이, 재점은 각각 반복되는 말 대신 쓴 것이다. 또한 단어를 끝까지 쓰지 않고 생략하여 표기하기도 하였다. 오늘날 '바빠'의 의미에 해당하는 '밧바'를 '밧'으로, '잠깐'의 의미에 해당하는 '잠깐'을 '잠'으로 쓰기도 하였다. 그리고 끝인사 부분에 사용된 관용적 표현들도 어미를 생략하는 경우가 있었다. '이만 젹ᄉᆞᆸ나이다(이만 적겠습니다)'라고 쓰지 않고 어미 '–나이다'를 생략하여 '이만 젹ᄉᆞᆸ'으로 쓰는 경우가 그 대표적인 예에 해당한다.

* 강녕(康寧): 몸이 건강하고 마음이 편안함.
* 일향(一向) 만강(滿腔): 언제나 한결같이 마음속에 가득 참.
* 황송: '황송하다'의 어근. 분에 넘쳐 고맙고도 송구함.
* 총총: 편지글에서 끝맺음을 나타내는 말.

0 '언간'에 대한 설명으로 적절하지 <u>않은</u> 것을 고르세요.

① 조선 시대 사람들의 생활상을 파악할 수 있다. ☐
② 사대부 사이에 주고받은 것은 찾아보기 힘들다. ☐
③ 한글뿐 아니라 한자를 사용하여 쓰인 것들도 있다. ☐
④ 특정 청자를 설정하고 있어 구어적 특징이 잘 드러난다. ☐
⑤ 무덤에 매장되어 있다가 무덤을 옮기는 과정에서 발견되기도 한다. ☐

1 [A]에 대해 이해한 내용으로 가장 적절한 것은 무엇인가요?

① 사별한 아내에 대한 남편의 사랑이 담겨 있다.

② 구어적 성격이 강한 '에게'의 옛 형태를 확인할 수 있다.

③ 죽은 배우자를 따르겠다는 뜻이 담긴 유서로 볼 수 있다.

④ '가소'에서 청자를 대우하지 않고 낮추는 어미인 '-소'가 사용되고 있다.

⑤ '자내'라는 상대를 부르는 호칭을 통해 화자와 청자의 수평적 관계를 엿볼 수 있다.

2 〈보기〉는 오늘날 편지의 일부입니다. 이 글을 바탕으로 〈보기〉를 '언간'으로 바꾸어 표현하는 활동을 할 때, 제시할 수 있는 의견으로 적절하지 <u>않은</u> 것은 무엇인가요?

┤보 기├

ⓐ김선호 선생님께

선생님, ⓑ건강하게 잘 지내셨는지요?

선생님 수업을 듣던 일이 엊그제 같은데, 초등학교를 졸업한 지 벌써 몇 달이나 지났네요. 중학교 생활에 적응하느라 ⓒ바빠 이제서야 편지를 드립니다. 그래도 매일 ⓓ잠깐 동안은 선생님 생각하면서 지난 추억에 빠지곤 했어요.

(중략)

선생님 보고 싶어요. 선생님을 다시 뵐 날을 기대하며 ⓔ이만 줄일게요.

ⓕ2020○년 ○월 ○일 이예지 올림

언간에서 사용하는 관용적 표현이나 표기상의 특징을 떠올리면서 각 부분을 어떻게 바꾸어야 할지 생각해 봐.

① ⓐ를 '김선호 선생님 뎐샹셔'로 바꾸어 표현할 수 있겠어.

② ⓑ를 '기체후 일향 만강하시옵나이까'로 바꾸면 되겠구나.

③ ⓒ를 '밧'으로, ⓓ를 '잠'으로 바꾸어 적어도 괜찮지 않을까?

④ ⓔ는 어미 '-나이다'를 생략하여 '이만 적습'으로 써야 되겠군.

⑤ ⓕ는 대체로 언간에서 생략되는 부분이니까 굳이 고려할 필요가 없겠네.

3 ㉠에서 〈보기〉의 밑줄 친 부분에 해당하는 사례로 적절하지 <u>않은</u> 것은 무엇인가요?

┤보 기├

언간에 사용된 재점은 글자나 단어가 반복될 때 다시 쓰는 번거로움과 노력을 덜기 위하여 사용되었는데, <u>때로는 글쓴이의 주관적 감정을 강조하는 효과를 낳기도 하였다.</u>

① 황송〃 ᄒ오이다
② 총〃 그만 그치압
③ 부듸〃 잘 지닉여라
④ 더옥〃 근심코 인노라
⑤ 너희나 가 보고쟈〃 ᄇ라ᄂ니

선지의 내용을 현대어로 바꾸어 읽어 보면 글쓴이의 감정이 들어 있는지 판단할 수 있을 거야.

4 '언간'에서 단어의 일부를 생략하여 표기한 이유로 가장 적절한 것은 무엇인가요?

① 편지를 손쉽고 빠르게 인쇄하기 위해서
② 좀 더 편리하고 효율적으로 편지를 쓰기 위해서
③ 편지의 내용에 대한 수신인의 이해도를 높이기 위해서
④ 수신인에게 느끼는 친근한 마음을 효과적으로 드러내기 위해서
⑤ 표기의 정확성을 높여 수신인이 편지를 쉽게 읽도록 하기 위해서

암석의 변화

Q 암석의 변성 작용을 일으키는 요인과 변성암이 지질학 연구에서 중요한 이유는 무엇인가요?

변성 작용과 변성암

(가) 온도와 압력의 변화에 의해 지각 내 암석의 광물 조합 및 조직이 변하게 되는 것을 '변성*작용'이라고 한다. 일반적으로 약 100~500℃ 온도와 비교적 낮은 압력에서 일어나는 변성 작용을 '저변성 작용'이라 하고, 약 500℃ 이상의 높은 온도와 비교적 높은 압력에서 일어나는 변성 작용을 '고변성 작용'이라 한다.

(나) 변성 작용에 영향을 주는 여러 요인들 중에서 중요한 요인 중 하나가 온도이다. 밀가루, 소금, 설탕, 이스트, 물 등을 섞어 오븐에 넣으면 높은 온도에 의해 일련의 화학 반응이 일어나 새로운 화합물인 빵이 만들어진다. 이와 마찬가지로 암석이 가열되면 그 속에 있는 광물들 중 일부는 재결정화되고 또 다른 광물들은 서로 반응하여 새로운 광물들을 생성하게 되는데, 그러한 과정의 최종 산물로서 변성암이 생성된다. 암석이 가열되는 원인은 일반적으로 섭입*이나 대륙 충돌과 같은 지각 운동 때문이다. 지각 운동이 일어나면 암석이 지구 내부로 이동하게 되는데, 지구 내부의 온도는 지각의 내부 환경에 따라 상승 비율이 다르지만 일반적으로 깊이 들어갈수록 높아진다. 따라서 암석이 지구 내부로 어느 정도 들어가느냐에 따라 변성 작용이 다르게 일어나게 된다. 예를 들어 점토 광물을 함유한 퇴적암인 셰일이 지구 내부에 매몰되면 지구 내부의 높은 온도로 암석 내부의 광물들이 서로 합쳐지거나 새로운 광물들이 생성되어 변성암이 되는데, 이때 지각의 온도가 상대적으로 낮은 곳에 들어가 저변성 작용을 받게 되면 점판암이 되고, 지각의 더 깊은 곳까지 이동하여 고변성 작용을 받게 되면 편암이나 편마암이 되는 것이다.

(다) 암석의 변성 작용을 일으키는 또 하나의 중요한 요인은 압력이다. 모든 방향에서 일정한 힘이 가해지는 압력을 '균일 응력*'이라 하고, 어느 특정한 방향으로 더 큰 힘이 가해지는 압력을 '차등 응력'이라고 하는데, 변성암의 경우 주로 차등 응력 조건에서 생성되며 그 결과로 뚜렷한 방향성을 갖는 조직이 발달된다. 변성 작용이 진행됨에 따라 운모와 녹니석과 같은 광물들이 자라기 시작하며, 광물들은 층의 방향이 최대 응력 방향과 수직을 이루는 방향으로 배열된다. 이렇게 새롭게 생성된 판 형태의 운모류 광물들이 보여 주는 면 조직을 '엽리'라고 부르는데, 이 때문에 광물이 변성 작용을 받았는가를 판단할 때 엽리가 관찰되는지의 여부를 중요한 근거로 삼는다. 이때 저변성암의 엽리를 '점판벽개'라고 부르고 고변성암의 엽리를 '편리'라고 부른다. 흥미로운 점은 저변성암의 광물 입자들은 매우 미세하여 현미경을 사용해야만 관찰할 수 있는 반면, 고변성암의 광물 입자들은 크기가 커서 육안으로도 관찰할 수 있다는 것이다.

(라) 지금까지 변성 작용과 그 결과물인 변성암에 대해 알아보았는데, 여기에서 한 가지 기억해야 할 점은 고체에 변화가 생겼을 때 고체는 액체나 기체와 달리 고체를 변화시킨 영향을 보존하는 경향이 있다는 것이다. 즉, 변성암은 고체 상태에서 변화가 일어나기 때문에 변성암에는 지각에서 일어났던 모든 일들이 보존되어 있다. 그것들이 보존하고 있는 기록을 해석하는 것이 바로 지질학자들의 막중한 임무이다.

다양한 변성암

* 변성: 천연물이 물리적, 화학적 영향을 받아 다른 물질로 변화하는 일.
* 섭입: 지구의 표층을 이루는 판이 서로 충돌하여 한쪽이 다른 쪽의 밑으로 들어가는 현상.
* 응력: 물체가 밖으로부터 가해지는 힘에 저항하여 본디 모양을 그대로 지키려는 힘.

0 이 글의 내용을 의미 구조도로 표현할 때 가장 적절한 것은 무엇인가요?

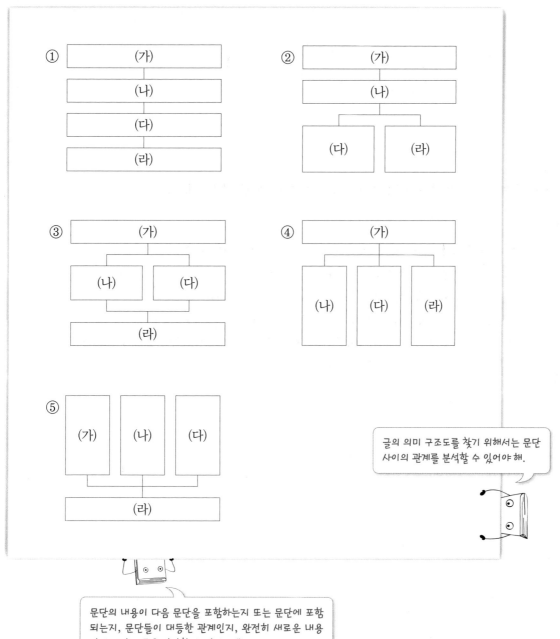

1 **이 글에 나타난 서술상의 특징끼리 묶인 것은 무엇인가요?**

ㄱ. 특정 현상과 관련된 과학 용어들의 개념을 설명하고 있다.
ㄴ. 유추의 설명 방법을 활용하여 대상의 작용에 대한 이해를 돕고 있다.
ㄷ. 대상의 원리를 알기 쉽게 설명하기 위해 구체적인 예를 제시하고 있다.
ㄹ. 문제를 제기한 후 그 원인을 다양한 측면에서 논리적으로 분석하고 있다.
ㅁ. 대상의 특징에 대한 글쓴이의 견해를 뒷받침하기 위해 권위자의 말을 인용하고 있다.

① ㄱ, ㄴ, ㄷ　　　　　② ㄱ, ㄴ, ㄹ　　　　　③ ㄴ, ㄷ, ㄹ
④ ㄴ, ㄹ, ㅁ　　　　　⑤ ㄷ, ㄹ, ㅁ

2 **이 글의 내용과 일치하지 <u>않는</u> 것은 무엇인가요?**

① 변성 작용이 일어나면 재결정화되는 광물들이 있다.
② 변성암은 고체 상태에서 광물 조합 및 조직이 변화한다.
③ 지표의 암석들은 섭입에 의해 지구 내부로 이동될 수 있다.
④ 균일 응력은 모든 방향에서 힘이 일정하게 가해지는 압력이다.
⑤ 차등 응력 조건하에서 광물들은 최대 응력 방향과 동일한 방향으로 배열된다.

3 이 글을 바탕으로 〈보기〉를 이해한 내용으로 적절하지 <u>않은</u> 것은 무엇인가요?

┤보 기├

　퇴적암인 셰일은 변성 작용으로 변성암이 될 수 있다. 다음은 온도와 압력이 증가할수록 주요 광물 성분에도 변화가 생기고, 그에 따라 점판암, 편암, 편마암 등과 같은 변성암이 생성되는 것을 보여 주는 표이다.

변성도

	변성되지 않음.	저변성	고변성
암석명	셰일 ──────→	점판암 ──→	편암 편마암
대표적인 구성 광물	석영, 점토 광물, 방해석	석영, 녹니석, 백운모, 사장석	석영, 흑운모, 석류석, 규선석, 사장석

온도와 압력의 변화에 의해 변성 작용이 일어난다는 것을 염두에 두고, 저변성 작용과 고변성 작용의 차이점을 〈보기〉의 표에 적용해 봐.

① 셰일과 점판암을 구성하는 주요 광물의 비중이 다른 것은 변성 작용과 관련이 있겠군.

② 석영의 존재 여부만으로 퇴적암인 셰일과 변성암인 편마암을 구별하는 것은 어렵겠군.

③ 셰일이 변성 작용에 의해 편암이나 편마암으로 되는 동안 지각에서 일어난 일들이 암석에 흔적으로 남아 있겠군.

④ 셰일이 지구 내부에 매몰되어 편암이 되었다면 점판암이 될 때보다 더 높은 온도와 더 큰 압력의 영향을 받았겠군.

⑤ 점판암에서 백운모가 배열되어 형성된 판 형태의 면 조직은 편마암의 흑운모가 배열되어 형성된 판 형태의 면 조직보다 육안으로 관찰이 쉽겠군.

건강을 위해 주스를 마시지만, 당분이 차지하는 비중이 크지!

전체에서 차지하는 비중이 얼마나 되냐는 말을 많이 하지?

대개 문제에서는 **다른 것과 비교할 때 차지하는 중요도**를 비중이라고 해.

유튜브가 가져온 변화

Q '유튜브 저널리즘'에 대해 우려하는 문제점 두 가지는 무엇인가요?

갈림길에 놓인 유튜브 저널리즘 ———

2020년 디지털 미디어 이용 현황 조사 결과, 응답자의 90% 이상이 유튜브로 온라인 동영상을 시청하는 것으로 나타났다. 2005년 첫 서비스를 시작한 유튜브는 누구나 영상을 제작·공유·시청할 수 있는 미디어이며, 현재 전 세계 사람들이 가장 많이 이용하는 미디어 서비스로 자리 잡았다. 유튜브의 확산은 다양한 분야에 영향을 주고 있는데, 그중에서도 언론 분야에 끼치는 영향에 주목할 만하다. 이제 사람들은 유튜브를 활용하여 뉴스를 주체적으로 소비할 뿐만 아니라, 아예 뉴스의 생산자로 직접 나서기도 한다. 이렇게 유튜브를 통해 뉴스를 생산하거나 소비하는 것을 일컬어 ㉠'유튜브 저널리즘'이라고 한다.

과거 뉴스는 방송사와 신문사로 대표되는 언론이 생산하고, TV·신문·인터넷 등의 미디어를 통해 소비자들에게 일방적으로 제공되었다. 특히 방송사들의 경우, 특정 시간대에 편성된 뉴스 프로그램을 통해서만 뉴스를 제공하였으며, 자신들의 편집권을 발휘하여 보도의 순서나 내용, 분량을 결정하였다. 그런데 언론의 지나친 상업성 추구 문제, 속보 경쟁으로 인한 질 낮은 뉴스의 생산 문제, 특정 성향에 치우친 보도의 공정성 문제가 지속적으로 제기되자 언론에 대한 신뢰도는 낮아졌다. 그리하여 사람들은 자신들이 원하는 때에 쉽고 편리하게 뉴스를 소비하면서도, 자신들의 주관적 입장이나 필요에 따라 뉴스를 소비하고자 하는 욕망을 가지게 되었다.

이러한 때에 등장한 유튜브는 이러한 대중들의 욕망을 채워 주기에 안성맞춤이었다. 그리하여 직접 뉴스를 제작하거나, 언론 보도를 할 때 자신들의 관점에서 재가공한 영상을 제공하는, 이른바 '시사 유튜버'라는 새로운 뉴스 생산자들이 나타났다. 특히 기존 언론에 불만을 가지고 있던 사람들은 이들이 생산한 뉴스에 호응하기 시작했고, 심지어는 언론의 보도보다 이들의 뉴스에 대해 더 높은 신뢰감을 가지기도 했다. 이러한 변화는 기존 언론의 영향력이 축소된 것을 의미하는 동시에, 뉴스 소비에 있어서 자율성 및 주체성이 증대되고, 뉴스 선택의 폭이 넓어진 것을 의미한다.

그런데 이런 변화에도 문제점은 존재하는데, 바로 ㉡'뉴스 소비의 편향성' 문제와 '가짜 뉴스' 문제이다. '뉴스 소비의 편향성'이란 특정한 관점에서 생산된 뉴스만 소비하는 것을 의미한다. 어떤 특정한 관점에서 생산된 뉴스를 시청하고 나면 유튜브의 콘텐츠 배열 알고리즘*에 따라, 다음번 유튜브 실행 시 그와 같거나 유사한 콘텐츠가 추천된다. 이에 따라 뉴스 소비자는 특정한 관점의 콘텐츠만 계속해서 소비하게 되어, 특정 사안에 대한 편향적인 관점을 가지게 될 뿐만 아니라, 나아가서는 편향된 여론 형성이라는 문제를 일으킬 수 있다. '가짜 뉴스'는 일어나지도 않은 허위 사실을 마치 사실인 것처럼 보도하는 것으로, 억울한 피해자를 만들어 내는 것은 물론, 심각한 여론의 왜곡 현상을 불러올 수 있다. 유튜버들은 조회 수 및 구독자 수에 비례하여 수익을 얻게 되므로, 자신의 이익 추구를 위해 사실 관계에 대한 확인 없이 보다 자극적인 내용으로 뉴스를 생산할 위험성이 있는 것이다.

유튜브 저널리즘은 학문적으로 아직 명확히 정의되지 않은 용어이다. 하지만 용어의 이론적 정립과는 별개로 유튜브를 통한 뉴스 소비 현상, 뉴스 콘텐츠 생산 및 소비 구조에 대한 변화를 직시할 필요는 있다. 유튜브 저널리즘은 몇 가지 면에서 우려할 만한 점도 있지만, 사회의 다양한 목소리를 전달하여 다양한 여론을 형성할 수 있다는 순기능도 지니고 있다. 결국 유튜브 저널리즘의 향방*은 유튜브 이용자들의 손에 달려 있는 셈이다.

* 알고리즘: 어떤 문제의 해결을 위하여, 입력된 자료를 토대로 하여 원하는 출력을 유도하여 내는 규칙의 집합.
* 향방: 향하여 나가는 방향.

0 이 글을 통해 알 수 있는 내용이 <u>아닌</u> 것은 무엇인가요?

① 유튜브 저널리즘의 의미
② 유튜브의 순기능과 역기능
③ 사람들의 유튜브 이용 양상
④ 유튜브 저널리즘이 주는 시사점
⑤ 유튜브 저널리즘이 가져올 수 있는 부정적 영향

선지에 제시된 내용에 대한 답을 하나하나 글에서 찾아봐. 만약 찾을 수 없다면 이 글을 통해 알 수 있는 내용이 아니겠지?

모양과 상태로 봤을 때 방금 싼 코끼리 똥이 분명해!

양상은 **'모양과 상태'를 합친 말**이야. 그러니까 양상이라는 함은 사물의 모양이나 상태가 어떠한지, 현상의 모습이 어떠한지 등을 의미하는 것이지.

1 **㉠에 대한 설명으로 적절하지 <u>않은</u> 것은 무엇인가요?**

① 유튜브가 기존의 뉴스 생산 및 소비 방식에 변화를 일으킨 현상을 말한다.
② 언론의 편집 방향에 불만을 가진 사람들이 뉴스를 소비하는 새로운 방법이다.
③ 기존 언론들이 하락한 신뢰도와 영향력를 다시 회복하기 위해 선택한 대안이다.
④ 뉴스 소비자가 원하는 때 자율적으로 뉴스를 시청하는 현상이 증가한 것을 보여 준다.
⑤ 대중의 입장에서 보면 자신이 선택할 수 있는 뉴스의 양이 늘어난 것으로 이해할 수 있다.

2 **〈보기〉를 참고하여 이 글의 내용에 대해 보인 반응으로 적절하지 <u>않은</u> 것은 무엇인가요?**

|보 기|

언론학 분야 연구에서는 뉴스 소비자들의 동기가 '관객으로서의 동기'에서 '생산자로서의 동기'로 변화했다고 본다. '관객으로서의 동기'는 전통적인 미디어 환경에서의 수동적인 동기를 의미한다. 하지만 매체가 발달한 최근에는 직접 뉴스를 생산하고자 하는 '생산자로서의 동기'가 더 강하게 나타난다. '생산자로서의 동기'에는 '공감 형성의 동기'와 '의제 설정 동기'가 있다. '공감 형성의 동기'는 자신의 생각이나 경험을 뉴스 콘텐츠로 제작하여 보다 많은 사람들과 소통하고 공감하려는 것을 의미하고, '의제 설정 동기'는 자신이 가진 사회적 인식을 표현하고, 자신이 중요하다고 생각하는 의제를 널리 알리고자 하는 동기를 의미한다.

〈보기〉는 뉴스 소비자들의 동기 변화를 바탕으로 유튜브 저널리즘에 담긴 의도를 분석하고 있어. 이 글에서 유튜브 뉴스의 생산과 소비에 대해 다룬 부분을 찾아 적용해 보자.

① 자신이 가진 정치·사회적인 견해에 강한 확신을 가진 시사 유튜버들은 '의제 설정 동기'가 강한 사람들로 볼 수 있겠군.
② 유튜브가 활성화되기 전 '생산자로서의 동기'를 가졌던 사람들은 기존의 뉴스 콘텐츠의 생산 및 소비 구조에 불만이 있었겠군.
③ 유튜브가 나오기 전의 뉴스 소비 구조하에서 사람들은 '생산자로서의 동기'보다 '관객으로서의 동기'를 더 많이 가지고 있었겠군.
④ 만일 어떤 시사 유튜버가 가짜 뉴스를 생산하였다면, 그는 '공감 형성의 동기'보다는 자신의 이익을 추구하려는 동기가 더 강하겠군.
⑤ 시사 유튜버들이 제작한 뉴스를 방송국 뉴스보다 신뢰하는 사람들은 '관객으로서의 동기'보다 '생산자로서의 동기'가 더 약한 사람들이겠군.

3 ⓛ에 해당하는 구체적 사례로 가장 적절한 것은 무엇인가요?

① 뉴스 기사들을 부분적으로 발췌하고 이를 짜깁기하여 하나의 새로운 뉴스를 만들어 유튜브에 올린 A씨

② 유튜브의 수많은 뉴스 영상들을 무작위로 시청하지만 어느 하나도 끝까지 보지 못하고 또다시 새로운 기사를 클릭하는 B씨

③ 자신의 생각에 부합하는 뉴스를 시청하고 유튜브 추천 영상을 몇 개 더 본 다음, 해당 사건에 대한 확신을 가지게 된 C씨

④ 사회 각층의 의견을 다양하게 다루고 그에 관한 유튜브 이용자들의 의견도 실시간으로 반영하여 내보내는 유튜브 채널을 시청하는 D씨

⑤ 가짜 뉴스를 바탕으로 자극적인 동영상을 만들어 유튜브에 올리고 전체를 보기 위해서는 돈을 지불해야 하는 방식으로 불법적인 이득을 취하는 E씨

이 글에서 글쓴이가 ⓛ과 관련하여 유튜브 저널리즘의 문제점으로 지적하고 있는 것은 무엇인지 생각해 봐.

4 이 글에서 글쓴이가 궁극적으로 말하고자 하는 바로 가장 적절한 것은 무엇인가요?

① 유튜브는 사회의 다양한 목소리를 전달하면서 여론의 다양성을 구현하는 순기능을 할 수 있다.

② 유튜브 저널리즘의 확대는 콘텐츠 배열 알고리즘을 통해 여론의 왜곡 현상을 불러일으킬 수 있다.

③ 기존 뉴스 소비자들의 유튜브 저널리즘 선호가 증가하면서 언론은 다양한 형태의 뉴스 콘텐츠를 생산할 것이다.

④ 유튜브 저널리즘은 우려되는 몇 가지 문제점이 있기는 하지만 앞으로는 기존 언론을 대체하여 새로운 저널리즘 문화를 만들 것이다.

⑤ 유튜브 저널리즘의 올바른 미래를 위해서 이용자들이 유튜브 저널리즘이 순기능을 하는 방향으로 뉴스 콘텐츠를 생산하고 소비하려는 노력이 필요하다.

기술과 삶의 변화

Q 아리스토텔레스가 구분한 인간 삶의 유형 두 가지는 무엇인가요?

과정이 드러난 글, 어떻게 읽어야 할까

과정이 전개되려면,
반드시 '변화'가 나타날 거야!

► 생각읽기가 수능이다 92쪽

기술의 발달이 불러온 삶의 변화

기술이 급속하게 발달함에 따라 인간의 삶은 더욱 여유롭고 의미 있는 방향으로 나아갈 것인가, 아니면 더욱 바쁘고 의미 없는 방향으로 나아갈 것인가? '사색적 삶'과 '활동적 삶'을 대비하여 사회 변화를 이해하는 방식은 이런 물음에 대한 답을 구하는 데 도움이 된다. 최초로 인간의 삶을 사색적 삶과 활동적 삶으로 구분한 사람은 아리스토텔레스이다. 그는 진리, 즐거움, 고귀함을 ⓐ추구하는 사색적 삶의 영역이 생계를 위한 활동적 삶의 영역보다 상위에 있다고 보았다. 이러한 인식은 근대 이전까지 아주 오랜 기간 동안 사회 질서의 기본 원리로 자리 잡아 왔다.

그런데 근대에 접어들어 과학 혁명이 일어나고 청교도 윤리가 등장하면서 활동적 삶과 사색적 삶에 대한 인식이 달라지기 시작했다. 16~17세기 과학 혁명으로 실험 정신과 경험적 지식이 중시되면서 사색적 삶의 영역에 속한 '과학적 탐구'와 활동적 삶의 영역에 속한 '기술' 사이의 거리가 좁혀졌기 때문이다. 또한 직업을 신의 소명으로 이해하고 근면과 ⓑ검약에 의한 개인의 성공을 구원의 징표로 본 청교도 윤리의 등장은 생산 활동과 부의 축적에 대한 부정적 인식을 없애는 계기가 되었다. 이로써 활동적 삶과 사색적 삶은 대등한 위상을 갖게 되었다.

그러다가 18~19세기 산업 혁명을 계기로 활동적 삶은 사색적 삶보다 그 중요성이 더 커지게 되었다. 생산 기술에 과학적 지식이 ⓒ응용되고 기계 사용이 본격화되면서 기계의 속도에 기초하여 노동 규율이 확립되었고 인간의 삶은 시간을 규칙적으로 따르도록 재조직되었다. 나아가 시간이 관리의 대상으로 부각되면서 '시간-동작' 연구를 통해 가장 효율적인 작업 동선을 ⓓ모색했던 테일러의 과학적 관리론은 20세기 초부터 생산 활동을 합리적으로 조직하는 중요한 원리로 자리 잡았다. 이로써 두뇌에 의한 노동과 근육에 의한 노동이 분리되어 인간의 육체노동이 기계화되는 결과가 초래되었다. 또한 과학을 기술 개발에 활용하기 위한 시스템이 요구되어 공학, 경영학 등의 실용 학문과 산업체 연구소들이 출현하였다. 이는 전통적으로 사색적 삶의 영역에 속했던 진리 탐구마저 활동적 삶의 영역에 속하는 생산 활동의 논리에 ⓔ포섭되었음을 단적으로 보여 준다.

이렇게 산업 혁명 이후 기계 문명이 발달하고 그에 힘입어 자본주의 시장 메커니즘*이 사회를 전면적으로 지배하게 됨에 따라 현대인의 삶에는 '근면'과 '속도'가 강조되었다. 이러한 풍토 속에서 활동적 삶이 지나치게 강조된 데 대한 반작용으로 '의미 없는 부지런함'이 만연해지게 되자, 일각에서는 이러한 세태에 대한 ㉠비판의 목소리가 나오며 성찰에 의한 사색적 삶의 중요성을 역설하기도 하였다.

현재 인간의 삶은 정보화와 세계화를 계기로 시간적·공간적 거리가 압축됨에 따라 이전과 크게 달라졌다. 그러나 현대인들은 더욱 다양해진 욕구와 성취 욕망을 충족하기 위해 스스로를 소진하고 있다. 경쟁이 세계로 확대됨에 따라 타인과의 경쟁에서 이기는 것을 넘어서 자신의 능력을 극한으로 끌어올리기 위해 스스로를 끝없이 몰아세우고 있다. 결국 기술의 발달이 인간의 삶을 여유롭고 의미 있는 것으로 만들어 줄 것이라는 기대와 달리 사색적 삶은 설 자리를 잃고 활동적인 삶이 폭주하게 된 것이다.

---

* 메커니즘: 어떤 대상의 작동 원리나 구조.

0 이 글을 읽고 다음 질문에 답할 때, Ⓐ, Ⓑ에 들어갈 내용으로 적절한 것끼리 묶인 것은 무엇인가요?

질문	기술이 급속하게 발달함에 따라 인간의 삶은 더욱 여유롭고 의미 있는 방향으로 나아갈 것인가, 아니면 더욱 바쁘고 의미 없는 방향으로 나아갈 것인가?

↓

주장	기술이 급속하게 발달함에 따라 인간의 삶은 [Ⓐ]으로 나아갈 것이다.
근거	왜냐하면 [Ⓑ] 때문이다.

	Ⓐ	Ⓑ
①	여유롭고 의미 있는 방향	사색적 삶과 활동적 삶의 거리가 좁혀졌기
②	여유롭고 의미 있는 방향	사색적 삶의 영역이 활동적 삶의 영역에 포섭되었기
③	더욱 바쁘고 의미 없는 방향	활동적 삶의 영역이 사색적 삶의 영역보다 상위에 있기
④	더욱 바쁘고 의미 없는 방향	활동적 삶의 만연으로 사색적 삶의 중요성이 강조되었기
⑤	더욱 바쁘고 의미 없는 방향	사색적 삶이 설 자리를 잃고 활동적 삶이 폭주하게 되었기

1 이 글을 이해한 내용으로 가장 적절한 것은 무엇인가요?

① 아리스토텔레스는 생존을 위한 생산 활동을 사색적 삶보다 중요하게 여겼다.
② 과학 혁명의 시대에는 활동적 삶의 위상이 사색적 삶의 위상에 비해 더 높았다.
③ 청교도 윤리는 성공과 부를 추구하는 태도에 대한 사람들의 부정적인 인식을 심화시켰다.
④ '시간-동작' 연구는 인간의 노동이 두뇌 노동과 근육노동으로 분리되는 데 영향을 주었다.
⑤ 기술을 과학에 활용하기 위한 목적으로 공학, 경영학 등의 실용 학문과 산업체 연구소가
　출현하였다.

"왜 부정적으로만 생각해? 잘 될 가능성도 있잖아?"
'부정적인 인식'이란 사물에 대한 분별이나 판단이 부정적인 경우를 말해!

2 ㉠의 내용과 가장 가까운 것은 무엇인가요?

① 기계 기술은 정신 기술처럼 가치 있으며, 산업 현장은 그 자체로 위대하다.
② 인간은 일하기 위해서 사는 것이며, 더 이상 할 일이 없다면 괴로움에 빠지고 말 것이다.
③ 자극에 즉각적으로 반응하지 않고 여유롭게 삶의 의미를 되새기는 사유의 방법을 배워야
　한다.
④ 나태는 녹이 스는 것처럼 사람을 쇠퇴하게 만들며, 쇠퇴의 속도는 노동함으로써 지치는
　것보다 훨씬 빠르다.
⑤ 인간은 기계이므로 인간의 행동, 언어, 사고, 감정, 습관, 신념 등은 모두 외적인 자극과
　영향으로부터 생겨났다.

㉠은 활동적 삶이 지나치게 강조된 데에 대한 반
작용으로 나온 목소리로, 사색적 삶의 중요성을
이야기했어!

3 〈보기〉를 바탕으로 이 글을 이해한 내용으로 적절하지 <u>않은</u> 것은 무엇인가요?

┤보 기├

　　20세기 후반 이후의 '후근대 사회'를 '피로 사회'로 규정하는 견해가 있다. 이에 따르면 근대 사회가 '규율 사회'였음에 비해 후근대 사회는 '성과 사회'이다. 규율 사회가 외적 강제에 따라 인간이 수동적으로 움직이는 사회라면, 성과 사회는 성공을 향한 내적 유혹에 따라 인간이 자발적으로 움직이는 사회이다. 과학 기술의 발달에 따라 결핍이 해소되고 규율 사회의 강제가 약화된다고 해서 인간이 삶의 온전한 주체가 되는 사회가 도래하는 것은 아니다. '더욱 생산적으로 되어야 한다'는 자본주의 시스템의 근본적인 요구가 규율 사회에서 외적 강제에 의한 타자 착취를 통해 관철되었다면, 성과 사회에서 그 요구는 내적 유혹에 의한 자기 착취를 통해 관철된다. 그 결과 피로는 현대인의 만성 질환이 되었다는 것이다.

〈보기〉는 '규율 사회'에서 '성과 사회'로 변화한 배경과 내용을 다루고 있는데, 이는 이 글의 '맹목적으로 활동적 삶을 추구하는 현대 사회'와 관련해서 이해할 수 있어.

① 근대 사회에서 기계의 속도에 기초하여 확립된 노동 규율은 타자 착취를 위한 규율 사회의 외적 강제로 볼 수 있겠군.

② 자신의 능력을 극한으로 끌어올려야 한다는 현대인의 강박증은 피로 사회에서 일어나는 자기 착취의 한 단면으로 볼 수 있겠군.

③ 정보화, 세계화에 따라 세계가 동시적 경험이 가능한 공간이 되면서 성과 사회에서는 자본주의 시스템의 근본적인 요구가 달라지는군.

④ 기술의 발달에 따라 삶이 더 여유롭고 의미 있는 것이 될 것이라는 견해는 현대 사회를 피로 사회로 포착하는 견해와 상반되는 것이군.

⑤ 다양해진 욕구와 성취 욕망을 충족하기 위해 자신을 소진하는 현대인의 행동은 성공적인 인간이 되기 위한 내적 유혹에 기인한 것으로 볼 수 있겠군.

4 ⓐ~ⓔ의 사전적 의미로 적절하지 <u>않은</u> 것은 무엇인가요?

① ⓐ: 목적을 이룰 때까지 뒤쫓아 구함.

② ⓑ: 돈이나 물건, 자원 따위를 낭비하지 않고 아껴 씀.

③ ⓒ: 어떤 이론이나 지식을 다른 분야의 일에 적용하여 이용함.

④ ⓓ: 일이나 사건 따위를 해결할 수 있는 방법이나 실마리를 더듬어 찾음.

⑤ ⓔ: 어떤 대상을 너그럽게 감싸 주거나 받아들임.

과정의 핵심은 '변화'에 있다

개구리의 변화 과정을 나타낸 그림을 보고, 빈칸에 알맞은 그림을 그려 볼까요?

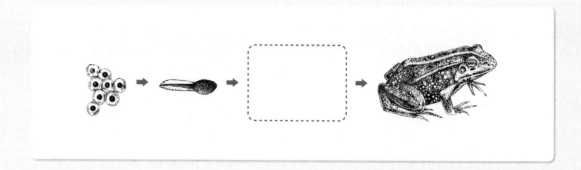

　과정이 드러난 글을 읽을 때 우선 주목해야 할 부분은 글에서 두드러지는 변화가 발생하는 부분입니다. 가령, 위의 그림에서 가장 두드러지는 변화는 알에서 올챙이로 변화하는 부분, 올챙이의 다리가 생기고 개구리로 변화하는 부분에 있습니다. 만약 글과 함께 그림이 제시되면 출제자는 그림에서 변화하는 지점에 기호를 붙여 자연스레 독자가 주목하게 할 것입니다.

　그런데 글에서는 이렇게 독자를 주목하게 하는 기호나 그림이 제시되어 있지 않은 경우도 많습니다. 이러한 경우에도, **글을 읽다가 설명하는 대상이 변화하는 지점이 보인다면 그 부분에 주목할 필요가 있습니다.** 그러한 부분이 문제로 구성되는 경우가 많기 때문이죠. 글의 서술 방식에 대해 묻거나, 과정에 따른 내용을 묻는 문제들은 이 '변화'에 핵심이 있습니다. 글쓴이가 과정이 드러나게 글을 쓰는 이유는 '변화'를 드러내기 위해서라는 점 꼭 기억하세요.

88쪽 지문

　그러다가 18~19세기 산업 혁명을 계기로 활동적 삶은 사색적 삶보다 그 중요성이 더 커지게 되었다. 생〇〇〇〇〇〇〇〇〇〇〇〇〇〇되면서 기계의 속도에 기초하여 노동 ─── **대상 혹은 상황이 변화하는 과정을 알면** ──도록 재조직되었다. 나아가 시간이 관─── **글에서 말하고자 하는 결론을 이끌어 낼 수 있다!** ──장 효율적인 작업 동선을 ⓓ모색했던 테일러의 과학적 관리론은 **20세기 초부터** 생산 활동을 합리적으로 조직하는 중요한 원리로 자리 잡았다. 이로써 두뇌에 의한 노동과 근육에 의한 노동이 분리되어 인간의 육체노동이 기계화되는 결과가 초래되었다. 또한 과학을 기술 개발에 활용하기 위한 시스템이 요구되어 공학, 경영학 등의 실용 학문과 산업체 연구소들이 출현하였다. 이는 전통적으로 사색적 삶의 영역에 속했던 진리 탐구마저 활동적 삶의 영역에 속하는 생산 활동의 논리에 ⓔ포섭되었음을 단적으로 보여 준다.

독해실전 　　배운 글을 다시 읽고, 물음에 답해 보세요.

생각독해 Ⅱ 14쪽

> 　한편, 18세기 말 영국의 프리스틀리는 수은을 가열하여 붉은색 물질을 얻었다. 그가 돋보기로 햇빛의 초점을 모아 이 붉은색 물질을 태우자 연기가 피어올랐다. 그는 이 연기가 새로운 기체일지 모른다고 생각해서 이 연기를 유리병에 모은 다음, 공기로 채운 유리병과 비교하는 몇 가지 실험을 해 보았다. 새로운 기체로 채운 유리병과 공기로 채운 유리병에 촛불을 넣자, 새로운 기체로 채운 유리병의 촛불이 활활 타올랐다. 다음으로 두 유리병에 생쥐를 넣자, 새로운 기체로 채운 유리병 속의 생쥐가 더 오래 살아 있을 수 있었다. 그는 자신의 실험을 프랑스의 라부아지에게 알렸는데 라부아지에는 프리스틀리의 실험을 바탕으로 이 기체는 연소와 호흡에 반드시 필요하다는 것을 밝혀냈고, 이 기체에 '산소'라고 이름 붙였다.

1 위 글을 읽고, ㉠에 들어갈 기체가 무엇인지 글에서 찾아 써 보세요.

| 수은 가열 | → | 붉은색 물질을 얻음. | → | 붉은색 물질을 돋보기로 태움. | → | ㉠ 를 얻음. |

수능실전 　　아래 글을 읽고, 수능 실전감각을 길러 보세요.

2019학년도 수능

> 　식품의 보존성을 높이는 방법 중 건조는 일반적으로 햇볕에 말리거나 열풍으로 말리는 것이다. 그런데 특이하게 식품을 얼려서 말리는 방법이 있다. 이 　㉠　는 인스턴트커피를 만드는 데 사용되고 있다. 먼저 커피액을 뽑아낸 다음에 −40℃로 급속하게 동결시킨다. 이때, 급속 동결된 커피 속에는 작은 얼음 알갱이가 무수히 형성된다. 다음 공정은 1차 처리로, 진공 상태의 건조한 창고 안에서 온도를 높여 가면 커피 속에 있는 얼음 알갱이는 녹아서 한꺼번에 수증기가 된다. 이는 기압이 아주 낮은 환경에서 물은 액체로 존재할 수 없기 때문이다. 이처럼 고체에서 직접 기체가 되는 현상을 '승화'라고 하는데, 냉동 건조는 승화를 이용한 건조법이다. 승화가 진행되면 커피 입자 속에 얼음 알갱이의 흔적으로 몇 ㎛의 극히 작은 구멍이 생긴다. 이를 다시 건조가 진행되기 쉬운 진공 상태에서 70℃ 정도로 온도를 유지하며 2차 처리하여 남은 수분을 없애면, 커피는 구멍투성이가 되고 수분의 양은 3% 정도까지 낮아진다. 이렇게 만든 인스턴트커피를 포장하면 제품 생산이 끝난다.

1 ㉠에 들어갈 알맞은 말을 위 글에서 찾아 써 보세요.

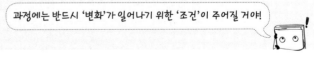

과정에는 반드시 '변화'가 일어나기 위한 '조건'이 주어질 거야!

생각읽기가 수능이다! 　　[조건-과정]의 생각 구조에서 글쓴이의 생각은 어떻게 알 수 있나요?

　실제 수능에서 과학/기술 영역 글들 중에는 어떤 현상이나 일이 일어나는 과정을 설명하는 경우가 많아. 이때에는 반드시 그 현상이나 일이 일어나는 '조건'을 확인한 다음, 계단을 하나씩 오를 때처럼 각각의 단계를 차근차근 정확하게 파악해야 해.

예술의 개념을 바꾼 앤디 워홀

앤디 워홀의 팝 아트

Q 전시장을 찾은 사람들이 「브릴로 상자」를 보고 혼란스러움을 느낀 이유는 무엇인가요?

앤디 워홀, 「브릴로 상자」

1964년 4월 앤디 워홀의 작품을 감상하기 위해 뉴욕의 스테이블 전시장을 찾은 관람객들은 그의 작품 「브릴로 상자」를 본 순간 자신이 마트에 들어왔나 하고 착각할 정도로 혼란에 빠졌다. 당시 마트에서 판매되었던 세제 중에는 브릴로라는 상표의 제품이 있었는데, 앤디 워홀은 브릴로 제품의 상자를 쌓아 작품으로 전시했던 것이다. 그는 실제 제품 상자들과 실크 스크린 기법으로 직접 제작한 상자들을 섞어 작품을 구성하였다. 그런데 ㉠앤디 워홀은 왜 이런 작품을 전시했을까?

전통적인 관점에서 예술 작품은 작가가 예술혼을 담아 의미 있는 주제 의식을 자신만의 방식으로 표현함으로써 감상자에게 미적인 감흥을 불러일으키는 매개체라고 보았다. 이러한 관점에서는 예술 작품과 예술 작품이 아닌 것의 경계가 분명하며, 작품들 사이에도 위대한 작품과 그렇지 않은 작품으로 구별된다. 앤디 워홀은 이러한 예술관에 정면으로 도전하여, '무엇은 예술이고 무엇은 예술이 아닌가?'라는 도발적인 질문을 작품으로 던진 것이다. 사실 그는 일상적 사물을 포함한 모든 것들이 예술 작품이 될 수 있으며, 누구나 쉽게 즐길 수 있는 예술이 진정한 예술이라고 생각했다.

앤디 워홀은 '팝 아트(Pop Art. 'Popular Art'의 준말. 대중 예술)'를 대표하는 작가이다. 팝 아트는 대중에게 친숙한 대중문화의 시각적 이미지들을 작품에 그대로 사용한 대중 지향적 예술을 의미한다. 1950년대까지 미국의 예술계는 추상 표현주의가 주도하고 있었는데, 추상 표현주의는 '예술은 의미를 담고 있어야 한다'는 기존의 예술 관념에서 과감히 탈피하여 개인의 내면세계를 추상적인 표현 기법으로 자유롭게 표현하는 순수 예술의 흐름을 의미한다. 그러나 당시 추상 표현주의는 그 표현 기법으로 인해 대중과 괴리되어 있었다. 팝 아트는 이에 반하여 나타난 새로운 예술의 흐름으로, 대중문화와 순수 예술의 경계를 허물고자 하였다. 팝 아트는 유명 인사나 상품의 이미지, 실제 광고, 만화 등의 이미지를 사용하여 대중과의 소통을 시도하였다. 팝 아트는 자본주의 사회와 대중문화의 여러 면모를 사실적으로 드러냈으며, 엘리트 중심의 예술 창작·수용·향유 방식을 부정하고, 예술은 사회와 독립적으로 예술 자체를 위해서만 존재해야 한다는 생각에서 벗어나려는 시도를 했다는 점에서 그 의의가 있다.

앤디 워홀은 주로 실크 스크린 기법을 사용하였는데, 실크 스크린 기법은 실크나 나일론 등의 천에 그려 놓은 형상을 인쇄하는 일종의 판화 기법으로, 비교적 간단한 과정으로 대량의 인쇄물을 만들 수 있다. 그는 기존의 예술가들처럼 직접 그림을 그리거나 사진으로 찍지 않았고, TV, 신문, 잡지 등 대중 매체에 실린 대상의 이미지를 변용하고 복제하여 작품을 창작했다. 그가 작품에 사용한 이미지들은 그 자체만으로도 상업적이고 소비 지향적인 대중문화의 특성을 잘 보여 준다. 그리고 이러한 이미지들을 대량으로 복제함으로써, 대량 생산된 상품을 획일적으로 소비하는 현대 사회의 단면과, 동일한 이미지를 반복적으로 전달하는 대중 매체가 대중의 의식을 지배한다는 대중문화의 특성을 드러내었다. 특히 유명 인사를 소재로 한 그의 작품들은, 대중 매체가 만들어 낸 허구적인 환상이 지배하는 현대 사회의 모습을 적나라하게 보여 준다는 평가를 받는다.

 이처럼 앤디 워홀은 예술에 대한 전통적인 관념을 부정하면서, 그러한 관념에 끊임없이 도전하였다. 그는 순수 예술과 대중 예술 사이의 경계, 예술 작품과 상품 사이의 경계를 허물고자 시도하며 자신만의 예술 세계를 구축했다. 또한 그는 현대 사회의 특성을 자신의 작품에 반영하여 현대 사회의 본질적인 면모를 직관적인 방식으로 보여 주었다. 앤디 워홀은 대중과 멀어지지 않는 방식으로 예술의 의미에 대한 새로운 시각을 제시하였고, 예술의 영역을 확장하였다는 점에서 큰 의의를 가진 예술가이다.

0 ㉠에 대한 대답으로 가장 적절한 것은 무엇인가요?

> ① 브릴로 상자의 디자인이 다른 제품의 디자인보다 우수해서
> ② 예술 작품과 예술 작품이 아닌 것의 구분을 보여 주기 위해서
> ③ 예술에 대한 기존 관념을 허물고 새로운 시각을 제시하기 위해서
> ④ 상업적인 제품들은 미적 감흥을 줄 수 없다는 것을 나타내기 위해서
> ⑤ 실제 상품과 구별되지 않을 정도로 정교한 창작 기법을 과시하기 위해서

1 이 글에 대한 설명으로 가장 적절한 것은 무엇인가요?

① 시간의 흐름에 따른 대상의 변모 양상을 밝혀 체계적으로 설명하고 있다.

② 대상과 관련된 상반된 이론을 비교한 다음 새로운 이론을 모색하고 있다.

③ 같은 속성을 지닌 다른 대상에 빗대어 설명함으로써 독자의 이해를 돕고 있다.

④ 대상의 특성을 보여 주는 구체적 일화를 제시하여 독자의 경험을 환기하고 있다.

⑤ 대상이 추구하고자 한 변화를 중심으로 대상이 지닌 의의를 종합·정리하고 있다.

2 다음 예술 작품에 대한 관점 중에서 앤디 워홀의 관점에 부합하는 것은 무엇인가요?

- 예술 작품은 이상 세계가 아닌 감각적인 현실 세계를 모방한 것에 불과하다. …… ①
- 예술 작품은 심미적 감동을 이끌어 내어 보는 이의 마음을 변화시켜야 한다. … ②
- 예술 작품은 의미 전달의 매개체가 아니라 자유로운 의식을 표현한 산물이다. … ③
- 예술 작품은 소재에 제약이 없으며 대중과 함께 호흡할 수 있는 것이야 한다. … ④
- 예술 작품은 작가의 예술 정신이 반영된 것으로 작품 간의 우열을 가릴 수 있다. … ⑤

3 팝 아트 를 이해한 내용으로 적절하지 <u>않은</u> 것은 무엇인가요?

① 엘리트 중심적 예술에서 벗어나 대중 지향적 예술을 추구한다.
② 기존 예술과는 다른 창작 기법으로 대중에게 외면받을 수 있다.
③ 획일적으로 소비하는 현대 사회의 단면을 사실적으로 보여 준다.
④ 순수 예술과 대중 예술 사이의 경계를 허물고자 시도한 예술이다.
⑤ 순수 예술인 '추상 표현주의'에 반발하여 형성된 예술적 흐름이다.

4 이 글을 바탕으로 〈보기〉에 제시된 앤디 워홀의 「마릴린(Marilyn)」을 감상한 내용으로 적절하지 <u>않은</u> 것은 무엇인가요?

───┤보 기├───

1962년 당대 미국의 최고 스타였던 마릴린 먼로의 갑작스러운 죽음은 큰 이슈가 되었다. 앤디 워홀은 잡지에 실렸던 그녀의 사진들 중 한 사진에서 얼굴 부분만 따로 떼어 내어 초상화 형식의 작품들을 여러 개 제작했다. 그중 「마릴린(Marilyn)」(1962)은 흑백 사진이었던 원본을 다양한 방식으로 채색한 사진들을 모아 만든 작품이다. 그는 이 작품을 만들 때, 다른 작품의 창작에서 자신이 주로 사용했던 기법을 사용하였다.

앤디 워홀, 「마릴린(Marilyn)」

① 직접 사진을 찍거나 손수 그린 것이 아니라, 대중 매체에 실린 이미지를 차용했군.
② 작품의 소재인 마릴린 먼로의 이미지는 현대 사회의 대중문화의 특성을 보여 주는군.
③ 다양하게 변용되고 복제된 마릴린 먼로의 이미지를 통해 대중 예술을 비판하고 있군.
④ 대중과 멀어지지 않는 방식으로 대중 매체가 만들어 낸 환상이 지배하는 현실을 드러냈군.
⑤ 실크 스크린 기법으로 제작된 이 작품 자체도 대량으로 생산이 가능하다는 특징이 있겠군.

Q 다음은 생각을 읽을 수 있는 지문 구조도를 퍼즐로 나타낸 것입니다. 앞에서 읽은 글의 내용을 떠올리며 생각읽기 1~6에 해당하는 퍼즐을 선으로 연결해 보세요.

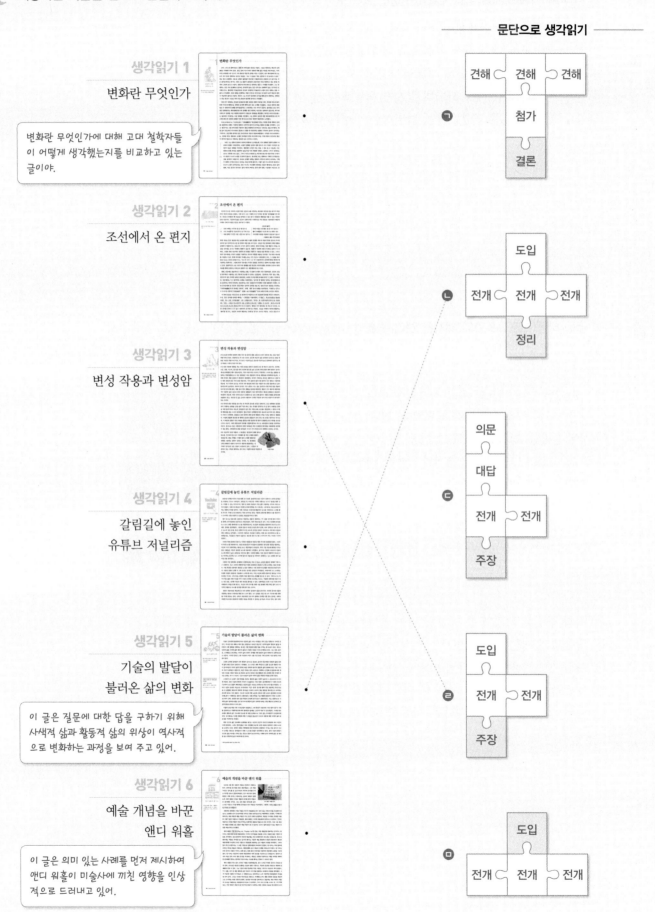

문단으로 생각읽기

생각읽기 1
변화란 무엇인가

> 변화란 무엇인가에 대해 고대 철학자들이 어떻게 생각했는지를 비교하고 있는 글이야.

ㄱ
견해 / 견해 / 견해
첨가
결론

생각읽기 2
조선에서 온 편지

ㄴ
도입
전개 / 전개 / 전개
정리

생각읽기 3
변성 작용과 변성암

ㄷ
의문
대답
전개 / 전개
주장

생각읽기 4
갈림길에 놓인
유튜브 저널리즘

생각읽기 5
기술의 발달이
불러온 삶의 변화

> 이 글은 질문에 대한 답을 구하기 위해 사색적 삶과 활동적 삶의 위상이 역사적으로 변화하는 과정을 보여 주고 있어.

ㄹ
도입
전개 / 전개
주장

생각읽기 6
예술 개념을 바꾼
앤디 워홀

> 이 글은 의미 있는 사례를 먼저 제시하여 앤디 워홀이 미술사에 끼친 영향을 인상적으로 드러내고 있어.

ㅁ
도입
전개 / 전개 / 전개

1 아리스토텔레스는 [ ] 에 대한 헤라클레이토스와 파르메니데스의 상반된 견해를 현실 세계에 적용하고, 기체와 형상의 개념을 바탕으로 실체적 변화와 비실체적 변화를 제시하였다.

2 [ ] 은 우리말의 옛 모습과 당시 사람들의 생활상을 보여 주는 문헌 자료로, 구어적 성격이 강하고 관용적 표현이 자주 사용되었으며 생략과 같은 표기의 효율성을 추구하기도 하였다.

3 변성 작용은 온도의 높이와 압력의 크기에 따라 크게 저변성 작용과 고변성 작용으로 나누어지는데, 어떤 변성 작용이 일어나느냐에 따라 만들어지는 [ ] 에도 차이가 생긴다.

4 유튜브 저널리즘은 뉴스 소비의 [ ] 강화와 가짜 뉴스 확산의 우려가 있지만, 순기능 역시 존재하므로 앞으로 어떤 방향으로 변화해 갈지는 이용자들의 손에 달려 있다.

5 근대 이전까지 사색적 삶이 활동적 삶보다 상위에 있었으나, 기술의 발달로 근대 이후 [ ] 삶보다 [ ] 삶이 더 중요시되는 방향으로 변화되어 현대에 이르러서는 더욱 심화되었다.

6 앤디 워홀의 [ ] 는 대중문화의 시각적 이미지들을 그대로 차용하고 실크 스크린 기법으로 표현한 대중 지향적 예술로, 예술의 영역을 확장하였다는 의의가 있다.

우리는 어떻게 변화에 대처할까?

"변하지 않고서는 변화를 꿈꿀 수 없다"

만일 매일 똑같은 일상이 계속 반복된다면, 아마도 사는 것 자체가 무의미하게 느껴질 것입니다. 다행히도 우리가 사는 삶과 세계는 항상 변합니다. 어쩌면 변하지 않는 것은 '모든 것은 변한다'는 그 사실 자체일지도 모르겠습니다. 그래서 우리는 더 나은 방향으로 변화하기를 바라고, 어제보다 더 나은 내일을 위해 오늘 이렇게 노력하는 것입니다. 지금까지 우리는 어떤 변화의 과정을 거쳤으며, 지금 어떤 변화의 흐름 속에 있는지를 이해하고 성찰함으로써, 더 나은 미래를 꿈꾸고 실현해 나갈 수 있습니다. 이것이 우리를 살아가게 만드는 힘입니다.

아무것도 바꾸지 않으면 아무것도 변하지 않는다.
– 토니 로빈스

04 수수께끼

생각의 발견

수수께끼를 말하다!

'사람이 살면서 가장 많이 내는 소리는?' 이 수수께끼의 답은 '숨소리'입니다. 이처럼 원래 수수께끼는 어떤 사물에 대해 재치 있게 문제를 내고 그 답을 맞히는 놀이를 의미하는 말입니다. 그런데 요즘에는 수수께끼라는 말의 의미가 확장되어 '어떤 사물이나 현상이 복잡하고 이상하게 얽혀 그 내막을 쉽게 알 수 없는 것'이라는 의미로 더 많이 사용됩니다. 다른 말로 하면, '미스터리'에 해당하겠지요. 그래서 수수께끼는 많은 사람들이 그 해답을 찾기 위해 도전하는 대상이었습니다. 우리에겐 아직도 여전히 풀지 못한 수수께끼가 많지만, 그 첫걸음으로 사람들이 풀어낸 수수께끼들에는 어떤 것들이 있는지 한번 알아볼까요?

미라의 나이는 어떻게 알 수 있을까

미라의 수수께끼

Q '가속기 질량 분석기'로 무게를 측정하기 위해 이용되는 분자의 성질은 무엇인가요?

의문과 대답, 무엇에 주목해야 할까
대답을 이끌어 낼 질문 속에 그 답이 숨어 있어!

▶ 생각읽기가 수능이다 106쪽

기원전 4천~5천 년경 이집트에 처음 천칭(天秤)*이 등장했을 때 천칭은 단순히 곡식의 무게를 재는 도구에 불과했을 것이다. 하지만 저울은 과학자들에 의해 과거까지 거슬러 올라가 그 비밀을 캐낼 수 있는 도구로 발전했다. 무게를 측정하는 저울로 어떻게 과거를 들여다볼 수 있을까?

물론 일반 저울로는 불가능하다. 대신 극미량의 방사성 동위 원소*를 정확하게 잴 수 있는 '가속기 질량 분석기'라는 특수한 저울이라면 가능한 일이기도 하다. 이 저울은 각 분자의 무게는 각자의 고유한 값을 갖고 있다는 성질을 이용해 무게를 재는데, 과학자들은 방사성 동위 원소인 ㉠희귀 탄소의 양을 측정하는 방식으로 유물의 나이를 추정한다. ㉡일반 탄소는 양성자 6개와 중성자 6개로 이루어져 있지만, 유물의 연대 측정에 쓰이는 희귀 탄소는 중성자가 8개이다. 이 물질은 중성 대기 중 질소가 우주에서 날아오는 방사선과 반응해 만들어지는데, 일반적으로 대기 중에 일반 탄소가 1조 개 있다면 희귀 탄소는 1개 정도가 존재할 정도로 희귀하다.

지구상에 살아 있는 식물이나 동물은 대기 중 산소로 호흡하기 때문에 체내에서 일반 탄소와 희귀 탄소의 비율이 일정하게 나타난다. 탄소가 산소와 결합해서 이산화 탄소가 되더라도 그 비율은 변하지 않는다. 그런데 동식물이 죽고 나면 상황이 달라진다. 호흡을 하지 못하게 되면 일반 탄소는 거의 변함이 없는 데 비해, 방사성 동위 원소인 희귀 탄소는 붕괴되어 다시 질소로 돌아가는데, 일반적으로 방사성 동위 원소의 경우 원자핵이 방사선을 내놓으면서 새로운 원소로 바뀌게 된다.

이때 붕괴되지 않고 살아남은 원소의 개수가 처음의 반이 될 때까지 걸리는 시간을 '반감기'라고 부른다. 반감기는 원소에 따라서 천차만별이다. 희귀 탄소의 반감기는 5,730년이다. 이런 성질을 이용하면 미라와 같은 유물의 나이를 파악할 수 있게 된다. 즉 희귀 탄소의 양을 측정한 다음, 1조 분의 1이라는 기준 비율보다 얼마나 줄어들었는지를 계산하는 것이다. 예를 들어 땅속에서 찾아낸 미라의 샘플 속에 포함된 희귀 탄소의 양을 측정한 결과 일반 탄소에 대한 농도가 2조 분의 1이라면, 희귀 탄소는 당연히 있어야 할 농도의 절반으로 줄어든 것으로 볼 수 있으므로 그 유물의 나이는 5,730년이라고 추정할 수 있다.

이와 같은 방사성 탄소 연대 측정법은 매우 유효한 방법이지만, 귀중한 문화재의 경우에 측정을 위해 몇 그램(g)이나 되는 탄소 시료를 떼어 낸다는 것은 간단한 일이 아니었다. 그리하여 1970년대 후반에 가속기 질량 분석기가 등장하였는데, 이를 사용해 이전 필요량의 약 1,000분의 1인 0.001g의 탄소 시료로도 정확한 연대 측정이 가능하게 되었다.

---

* 천칭: 저울의 하나. 가운데에 줏대를 세우고 가로장을 걸치는데, 양쪽 끝에 똑같은 저울판을 달고, 한쪽에 달 물건을, 다른 쪽에 추를 놓아 평평하게 하여 물건의 무게를 단다.
* 동위 원소: 원자 번호는 같으나 질량수가 서로 다른 원소. 양성자의 수는 같으나 중성자의 수가 다르다.

0 **이 글을 읽고 해결할 수 있는 질문이 <u>아닌</u> 것을 고르세요.**

① 유물의 연대 측정 시 중요한 재료는 무엇인가?

② 유물의 연대 측정 시 기준이 되는 비율은 무엇인가?

③ 가속기 질량 분석기가 등장하게 된 배경은 무엇인가?

④ 가속기 질량 분석기로 유물의 나이를 측정하는 방법은 무엇인가?

⑤ 가속기 질량 분석기로 유물의 연대를 측정할 때의 한계는 무엇인가?

'한계'란 사전적 의미로 '사물이나 능력, 책임 따위가 실제 작용할 수 있는 범위. 또는 그런 범위를 나타내는 선'을 뜻하지만, 문제에서 흔히 '약점', '단점', '문제점'과 유사한 의미로 함께 쓰여.

1 이 글에서 설명하고 있는 가속기 질량 분석기 에 대한 내용으로 가장 적절한 것은 무엇인가요?

① 소량의 시료로도 순수한 질소를 얻을 수 있다.

② 방사성 동위 원소인 희귀 탄소의 질량만을 측정하도록 고안되었다.

③ 정확한 연대 측정을 위해 필요한 시료의 양을 이전보다 줄일 수 있다.

④ 시료 속 불순물의 양을 줄일 수 있으므로 연대 측정의 오차를 감소시킬 수 있다.

⑤ 원자핵에서 방출되는 방사선의 양을 조절함으로써 유물의 연대를 측정할 수 있다.

2 〈보기〉는 이 글을 바탕으로 선생님과 학생이 나눈 대화입니다. (　　　)에 들어갈 내용으로 가장 적절한 것은 무엇인가요?

┤보 기├

선생님: 유물의 나이를 정확하게 측정하기 위해서는 측정 시료를 가속기 질량 분석기에 곧바로 넣어 무게를 측정해서는 안 됩니다. 측정 시료는 대부분 연대 측정에 필요한 원소 외의 다른 원소들도 포함하고 있습니다. 이 원소들이 포함된 시료로 측정하게 되면 정확한 연대 측정을 할 수 없습니다.

학　생: (　　　　　　　　　　　　　　　　　　　　　　　　　)

① 그럼 시료에 산소를 주입하여 순수한 탄소를 얻는 일을 추가해야겠네요.

② 그렇다면 시료에서 연대 측정에 필요한 원소를 뽑아내는 과정이 먼저 이루어져야겠네요.

③ 그러므로 시료를 통해 유물의 연대를 정확히 측정하는 것은 불가능하다고 볼 수 있겠네요.

④ 하지만 유물 속에 담긴 역사적 의미를 파악하려는 발굴 팀의 노력은 높이 평가할 수 있겠네요.

⑤ 따라서 시료의 무게를 측정한 후 시료 내 포함된 다른 원소들을 제거하는 작업이 이루어져야겠네요.

3 ⓒ과 ⓛ을 비교하여 설명한 내용으로 가장 적절한 것은 무엇인가요?

① ⓒ은 무게를 잴 수 있으나, ⓛ은 무게를 잴 수 없다.
② ⓒ과 ⓛ은 동식물의 체내에서 항상 '1:1조'의 비율을 유지한다.
③ ⓒ은 산소와 결합하여 이산화 탄소가 되는 반면, ⓛ은 산소와 결합하지 않는다.
④ 대기 중에서 ⓒ은 붕괴되어 다시 질소로 돌아가는 반면, ⓛ은 질소와 반응하여 생성된다.
⑤ 일반적으로 동식물이 호흡을 못하게 되면 ⓒ은 새로운 원소로 바뀌는 반면, ⓛ은 거의 변함이 없다.

4 이 글을 바탕으로 〈보기〉를 탐구한 내용으로 적절하지 <u>않은</u> 것은 무엇인가요?

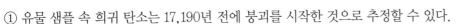

┤ 보 기 ├

　○○ 고고학과의 유물 발굴 팀이 △△ 지역에서 미라로 보이는 유물을 발견했다. 새로 도입된 가속기 질량 분석기로 유물 샘플 속에 포함된 희귀 탄소의 양을 측정한 결과, 일반 탄소에 대한 농도가 1/8조 비율만큼 나왔다.

① 유물 샘플 속 희귀 탄소는 17,190년 전에 붕괴를 시작한 것으로 추정할 수 있다.
② 일반 탄소에 대한 희귀 탄소의 농도 비율을 고려하면 반감기를 2번 거쳤음을 알 수 있다.
③ 반감기의 횟수를 고려하면 이 유물은 11,460년보다 더 오랜 세월을 거쳤을 것으로 볼 수 있다.
④ 유물 발굴 팀은 이전보다 적은 시료의 양으로도 유물의 나이를 측정할 수 있었을 것임을 알 수 있다.
⑤ 유물 샘플 속의 희귀 탄소는 반감기를 여러 번 거침으로써 살아남은 원소보다 붕괴된 원소의 개수가 더 많을 것으로 짐작할 수 있다.

> 반감기(5,730년)를 거쳐 희귀 탄소가 반으로 줄어들게 되면 일반 탄소에 대한 희귀 탄소의 비율이 2조 분의 1이 된다는 점을 기억해.

"1미터 정도 될 것으로 추정돼."

"내 뼘으로 5번이니까 1미터로 측정되네."

의문에 대한 대답이 곧 글의 주제다 ──

다음 글을 읽고, 글쓴이가 말하고 싶은 바가 무엇인지 밑줄 친 질문에 대한 답을 찾아볼까요?

모네, 「인상, 해돋이」

　　1874년 모네가 평범한 항구의 모습을 그린 「인상, 해돋이」라는 작품을 출품했을 당시, 이 그림에 대한 미술계의 반응은 혹평 일색이었다. 비평가 루이 르루아는 비아냥거리는 의미로 모네의 작품명에서 명칭을 따와 모네와 그의 동료들을 인상파라고 불렀다. 인상파 이전의 19세기 화가들은 배경지식 없이는 이해하기 힘든 특별한 사건이나 인물, 사상 등을 주제로 하여 그림을 그렸다. 그들은 주제를 드러내는 상징적 대상을 잘 짜인 구도 속에 배치하였고, 정교한 채색과 뚜렷한 윤곽선을 중요하게 여겼다. 그들의 입장에서 보면 대상을 의도적인 배치 없이 눈에 보이는 대로 거칠게 그린 듯한 인상파 화가들의 그림은 주제를 알 수 없는 미완성품이었다. <u>그렇다면 인상파 화가들의 그림 주제는 무엇일까?</u> 인상파 화가들이 주제로 삼은 것은 빛이었다. 이들은 햇빛과 대기 상태에 따라 대상의 색과 대상에 대한 인상이 달라진다는 사실에 주목하여 이를 그림으로 표현하려 한 것이다.

　　글을 읽다 보면, 글쓴이가 의문을 표시하거나 독자에게 질문을 던지며 글을 시작하는 전개 방식이 자주 보입니다. 왜 그럴까요? 이는 글쓴이가 글을 읽는 방법을 티가 나게 알려 주기 위해서입니다. 이 경우, 질문에 대한 답을 빠르게 찾는 방향으로 글을 읽어 나가야 합니다.

　　대개 글에서 글쓴이가 질문을 던지는 이유는 그 대답을 원해서가 아닙니다. 자기가 그 대답을 하고 싶어서 그 전에 독자의 주의를 환기시키려는 목적에서 질문을 하는 것이죠. **글쓴이는 질문이란 방식을 통해 자기가 하고 싶은 이야기를 시작하거나, 문제를 제기하고 그 대답이나 해결 방안까지 제시하는 경우가 많습니다.** 이때 글쓴이가 제시한 대답이나 해결 방안은 당연히 중요한 내용이 되겠죠? 당연히 글을 쓸 때에도 이 부분을 더욱 강조할 것입니다. 이렇듯 질문을 통해 글쓴이는 말하고 싶은 대상을 드러냅니다. 글쓴이가 제시하려는 답이나 해결 방안이 무엇인지 찾는 방법으로 독해를 해야 하는 이유가 바로 여기에 있습니다.

───

102쪽 지문

　　기원전 4천~5천 년경에 이집트에서 처음 천칭(天秤)*이 등장했을 때 천칭은 단순히 곡식의 무게를 재는 도구에 불과했을 것이다. 하지만 저울은 과학자들에 의해 과거까지 거슬러 올라가 그 비밀을 캐낼 수 있는 도구로 발전했다. **무게를 측정하는 저울로 어떻게 과거를 들여다볼 수 있을까?**

> **글쓴이가 문제를 제기하고 질문을 던지면, 그에 대한 대답 또는 해결 방안에 주목한다!**

독해실전

배운 글을 다시 읽고, 물음에 답해 보세요.

생각독해 Ⅱ 74쪽

> 양귀비는 지금 봐도 예쁠까? 클레오파트라가 서양을 대표하는 미녀라면, 동양을 대표하는 미녀로는 양귀비가 있다. 당나라 현종의 후궁으로 나라를 기울게 할 만한 미모를 가졌다고 평가받았던 양귀비는 과연 어떤 모습이었을까? 날씬한 몸매에 오똑한 콧날, 깊은 쌍꺼풀을 가진 외모였을까? 역사서에 따르면 실제 양귀비는 학처럼 긴 목에 동그란 얼굴, 건강한 팔다리를 가졌다고 한다. 이런 양귀비가 절세의 미녀로 평가되었던 것은 아름다움을 바라보는 기준이 시대와 문화에 따라 다르기 때문이다.

1 위 글의 질문과 대답에 주목할 때, 글의 주제문으로 가장 적절한 것은 무엇인가요?

① 아름다움을 바라보는 기준은 개인마다 다를 수 있다.

② 미를 바라보는 시각은 사회 문화적 배경에 따라 다르다.

수능실전

아래 글을 읽고, 수능 실전감각을 길러 보세요.

2008학년도 고1

> 세계의 여러 나라는 경제 성장이 국민 소득을 높여 주고 물질적인 풍요를 가져다주는 것으로 보고, 이와 관련된 여러 지표를 바탕으로 국가를 경영하고 있다. 만일, 경제 성장으로 인해 우리의 소득이 증가하고 또 물질적인 풍요가 이루어진다면 우리는 행복한 생활을 누리게 되는 것일까?
> 1인당 국민 소득이 1만 달러에서 2만 달러로 올라간다고 해도 사람들이 그만큼 더 행복해진다고 말하기는 어렵다. 즉, 경제 성장이 사람들의 소득 수준을 전반적으로 향상시켜 경제적인 부유함을 더 누릴 수 있게 할 수는 있어도 행복감마저 그만큼 더 높여 줄 수는 없는 것이다.
> 한 마디로 □□□□□□□□□□ ㉠ □□□□□□□□□□

1 위 글의 흐름을 고려할 때 ㉠에 들어갈 내용으로 가장 알맞은 것은 무엇인가요?

① 행복은 소득과 꼭 정비례하는 것은 아니다.

② 국가가 국민의 행복감을 좌우할 수 있는 것은 아니다.

③ 행복은 성장보다 분배를 더 중시할 때 이루어질 수 있다.

> 괜히 묻는 게 아니야!
> 질문 속에 대답을 이끌어 낼 핵심이 숨어 있어!

생각읽기가 수능이다! 🧠 **[의문－대답]의 생각 구조에서 글쓴이의 생각은 어떻게 알 수 있나요?**

실제 수능에서 의문과 대답으로 전개되는 글의 출제 0순위 문제는 질문에 대한 제대로 된 답변을 찾을 수 있는가를 묻는 거야! 글의 서두에 질문이 나오면, 그 질문은 글쓴이가 앞으로 이 주제로 글을 쓸 거라는 걸 알려 주는 거니깐, 질문에 대한 답이 곧 글 전체의 주제가 되겠지?

암호학에 대한 이해

암호학은 비밀 메시지를 만들고 해독하는 암호 기술을 연구하는 학문으로, 이를 통해 사람들은 수천 년 동안 비밀 메시지를 주고받았다. 보통 어떤 메시지를 비밀 메시지로 바꾸는 방법을 뜻하는 말로 코드(code)라는 용어를 사용한다. 코드는 단어나 메시지의 의미를 바꾸는데, 메시지를 비밀 메시지로 바꾸는 것을 암호화라고 하고 암호문으로 만들어진 비밀 메시지에서 원래의 메시지를 알아내는 것을 복호화 혹은 암호 해독*이라고도 한다. 그리고 암호화되기 전의 메시지를 원문, 암호화된 메시지를 암호문이라고 한다.

암호학에서 사이퍼(cipher)는 메시지의 의미를 바꾸는 것이 아니라, 각 문자를 다른 문자 또는 기호로 바꾸는 방법을 뜻한다. 가장 오래된 사이퍼 중 하나는 율리우스 시저의 이름을 딴 시저 암호로, 이는 2,000여 년 전에 로마 장군들과 비밀 메시지를 교환하기 위해 사용했다. 시저 암호에서는 알파벳을 일정한 수만큼 자리를 이동시켜 재배열된 글자로 대체하여 암호문을 만든다. 알파벳을 세 자리만큼 이동하여 대응시키면 다음과 같은 시저 암호가 만들어진다. 이 암호는 a를 D, b를 E, ……와 같이 바꾼다.

[A]

원문 알파벳	a	b	c	d	e	f	g	h	i	j	k	l	m	n	o	p	q	r	s	t	u	v	w	x	y	z
암호문 알파벳	D	E	F	G	H	I	J	K	L	M	N	O	P	Q	R	S	T	U	V	W	X	Y	Z	A	B	C

▲ 세 자리만큼 이동하여 만든 시저 암호

시저 암호에서는 이동하는 자리의 수를 임의로 정하여 알파벳을 대체시킬 수 있다. 이는 누군가 암호화된 메시지를 보게 되더라도 그 내용을 알지 못하게 하기 위해서이다. 빠른 암호화를 위해 ㉠암호 원판을 사용하기도 한다. 바깥쪽 원판에는 원문 알파벳을, 안쪽 원판에는 암호문 알파벳을 적어 넣어 이동하는 자리의 수만큼 안쪽 원판을 반시계 방향으로 돌려 원문 알파벳에 암호문 알파벳을 대응시킨다. 이때 바깥쪽 원판의 원문 알파벳은 소문자로, 안쪽 원판의 암호문 알파벳은 대문자로 써서 두 알파벳을 구별한다. 암호 시스템은 두 부분으로 나누어 생각할 수 있는데, 암호화하는 방법인 알고리즘*과 알고리즘에서 특별하게 사용되는 키(key)가 그것이다. 시저 암호 시스템에서 암호화 알고리즘은 선택한 수만큼 문자들의 자리를 이동시키는 것이고, 키는 문자를 이동시키는 자리의 수를 말한다. 누군가가 여러분의 암호 시스템을 알게 되더라도, 키를 바꾸면 될 뿐 시스템 전체를 바꿀 필요는 없다.

[B] 시저 암호에서 한 단계 발전된 것이 문자를 수로 대체하는 알고리즘이 적용된 시저 암호이다. 예를 들어 시저 암호에서 세 자리씩 이동하였을 때 먼저 원문 알파벳을 차례대로 0, 1, 2, ……와 대응시켜 바꾼 후, 이에 이동하는 자릿수만큼 더하여 a를 3, b를 4, c를 5, ……와 같이 암호화하는 것이다. 이와 같은 시저 암호에서는 이동하는 자릿수를 더하기 전에 원문 마지막 알파벳에 해당하는 수가 중요하다. 왜냐하면 여기에 이동하는 자릿수를 더하게 되면 이 마지막 수를 넘어 버리기 때문이다. 따라서 이동하는 자릿수를 더해 이 마지막 수를 넘게 될 때, 넘게 되는 수를 차례대로 0, 1, 2, ……로 바꾼다. 그리하여 다음과 같이 수로 된 시저 암호를 만들 수 있게 된다.

원문	a	b	c	d	e	f	g	h	i	j	k	l	m	n	o	p	q	r	s	t	u	v	w	x	y	z
암호문	3	4	5	6	7	8	9	10	11	12	13	14	15	16	17	18	19	20	21	22	23	24	25	0	1	2

▲ 세 자리만큼 이동하여 만든 수로 된 시저 암호

암호를 해독하는 방법은 더 간단하다. 암호문을 만들 때 3을 더했다면, 해독할 때는 3을 빼기만 하면 된다. 예를 들어 12를 해독하기 위해서는 12에서 3을 빼고, 첫 단계에서 원문 알파벳을 수에 대응시키면 이 값에 대응하는 문자가 j임을 알 수 있다.

* 해독: 잘 알 수 없는 암호나 기호 따위를 읽어서 풂.
* 알고리즘: 어떤 문제의 해결을 위하여, 입력된 자료를 토대로 하여 원하는 출력을 유도하여 내는 규칙의 집합.

0 〈보기〉는 [B]를 구조화하여 나타낸 것입니다. 이에 대한 반응으로 가장 적절한 것은 무엇인가요?

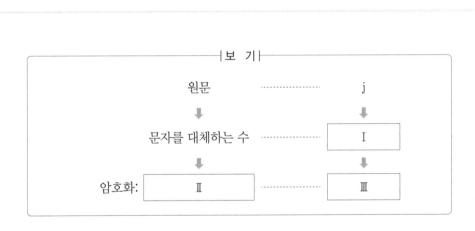

① 'Ⅰ'에는 원문을 대체하는 다른 알파벳 문자가 들어가야 한다.
② 'Ⅰ'에는 알파벳 'j'에 해당하는 숫자 '12'가 들어가야 한다.
③ 'Ⅱ'에는 문자의 이동 방향이 들어가야 한다.
④ 'Ⅲ'에는 'Ⅰ'에 '3'을 더한 수가 들어가야 한다.
⑤ 'Ⅲ'에는 '이동시킨 수'에 해당하는 '9'가 들어가야 한다.

구조화는 글에서 다룬 정보들 간의 관계를 알아보기 쉽게 정리해 놓은 것이니까 각 부분의 내용을 [B]에 대응시켜 보아야 해.

1 [A]에 대한 설명으로 가장 적절한 것은 무엇인가요?

① 시저 암호 중 가장 진보한 형태이다.
② 비밀 메시지로 바뀔 때 의미가 암호화된다.
③ 키(key)가 5인 경우 원문 a를 F로 바꾸어야 한다.
④ 키(key)가 유출되면 암호화 시스템을 교체해야 비밀 유지가 가능하다.
⑤ 암호화가 이루어져도 암호문의 알파벳 시작 순서는 원문과 동일하게 유지된다.

2 〈보기〉는 ㉠을 구체화하여 나타낸 것입니다. 〈보기〉에 대한 설명으로 적절하지 않은 것은 무엇인가요?

암호 원판의 모양과 작동 원리를 지문에서 찾고, 이를 〈보기〉의 그림에 간단히 메모해 두면 문제를 쉽게 풀 수 있을 거야.

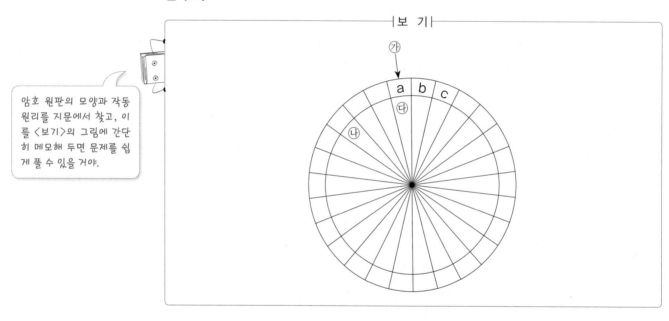

| 보 기 |

① '사이퍼'의 도구로 활용할 수 있다.
② ㉮에는 원문 알파벳을 새겨 넣는다.
③ ㉯에는 대문자의 알파벳을 적어 암호화에 활용한다.
④ 이동하는 자릿수가 4인 경우 ㉰의 위치에 'D'가 오게 된다.
⑤ 이동하는 자릿수에 따라 원문 알파벳에 대응하는 암호문 알파벳이 달라질 수 있다.

이 글을 바탕으로 〈보기〉를 해석한 내용으로 가장 적절한 것은 무엇인가요?

┤보 기├

학생 A는 문자를 수로 대체하는 시저 암호로 된 암호문을 보고 이동하는 자릿수가 6임을 알게 되어 암호화한 수를 해독하기 시작했다. 이 학생은 −1의 경우 'z', −2의 경우 'y'처럼 암호 해독 과정에서 음수가 나온 경우 0에 대응하는 알파벳 'a'에서 차례대로 거꾸로 헤아려 가며 알파벳에 대응시키면 된다는 암호 해독의 비밀을 미리 알고 있었다.

학생 A가 암호를 해독하려는 비밀 메시지는 아래와 같다.

6	23	18	4

① 암호를 해독하려는 원문은 $\boxed{a}$ $\boxed{r}$ $\boxed{m}$ $\boxed{y}$ 이다.

② 암호 해독 결과 원문의 알파벳 순서는 $\boxed{m}$ $\boxed{d}$ $\boxed{y}$ $\boxed{k}$ 이다.

③ 암호 해독을 위해 비밀 메시지에서 6을 더하는 과정이 필요하다.

④ 암호 해독을 위해 6만큼 자리를 이동시켜 알파벳을 재배열해야 한다.

⑤ 암호 해독을 위해 시저 암호의 키(key)를 해독하는 과정을 추가해야 한다.

이 글과 〈보기〉를 바탕으로 추측한 내용으로 가장 적절한 것은 무엇인가요?

┤보 기├

시저 암호에서 사용하는 수는 0에서 25까지의 수이다. 이를 원의 둘레에 차례대로 빙 둘러놓았다고 하자. 25를 넘어선 수들은 계속 이어 다시 원의 둘레에 차례대로 빙 둘러놓는다. 원의 둘레에서 한 바퀴를 돈 26번째 수인 26은 0과 자리가 겹치게 된다. 그래서 26은 0과 같고, 27은 1과 같게 되는데 이 수들을 합동이라고 한다.

① 26은 0뿐만 아니라 53과도 합동이 된다고 할 수 있다.

② 27은 1뿐만 아니라 52와도 합동이 된다고 할 수 있다.

③ 28은 2뿐만 아니라 51과도 합동이 된다고 할 수 있다.

④ 29는 3뿐만 아니라 54와도 합동이 된다고 할 수 있다.

⑤ 30은 4뿐만 아니라 56과도 합동이 된다고 할 수 있다.

효소의 작용 과정

효소의 수수께끼

Q 체내에서 일어나는 화학 반응의 속도를 높이기 위해 효소는 어떤 작용을 하나요?

탄수화물이 포도당과 같은 단당류*로 저절로 분해되려면 최소 50년 이상이 걸릴지 모른다. 하지만 우리는 쌀밥과 같은 탄수화물을 섭취하여 체내에서 이를 포도당으로 바꾸는 데 몇 시간밖에 걸리지 않는다. 자연 상태에서는 빠르게 일어나지 않는 화학 반응이 체내에서는 왜 이처럼 빠르게 일어나게 될까?

생물체는 생명 유지를 위해 다양한 화학 반응을 하게 되는데, 체내에서 일어나는 화학 반응을 물질대사*라고 한다. 화학 반응이 일어나기 위해서는 이를 일으킬 수 있을 만큼의 충분한 에너지가 공급되어야 하며, 이때 화학 반응을 일으키기 위해 필요한 최소한의 에너지를 활성화 에너지라고 한다. 세포에 있는 거의 모든 분자들은 활성화 에너지 이상의 에너지를 가지고 있지 않으므로, 활성화 에너지는 화학 반응이 일어나기 위해 넘어야 하는 에너지 장벽과도 같다. 하지만 생체 내에서 효소*는 촉매*로서 반응물인 기질*과 결합하여 활성화 에너지를 낮춤으로써 화학 반응이 빠르게 일어날 수 있도록 한다.

[A] 물질대사가 일어나기 위해서는 반응 경로 중 에너지 크기가 최대가 되는 상태인 전이 상태를 거쳐야만 한다. 반응물을 생성물로 전환하는 반응 경로상에서 전이 상태 이전의 에너지 크기가 가장 낮은 상태일 때와 전이 상태일 때의 에너지 크기의 차가 바로 활성화 에너지이다. 효소와 기질의 결합은 효소 없이 일어나는 반응의 전이 상태 에너지 크기보다 더 낮은 크기의 값을 가지는 새로운 경로를 만들어 반응 속도를 빠르게 한다. 물질대사에서 기질은 활성 부위라고 하는 효소의 특정 부위에 결합하는데, 효소는 기질과 결합하여 '효소 기질 복합체'를 형성한다. 또한 효소는 특정한 기질 분자만을 선택하는 특이성을 보이며, 기질이 효소와 결합하기 위해서는 둘 사이에 친화력이 작용해야 한다. 이 친화력 때문에 '효소 기질 복합체'는 반응 초기에 효소와 기질이 결합할 때보다 에너지 크기가 낮아지게 된다. '효소 기질 복합체'의 형성은 전이 상태 형성으로 이어지며, 전이 상태가 형성된 후에야 반응이 계속되어 기질이 생성물로 전환되게 된다. 그 후 화학 반응이 끝나면 '효소 기질 복합체'는 효소와 생성물로 분리되고, 분리된 효소는 자신과 맞는 기질과 다시 결합하여 촉매 작용을 이어 가게 된다.

1890년 에밀 피셔는 ㉠'고전적 모델'로 이러한 효소와 기질의 결합을 설명했다. 이 모델에서는 모양이 꼭 들어맞는 열쇠를 이용해야만 자물쇠를 풀 수 있는 것과 마찬가지로 효소는 자신과 관계없는 분자와는 아무런 반응을 하지 않으며, 자신이 친화성을 갖는 분자와 만났을 때에만 반응한다고 보았다. 즉 효소는 기질의 분자 생김새에 따라 특이성을 나타내며, 반응 초기부터 아귀가 잘 맞는 특정 기질과만 결합하여 촉매 작용을 한다고 본 것이다. 하지만 이 모델은 효소와 기질이 결합하여 복합체를 형성할 때의 반응 속도가 빨라지는 현상 자체를 설명할 수 없다는 점에서 한계를 지니고 있었다.

이에 1958년 다니엘 코슈란드는 기질이 효소에 접근하거나 결합하는 것에 따라 부드러운 특성을 지닌 효소의 입체 구조가 촉매 기능이 일어나기 쉽게 변화한다는 ㉡'코슈란드 모델'을 제안하였다. 이 가설에 의하면 초기의 기질은 효소와 완벽하게 일치하지 않는다. 그러나 기질이 효소와 결합하는 과정에서 효소의 활성 부위 구조가 조금씩 변하면서 모양이 달라져 기질과 더욱 단단하게 결합하게 되며, 그 과정에서 에너지 작용에 의해 반응 속도가 빨라지게 된다고 설명하고 있다.

* 단당류: 가수 분해로는 더 이상 간단한 화합물로 분해되지 않는 당류를 통틀어 이르는 말.
* 물질대사: 생물체가 몸 밖으로부터 섭취한 영양물질을 몸 안에서 분해하고, 합성하여 생체 성분이나 생명 활동에 쓰는 물질이나 에너지를 생성하고 필요하지 않은 물질을 몸 밖으로 내보내는 작용.
* 효소: 생물의 세포 안에서 합성되어 생체 속에서 행하여지는 거의 모든 화학 반응의 촉매 구실을 하는 고분자 화합물을 통틀어 이르는 말.
* 촉매: 자신은 변화하지 아니하면서 다른 물질의 화학 반응을 도와 반응 속도를 빠르게 하거나 늦추는 일. 또는 그런 물질.
* 기질: 효소와 작용하여 화학 반응을 일으키는 물질.

0 이 글에 대한 설명으로 가장 적절한 것을 고르세요.

① 효소가 기질과 결합하는 반응 과정을 제시하고, 그 결합 원리를 설명하는 두 모델을 소개하고 있다. ☐

② 화학 반응에서 효소의 중요성을 강조하고, 과학자들이 공유한 결합 원리에 대해 서술하고 있다. ☐

③ 효소가 추출되는 과정을 설명하고, 추출된 효소가 화학 반응에 활용되는 사례를 제시하고 있다. ☐

④ 자연 상태에서 일어나는 화학 반응의 사례를 분석하고, 효소와 기질의 결합을 설명하는 모델의 변천 과정을 설명하고 있다. ☐

⑤ 생명 유지를 위해 일어나는 화학 반응의 종류를 소개하고, 효소와 기질의 결합을 설명하기 위해 제시된 모델을 평가하고 있다. ☐

글의 중심 생각을 알기 위해서는 글이 어떻게 전개되는지를 파악하는 것이 도움이 돼.

1 이 글을 통해 알 수 있는 '효소'의 기능으로 적절하지 <u>않은</u> 무엇인가요?

① 생체 내에서 촉매와 같은 역할을 한다.
② 물질대사의 속도를 변화시키는 데 개입한다.
③ 여러 종류의 기질과 결합하여 기질을 생성물로 전환시킨다.
④ 화학 반응이 더욱 빠르게 진행되도록 새로운 경로를 만든다.
⑤ 화학 반응이 잘 일어날 수 있도록 에너지 장벽 수준을 낮춘다.

2 이 글을 읽은 학생들의 반응으로 적절하지 <u>않은</u> 것은 무엇인가요?

① 질문 형식을 활용하여 독자들의 호기심을 자극하고 있어.
② 효소의 작용 과정에 대한 이해를 돕기 위해 이와 연관된 개념을 제시하고 있어.
③ 물질대사에서 효소와 활성화 에너지가 어떤 관계를 맺고 있는지를 밝히고 있어.
④ 효소와 기질의 결합을 설명하는 두 가지 이론을 소개하고 각각의 장단점을 분석하고 있어.
⑤ 물질대사에서 효소가 기질과 결합하여 '효소 기질 복합체'를 형성할 때 효소가 보이는 특이성에 대해 설명하고 있어.

어떤 개념을 설명할 때,
그것과 상호 밀접한 관련을 맺는 개념이 줄줄이 나오는 것을 말해!

3 [A]를 바탕으로 〈보기〉의 그래프를 이해한 내용이 적절하지 <u>않은</u> 것은 무엇인가요?

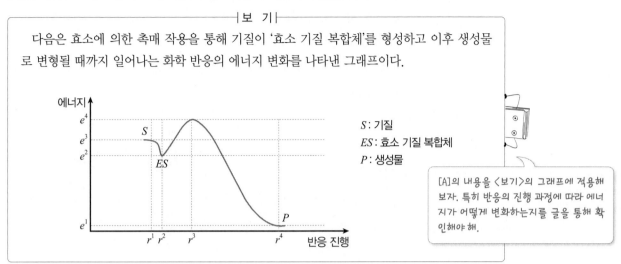

┤ 보 기 ├

　다음은 효소에 의한 촉매 작용을 통해 기질이 '효소 기질 복합체'를 형성하고 이후 생성물로 변형될 때까지 일어나는 화학 반응의 에너지 변화를 나타낸 그래프이다.

S : 기질
ES : 효소 기질 복합체
P : 생성물

[A]의 내용을 〈보기〉의 그래프에 적용해 보자. 특히 반응의 진행 과정에 따라 에너지가 어떻게 변화하는지를 글을 통해 확인해야 해.

① 'r^1'에서 'r^2'로 반응이 진행되면서 효소와 기질 사이의 친화력으로 인해 에너지가 'e^3'에서 'e^2'로 감소하게 된다.

② 'r^2'에서 'r^3'으로 반응이 진행되면서 ES는 에너지가 'e^4'인 전이 상태에 도달하게 된다.

③ 'r^3' 이후부터 기질이 생성물로 전환되는 반응이 진행된다.

④ 'r^4' 이후로 화학 반응이 끝나면 효소와 P가 분리된다고 할 수 있다.

⑤ 'r^1'에서 'r^4'로 반응이 개시되기 위한 활성화 에너지는 'e^2'와 'e^1'의 에너지 차에 해당한다.

4 ㉠과 ㉡을 비교하여 설명한 내용으로 가장 적절한 것은 무엇인가요?

① ㉠과 ㉡은 모두 효소의 활성 부위가 유연성을 띠고 있다고 보고 있다.

② ㉠과 ㉡은 모두 반응 초기부터 효소와 기질이 꼭 들어맞게 된다고 보고 있다.

③ ㉠과 ㉡은 모두 효소가 자신과 관계없는 분자와도 반응할 수 있다고 보고 있다.

④ ㉠과 달리 ㉡은 '효소 기질 복합체'가 친화성을 가질 때 반응이 진행된다고 보고 있다.

⑤ ㉠과 달리 ㉡은 효소의 활성 부위가 결합하는 기질의 생김새에 따라 변화한다고 보고 있다.

비눗방울이 무지개색으로 보이는 이유

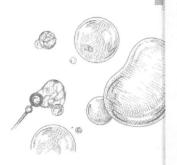

색의 수수께끼

Q 비눗방울이 색이 칠해진 것처럼 보이는 이유는 비눗방울의 어떤 구조 때문인가요?

사물의 색은 대부분 구성하는 분자가 만들어 내는 사물 자체의 색소에 의해, 그 물체에 도달하는 가시광선 중 특정 파장이 반사되어 나타난다. 예를 들어 사과가 빨갛게 보이는 이유는 사과의 껍질에 빨간색 빛을 반사하는 색소가 있기 때문이다. 비눗방울 역시 색이 칠해진 것처럼 보이지만, 비눗방울은 비눗물의 막일 뿐 그 자체에는 아무런 색이 없다. 그런데 왜 비눗방울은 색이 칠해진 것처럼 보일까?

색소가 없는 비눗방울이 무지개처럼 착색*되어 보이는 수수께끼를 풀기 위해서는 빛이 가진 파동*의 ㉠'간섭'에 대해 알아야 한다. 〈그림 1〉에서 두 사람이 똑같은 타이밍으로 로프를 흔들어 파동을 일으키면, 로프는 도중에 연결되어 한 가닥이 된다. 〈그림 1〉에서 보듯 어느 순간 연결부에서는 그 양쪽에서 오는 마루와 마루가 겹쳐 높이가 두 배가 되는 마루

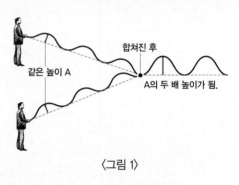

합쳐진 후

같은 높이 A

A의 두 배 높이가 됨.

〈그림 1〉

가 생기고, 골과 골이 겹쳐 깊이가 두 배가 되는 골이 생긴다. 결국 연결부의 뒤로는 두 배의 높이와 깊이를 가지는 파동이 생긴다. 즉, 파동이 더욱 강해진다. 이와 같이 여러 개의 파동이 겹쳐 새로운 파동이 생기거나 상쇄되는 것을 '간섭'이라고 한다. 간섭은 파동이 강해지는 현상만 있는 것이 아니라 파동이 약해지는 현상도 있다. 마루와 골, 골과 마루가 충돌하게 될 경우, 두 파동이 상쇄되어 연결부의 뒤로는 로프가 파동을 만들어 내지 않아 파동이 약해지게 될 수도 있다는 것이다.

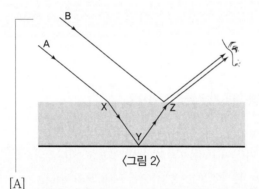

〈그림 2〉

[A]

비눗방울은 얇은 막으로 되어 있다. 〈그림 2〉에서처럼 태양 빛이나 조명 빛 가운데 일부는 막의 표면에서 반사해 눈에 이르고, 일부는 막 안에 일단 들어갔다가 막의 바닥에서 반사하고 난 뒤 눈에 들어온다. 이들 두 빛은 간섭을 일으킨다. 막의 안으로 들어간 빛(A)은 막의 표면에서 반사한 빛(B)보다 X → Y → Z의 길이만큼 멀리 나아가므로, 두 빛의 파동에서 마루의 위치가 어긋나는 것이 일반적이다. 만약 비눗방울의 어느 곳이 파란색으로 보였다면, A와 B의 두 경로를 지난 파란색 빛이 서로 강해지는 간섭을 일으켜 밝게 보인 것이다. 그러나 막을 보는 각도에 따라 X → Y → Z의 길이가 바뀌므로, 보는 각도에 따라서는 파란색 빛이 약해지는 간섭이 일어나 파란색 빛이 보이지 않을 수 있다. 또한 비눗방울은 중력의 영향으로 아래쪽일수록 막이 두터워지는데, 보는 각도가 같더라도 장소에 따라 X → Y → Z의 길이가 변한다. 그래서 장소에 따라 서로 다른 색깔의 빛이 강해지는 간섭을 일으키게 된다.

결국 비눗방울은 얇은 막의 구조로 인해, 특정한 색의 빛이 강해져 색이 칠해진 것처럼 보일 뿐이다. 이때 비눗방울에 색이 생기는 방식을 '박막 간섭'이라고 하는데, 얇은 막이 만드는 색인만큼 색이 약하다. 반면, 막이 여러 겹으로 겹치면 반사광이 더욱 보강되기 때문에 색이 ⓐ강하다. 이것을 '다층막 간섭'이라고 한다. 이렇게 비눗방울이 그 구조로 인해 무지개색을

띠는 것과 같이 어떤 구조가 만들어 내는 색을 '구조색'이라고 한다. 구조색을 지닌 물체는 보는 각도에 따라 색깔이 바뀌어 독특한 색채를 만들어 낸다. 오늘날에는 이러한 구조색을 화장품이나 도료*, 의복 섬유 등에서 응용하기 위한 산업화 연구가 활발히 진행되고 있다.

* 착색: 그림이나 물건에 물이 들여지거나 색이 칠하여져 빛깔이 나게 됨.
* 파동: 공간의 한 점에 생긴 물리적인 상태의 변화가 차츰 둘레에 퍼져 가는 현상. 수면(水面)에 생기는 파문이나 음파, 빛 따위를 이른다.
* 도료: 물건의 겉에 칠하여 그것을 썩지 않게 하거나 외관상 아름답게 하는 재료.

0 이 글에서 알 수 있는 내용으로 가장 적절한 것은 무엇인가요?

① 비눗방울이 색을 띠는 원리는 사과가 빨간색을 내는 원리와 같다.
② 비눗방울은 자체 색소에 의해 반사되는 가시광선에 따라 다양한 색을 띤다.
③ 비눗방울이 색을 띠는 방식을 인공적으로 실현하고자 하는 연구가 진행 중이다.
④ 비눗방울은 '박막 간섭'에 의해 특정한 색이 보강되면 다른 색으로는 변하지 않는다.
⑤ 비눗방울은 얇은 막에 착색된 색채로 인해 보는 각도에 따라 색깔이 바뀌어 보인다.

"비슷하지만 자연적인 건 아니야!"
인공적이란 사람의 힘으로 만들어 낸 것을 말해!

1 ㉠에 대한 설명으로 가장 적절한 것은 무엇인가요?

① 여러 개의 파동이 도중에 연결되면 파동이 약해지는 간섭만 일어난다.

② 여러 파동이 겹쳐 파동의 상쇄가 일어나면 파동이 강해지는 간섭이 일어난다.

③ 여러 파동이 겹쳐 마루와 골, 골과 마루가 충돌하게 되면 파동이 강해지는 간섭이 일어난다.

④ 여러 파동이 겹쳐 마루는 마루끼리, 골은 골끼리 겹치게 되면 파동이 약해지는 간섭이 일어난다.

⑤ 여러 파동이 겹쳐 마루는 마루끼리, 골은 골끼리 겹치게 되면 파동이 강해지는 간섭이 일어난다.

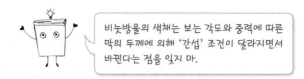

비눗방울의 색채는 보는 각도와 중력에 따른 막의 두께에 의해 '간섭' 조건이 달라지면서 바뀐다는 점을 잊지 마.

2 [A]를 바탕으로 〈보기〉를 이해한 내용으로 가장 적절한 것은 무엇인가요?

―――――| 보 기 |――――

햇빛이 화창한 날 공원에서 키가 똑같은 학생 1과 학생 2가 비눗방울 놀이를 하였다. 그런데 학생 1의 눈 바로 아래 위치에서 비눗방울이 순간 빨간색으로 보였다. 학생 1이 비눗방울이 빨갛게 보인다고 하자, 비눗방울을 같은 각도로 보고 있던 학생 2는 자신은 다른 색으로 보인다고 말했다. 그러다가 비눗방울이 더 하강해 보는 각도가 달라지자 학생 1의 눈에도 비눗방울의 색이 빨간색이 아닌 다른 색깔로 보였다.

① 학생 1의 눈에 비눗방울이 빨간색으로 보인 것은 A와 B의 길이가 서로 같아졌기 때문이라고 할 수 있다.

② 학생 1의 눈에 비눗방울이 빨간색으로 보인 것은 A와 B의 파동에서 골의 위치는 어긋나지만, 마루의 위치는 어긋나지 않았기 때문이라고 할 수 있다.

③ 학생 1의 눈에 비눗방울이 빨간색이 아닌 다른 색깔로 보인 것은 X → Y → Z의 길이가 바뀌어 A가 막의 밖으로 나오지 못하기 때문이라고 할 수 있다.

④ 학생 1과 학생 2가 같은 각도로 비눗방울을 보았음에도 서로 다른 색으로 보인다고 느낀 것은 X → Y → Z의 길이가 서로 다르기 때문이라고 할 수 있다.

⑤ 학생 1과 학생 2가 비눗방울을 서로 다른 색으로 본 것은 중력의 영향으로 아래쪽일수록 막이 두터워져 A보다 B가 더 멀리 나아갔기 때문이라고 할 수 있다.

3 이 글과 〈보기〉를 읽고 '모르포 나비'에 대해 보인 반응으로 적절하지 <u>않은</u> 것은 무엇인가요?

┤보 기├

모르포 나비

왼쪽 사진은 중남미 일대에 서식하는 '모르포 나비'이다. 이 나비의 진한 파란색에 반한 많은 학자들은 염료 연구를 위해 날개에서 색 추출을 시도했으나 모두 실패하고 말았다. 그 이유를 찾기 위해 전자 현미경으로 날개의 비늘 가루 단면을 살펴보자, 많은 층이 겹쳐 쌓인 선반처럼 되어 있다는 것을 발견하게 되었다. 이를 통해 모르포 나비의 날개 색이 진한 파란색뿐만 아니라, 때에 따라 무지갯빛 광택을 내기도 하는 원인이 구조색에 있다는 것을 알게 되었다.

〈보기〉를 통해 '모르포 나비'가 구조색을 띠고 있다는 것을 알 수 있어. 구조색에 대해 설명하고 있는 4문단의 내용과 관련지어 생각해 봐.

① '모르포 나비'의 파란색은 '다층막 간섭'에 의해 반사광이 보강되었기 때문이겠군.

② '모르포 나비'의 날개 색은 비늘 가루를 구성하는 분자가 만들어 낸 독특한 색소 때문이겠군.

③ '모르포 나비'의 특이한 광택은 파란색 외의 색 빛이 강해지는 간섭의 조건을 만족시켰기 때문이겠군.

④ '모르포 나비'가 무지개색으로 착색되어 보이는 이유는 날개 표면이 가진 구조적인 특징 때문이겠군.

⑤ '모르포 나비'의 날개 색 추출에 실패한 원인은 특정 파장의 반사가 색소에 의한 것이 아니기 때문이겠군.

4 다음 밑줄 친 말 중 문맥상 ⓐ와 가장 가까운 의미로 쓰인 것은 무엇인가요?

① 그는 천성적으로 병에 <u>강한</u> 체질을 타고난 것 같다.

② 이 난은 다른 난에 비해 추위에 <u>강하다는</u> 장점이 있다.

③ 빗줄기가 너무 <u>강해서</u> 지금은 바깥에 나갈 수가 없어요.

④ 산성이 <u>강한</u> 이 액체는 무색무취라는 특징을 띠고 있다.

⑤ 그 사람은 갑자기 화를 내면서 상대를 <u>강하게</u> 밀쳐 냈다.

원근법의 비밀

Q '지평선'과 투시 원근법의 '눈높이 기준선'은 어떤 관계에 있을까요?

평면으로 된 그림에서 실제 사물을 보는 것과 같은 입체감을 느끼는 비밀은 투시 원근법*에 있다. 르네상스 이전의 회화에서는 단순하게 가까이 있는 사물은 크게, 멀리 있는 사물은 작게 그리는 자연적 원근법을 사용하였다. 그런데 15세기 르네상스 회화에서는 이전과 달리 수학과 과학의 원리를 적용한 투시 원근법으로 눈에 보이는 대상을 정확하게 ⓐ재현(再現)하려 했다. 비록 르네상스 시대에 원근법을 연구했던 프란체스카가 원근법의 한계를 ⓑ지적(指摘)하기는 했지만 투시 원근법은 여전히 대상을 사실적으로 재현하려는 이들에게 가장 유용한 방법이라고 할 수 있다.

한 화가가 눈앞에 세워 둔 투명한 유리판을 통해 완전히 드넓은 평원의 경치를 본다고 하자. 이때 유리판은 곧 화면이 된다. 주변을 둘러보면 멀리 하늘과 대지의 끝이 만나는 곳에 긴 직선이 보일 것이다. 이것을 ㉠지평선이라 한다. 지평선은 해면 끝에 보이는 수평선*과 같다. 물론 상황에 따라 건물, 산 등의 장애물이 지평선을 가로막을 수 있지만 지평선은 끊어지지 않고 이어지는 개념이므로, 세상 물체가 모두 투명하다면 언제나 지평선을 볼 수 있다.

[A]
이번에는 화가가 철도 레일 사이에 서서 철길이 뻗은 쪽을 가상의 유리판을 통해 바라보고 있다고 하자. 쭉 뻗은 철길은 드넓은 평원을 가로질러 지평선에 ⓒ도달(到達)해 화가의 시야에서 사라지고 화면상에서는 지평선 위의 한 점에서 만나는 것처럼 보인다. 철로가 사라진 이 지점이 소실점*이 되며, 이 때문에 화면에서 입체감이 느껴지게 된다. 투시 원근법은 이 소실점의 개수에 따라 일점 투시 원근법과 이점 투시 원근법 등으로 나뉘며, 일점 및 이점 투시 원근법에서 소실점은 지평선 안에 있다.

철도 레일 사이에 들어가 서 있는 화가가 발밑 가까운 쪽을 내려다보면 철로가 보일 것이다. 고개를 더 들어 똑바로 앞을 본다면, 철로가 뻗은 끝이 화가의 눈과 같은 높이로 따라 올라와 멀리 소실점과 일치돼 사라지게 된다. 이와 같은 상황이 될 때 화가의 눈높이에서 본 가상의 지평선이 바로 ㉡눈높이 기준선이 된다. 눈높이 기준선은 직선으로 나타나며 오로지 화가가 보는 화면 안의 풍경에만 영향을 미치므로, 화가가 철도 레일 사이에 들어가 앉아서 철로가 뻗은 것을 보면 화면상의 지평선은 화가 눈높이에 따라 변화하여 내려오게 된다.

화면상 먼 거리에서는 평행한 두 레일이 ⓓ집중(集中)되어 한 점이 되지만, 철로와 나란히 뻗은 울타리나 전선은 어떨까? 투시 원근법을 적용한 그림에서 실제 평행 관계에 있는 선들을 연장해 보면 한 점에 모인다는 것을 알 수 있다. 단, 화가의 시선이 그림의 소실점을 마주 보고 있는 경우에는 가로 방향으로 평행한 선 사이에 소실점이 생기지 않는다. 또한 눈높이 기준선에 수직으로 올라가거나 내려가는 선들은 서로 평행 관계에 있어도 소실점이 생기지 않는다. 한편 직육면체 벽돌을 그린 그림처럼, 투시 원근법을 활용한 많은 그림들에서 소실점이나 눈높이 기준선 등이 지워져 있는 경우도 있다. 하지만 이때에도 벽돌을 이루는 평행선을 연장해 보면 소

실점과 눈높이 기준선을 찾을 수 있다. 소실점은 이 연장선이 교차하는 곳에 있기 때문이다. 일점 투시 원근법으로 그린 그림에서 평행선의 ⓔ교차(交叉)점에 그은 가로 방향 수평선은 눈높이 기준선이 된다. 직육면체에서 최소 두 면이 보이도록 이점 투시 원근법을 활용해 그린 그림에서는 모여드는 평행선을 연장해 소실점을 하나 찾고 다른 각도의 모여드는 평행선을 연장하여 소실점을 하나 더 찾아 이 둘을 이으면 그림을 그릴 때의 화가의 눈높이가 기준선이 된다.

* 원근법: 일정한 시점에서 본 물체와 공간을 눈으로 보는 것과 같이 멀고 가까움을 느낄 수 있도록 평면 위에 표현하는 방법.
* 소실점: 실제로는 평행하는 직선을 투시도상에서 멀리 연장했을 때 하나로 만나는 점.

0 **이 글을 통해 구체적으로 답할 수 있는 질문이 무엇인지 고르세요.**

① 투시 원근법과 관련한 최근 회화의 발전 동향은 어떠한가? ☐
② 투시 원근법을 적용했을 때 상이 왜곡되는 경우는 언제인가? ☐
③ 투시 원근법을 사용한 르네상스 이후의 회화 작품은 무엇인가? ☐
④ 투시 원근법으로 대상을 사실적으로 재현할 때의 한계는 무엇인가? ☐
⑤ 투시 원근법으로 그린 그림에서 입체감이 느껴지는 이유는 무엇인가? ☐

사실적으로 재현한다는 건 마치 사진으로 찍은 내 모습처럼
대상의 모습을 있는 그대로 똑같이 표현하는 것을 말해!

1 이 글의 내용과 일치하지 <u>않는</u> 것은 무엇인가요?

① 화가는 대상에 입체감을 주기 위해 투시 원근법을 활용할 수 있다.

② 투시 원근법에서 화가의 눈앞에 놓인 가상의 유리판은 곧 화면이 된다.

③ 투시 원근법에서 지평선은 장애물이 가리더라도 개념적으로 이어진다고 본다.

④ 일점 투시 원근법을 적용하여 평행한 철로를 그린 그림에서 철로의 소실점은 환영(幻影)과 같은 성격을 띤다.

⑤ 일점 혹은 이점 투시 원근법을 적용하여 그린 그림에서 평행 관계에 있는 선의 연장선은 반드시 어떤 점에서 모이는 특성이 있다.

눈앞에 없는 것이 있는 것처럼 보이는 게 환영이야!

눈높이 기준선은 철로가 뻗은 끝이 소실점과 일치할 때 화가의 눈높이에서 본 가상의 지평선이야. 이 점을 염두에 두고 ㉠과 ㉡이 어떻게 변하는지 살펴봐.

2 [A]의 상황에서 ㉠, ㉡에 대해 추론한 내용으로 가장 적절한 것은 무엇인가요?

① ㉠은 ㉡보다 낮은 위치에서 머무르게 된다.

② ㉠은 ㉡보다 높은 위치에서 가로지르게 된다.

③ 화가가 기구를 타고 올라간다면, 화면상에서 ㉠은 올라가고 ㉡은 변화하게 된다.

④ 화가가 기구를 타고 올라간다면, 화면상에서 보이는 대상의 면적이 상대적으로 작아지므로 ㉠은 내려가게 된다.

⑤ 투시 원근법에 따라 유리판 너머 풍경을 그린 그림을 처음 놓였던 위치보다 더 높이 위치시킨다면, ㉠은 변화하고 ㉡은 올라가게 된다.

3 이 글을 바탕으로 〈보기〉의 질문에 대해 대답한 내용으로 가장 적절한 것은 무엇인가요?

┤보 기├

선생님: 다음 그림은 평범한 벽돌을 이점 투시 원근법에 따라 그린 그림입니다. ㉮는 '눈높이 기준선'을 나타낸 것입니다. 그리고 벽돌의 세로선, 가로선, 높이 선은 각각 세로선끼리, 가로선끼리, 높이 선끼리는 평행합니다. 이 벽돌을 다음 그림과 같이 넓은 면이 아래로 가도록 하여 책상 위에 올려놓고 세 면이 모두 보이도록 각도를 조절합니다.

〈보기〉의 질문에서는 눈높이 기준선이 어떻게 변화하는지를 묻고 있지? 눈높이 기준선은 화가의 눈높이라는 점을 기억해!

• 질문: 벽돌을 들거나 내려놓지 않는 등 다른 조건은 그대로 둔 채, 벽돌의 세로선이 화가의 시선 방향과 평행하도록 벽돌을 반시계 방향으로 돌려놓아 화가가 소실점을 마주 보게 된다면 화면 속 ㉮는 어떻게 될까요?

① 벽돌의 회전 방향과 상관없이 ㉮는 이전과 별 차이가 없습니다.
② 벽돌은 반시계 방향으로 이동하지만 ㉮는 시계 방향으로 이동하게 됩니다.
③ 벽돌이 반시계 방향으로 이동하므로 ㉮는 반시계 방향으로 이동하게 됩니다.
④ 벽돌이 놓인 방향이 바뀌었으므로 ㉮는 위쪽으로 평행하게 이동하게 됩니다.
⑤ 벽돌이 놓인 방향이 바뀌었으므로 ㉮는 아래쪽으로 평행하게 이동하게 됩니다.

4 ⓐ~ⓔ의 사전적 의미로 적절하지 <u>않은</u> 것은 무엇인가요?

① ⓐ: 다시 나타남. 또는 다시 나타냄.
② ⓑ: 수량이나 범위 따위를 제한하여 정함.
③ ⓒ: 목적한 곳이나 수준에 다다름.
④ ⓓ: 한곳을 중심으로 하여 모임. 또는 그렇게 모음.
⑤ ⓔ: 서로 엇갈리거나 마주침.

한국의 귀면

Q 무서움과 장난기가 함께
느껴지게 표현한 한국 귀면에
담긴 정신은 무엇인가요?

(가) 귀면(鬼面)을 본 적이 있는가? 전통 목조 건축물의 마루나 사래 끝 기와 혹은 벽돌 등에 괴수의 형상을 한 얼굴이 귀면이다. 이들은 기본적으로 화마나 악귀를 물리치는 벽사*의 기능을 수행하도록 고안되었기 때문에 무서운 얼굴을 하고 있다. 귀면은 고대 인도와 중국에서 생겨나 한국뿐 아니라 일본에까지 널리 ⓐ퍼졌고, 중세 유럽에서도 지붕에 날개 달린 용이나 사자 모습을 한 괴수를 만들어 붙이는 가고일(Gargoyle)*의 전통이 내려온다. 하지만 한국의 귀면에는 여느 나라의 귀면과는 다른 수수께끼가 숨겨져 있다.

(나) 무서움과 장난기가 동시에 느껴지는 양가감정*은 한국인 특유의 끈끈하고 따뜻한 정 문화와 무관하지 않다. 예를 들어 자강도에서 출토된 고구려 기와에 그려진 귀면은 눈알이 빠질 정도로 앞으로 튀어나와 있고, 코가 위아래로 둘이 나 있다. 또 이빨을 드러내며 화를 내는 모습으로 볼이 쭈글쭈글한 주름과 함께 볼록하게 튀어나왔다. ㉠고구려 귀면의 모습을 보면 무섭기도 하지만 장난기를 간직한 친근한 표정에서 긴장이 풀리며 웃음이 나온다. 이러한 양가감정이 담긴

귀면와(자강도 자성군 송암리 2호 출토)

고구려 귀면의 표정이 백제와 신라에도 영향을 주어 우리의 전통으로 이어져 내려왔다.

(다) 귀면은 인도의 시바 신전이나 불교 사원에서 흔히 볼 수 있는 '키르티무카'로부터 ⓑ생겨났다고 보는 것이 일반적이다. 인도 시바 신화 속 키르티무카는 자신의 꼬리를 먹어 치우는 괴물로, 파괴를 위해 태어났다고 알려져 있다. 시바의 명을 받들어 자신의 팔다리와 몸통을 모두 먹어 치우고 결국 머리만 남게 되지만, 시바는 사람들로 하여금 자신의 명에 ⓒ따르는 키르티무카를 숭배하게 했다. 요즘도 사찰에서 흔히 볼 수 있는 귀면은 키르티무카가 불교에 수용되어 불교 사원의 수호신 역할을 하게 된 것이 이어진 것이다.

(라) 귀면의 또 다른 기원은 '도철문'이다. 도철은 중국 신화에 등장하는 상상의 괴물로, 야만적이고 엄청난 식욕 때문에 자신의 몸을 뜯어 먹어서 몸뚱이가 없이 얼굴만 남아 있다. 그래서 재화나 음식을 지나치게 탐내는 사람을 '도철 같다.'라고 ⓓ일컫기도 한다. 중국의 귀면인 '익각 짐승문 와당'의 표정은 무서움 그 자체인데, 중국의 귀면은 대개 작은 눈으로 매섭게 노려보며 보는 이의 간담을 서늘하게 한다. ㉡일본의 귀면은 사람을 잡아먹는 무자비한 식인 요괴인 일본 도깨비 오니처럼 양쪽 눈꼬리를 위로 치켜뜨고 날카로운 송곳니를 강조해 무섭고 간악한 인상만을 풍긴다.

(마) 반면, 한국의 귀면은 한국의 도깨비에서 착안한 것으로, 한국 귀면의 표정을 이해하려면 먼저 한국 도깨비의 특성을 알아야 한다. 한국 설화에서 도깨비는 심술을 부리기는 하지만, 인간과 더불어 공동체를 지키고 권선징악을 행하는 밉지 않은 친근한 존재이다. 한국인들이 이처럼 도깨비를 두려움의 대상으로만 여기지 않고 도깨비에게 순진하고 어리석은 면을 ⓔ보탠 것은 강자와 약자, 선과 악, 신과 인간의 일방적이고 경직된 관계를 와해시키기 위해서이다. 그래서 한국의 귀면은 한국의 도깨비처럼 무섭고 강한 모습뿐 아니라 어리숙하고 우스꽝스러운 모습도 함께 보여 준다. 여기에는 악인을 징벌하면서도 포용하여 화합을 이루려는 해학의 정신이 담겨 있다.

* 벽사: 요사스러운 귀신을 물리침.
* 가고일(Gargoyle): 유럽 기독교 사원의 벽에 붙어 있었던, 괴물을 본뜬 조각상. 날개가 달린 용이나 인간과 새를 합성한 모습 등 여러 가지 형상이 있다.
* 양가감정: 논리적으로 서로 어긋나는 표상의 결합에서 오는 혼란스러운 감정. 어떤 대상, 사람, 생각 따위에 대하여 동시에 대조적인 감정을 지니거나, 감정이 이랬다저랬다 하는 따위이다.

0   **(가)~(마)에 대한 설명으로 적절하지 <u>않은</u> 무엇인가요?**

① (가): 질문을 통해 귀면에 대한 독자의 궁금증을 유발하고 있다.
② (나): 고구려 귀면의 사례를 통해 우리 문화의 특징을 설명하고 있다.
③ (다): 귀면의 기원이 되는 인도의 '키르티무카'에 대해 소개하고 있다.
④ (라): 다른 나라의 사례와 비교하여 우리나라 귀면의 특징을 부각하고 있다.
⑤ (마): 한국의 귀면을 이해하기 위해 전제되는 내용을 제시하여 독자의 이해를 돕고 있다.

1 다음은 이 글을 읽은 학생의 독서 기록 중 일부입니다. 이 글을 참고할 때, '점검 결과'가 적절하지 <u>않은</u> 것은 무엇인가요?

○ 읽기 계획: (가)를 훑어보면서 뒷부분을 예측하고 질문 만들기를 한 후, 글을 읽고 점검한다.

예측 및 질문 내용	점검
• 귀면이 새겨진 전통 목조 건축물을 소개할 것이다.	예측과 다름. ········ ①
• 귀면이 벽사의 기능을 수행한 역사적 사례를 제시할 것이다.	예측과 같음. ········ ②
• 귀면이 어디로부터 유래되었는지 예를 통해 설명할 것이다.	예측과 같음. ········ ③
• 다른 나라의 귀면과는 다른 한국 귀면만의 특징은 무엇일까?	질문의 답이 제시됨. ····················· ④
• 중세 유럽의 귀면은 동양의 귀면과 어떠한 차이점이 있을까?	질문의 답이 제시되지 않음. ················· ⑤

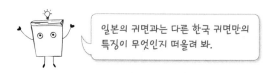

일본의 귀면과는 다른 한국 귀면만의 특징이 무엇인지 떠올려 봐.

2 ㉠과 ㉡에 대한 반응으로 가장 적절한 것은 무엇인가요?

① ㉠과 ㉡은 모두 흉포한 대상으로 인간의 공포심을 자극하고 있군.
② ㉠과 ㉡은 모두 신화 속 대상을 구현한 것으로 포용과 화합의 의미를 담고 있군.
③ ㉠과 ㉡은 모두 풍자의 대상으로 액운이 없기를 바라는 인간의 소망을 내포하고 있군.
④ ㉠은 초월적 대상과 인간 간의 관계가 일방적이지 않지만, ㉡은 그 관계가 일방적이군.
⑤ ㉠은 인간의 모순적인 심리를 담아내 긴장을 조성하지만, ㉡은 인간의 심리적 긴장을 완화하는군.

"내 사랑을 받아 줘!" "싫어! 난 좋아하는 사람이 따로 있다고!"
일방적인 건 진정한 사랑이 아니야!

3 이 글을 바탕으로 〈보기〉의 '산수 귀문 전'을 이해한 내용으로 적절하지 <u>않은</u> 것은 무엇인가요?

|보 기|

산수 귀문 전

'산수 귀문 전'은 충청남도 부여군 절터에서 출토된 백제 때의 벽돌이다. 이 귀면은 일렁이는 바다에 바위가 솟은 산 경치를 배경으로 하고 있으며, 손과 발은 사나운 맹수의 형상을 하고 있고, 커다란 얼굴은 눈을 치켜뜨고 입을 크게 벌려 날카로운 이빨을 드러내는 무시무시한 모습을 하고 있다. 하지만 이런 형상과 더불어 불뚝하게 나온 배와 젖꼭지가 우스꽝스럽게 부각되어 있는 모습 또한 보여 주고 있다.

'산수 귀문 전'은 백제의 귀면이니까 한국 귀면의 특징을 지니고 있겠네? 이 글에서 한국 귀면의 특징이 서술된 부분을 찾아보도록 해.

① 한국 도깨비에서 그 모습을 착안한 것이라 할 수 있다.
② 양가적인 모습은 고구려 귀면에서 영향을 받은 것으로 볼 수 있다.
③ 한국 특유의 문화가 반영되어 무서움과 장난기가 동시에 느껴진다.
④ 강한 대상을 경외의 감정으로만 대하지 않으려는 인식이 반영되어 있다.
⑤ 위협적인 요소를 배재하고 웃음을 유발하는 요소를 강조하는 방식을 활용하고 있다.

4 문맥상 ⓐ~ⓔ와 바꿔 쓰기에 적절하지 <u>않은</u> 것은 무엇인가요?

① ⓐ: 유행(流行)했고
② ⓑ: 유래(由來)했다고
③ ⓒ: 순종(順從)하는
④ ⓓ: 명시(明示)하기도
⑤ ⓔ: 가미(加味)한

Q 다음은 생각을 읽을 수 있는 지문 구조도를 퍼즐로 나타낸 것입니다. 앞에서 읽은 글의 내용을 떠올리며 생각읽기 1~6에 해당하는 퍼즐을 선으로 연결해 보세요.

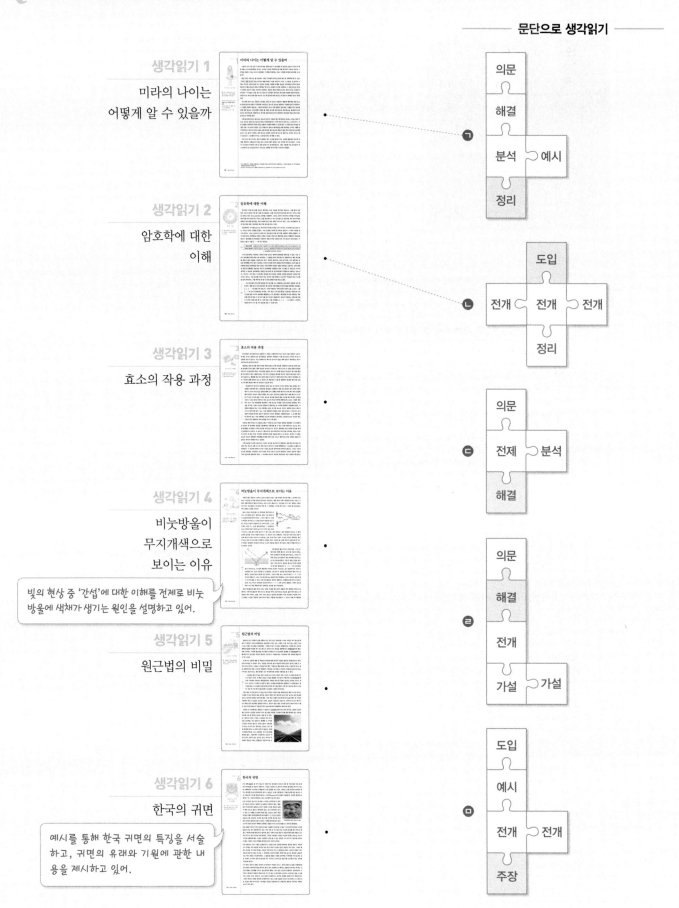

1 미라와 같은 □□의 나이 측정은 방사성 동위 원소인 희귀 탄소의 반감기를 이용한 방사성 탄소 연대 측정법으로 이루어지며, 가속기 질량 분석기를 통해 아주 적은 시료로도 정확한 연대 측정이 가능해졌다.

2 □□ 암호는 알파벳을 일정한 수만큼 자리를 이동시켜 재배열된 문자나 수로 암호화하는 방법으로 해독할 때는 이동시킨 수만큼 빼서 이 값에 해당하는 문자에 대응시킨다.

3 생체 내에서 효소는 기질과 결합하여 '효소 기질 복합체'를 형성하는데, 효소와 기질의 결합을 설명하는 모델로 '고전적 모델'과 '□□□□ 모델'이 있다.

4 비눗방울은 자체 색소에 의해 색을 띠는 것이 아니라, 얇은 막의 구조로 인해 특정한 색의 빛이 강해져 색이 칠해진 것처럼 보일 뿐인데, 이처럼 어떤 구조가 만들어 내는 색을 '□□□'이라고 한다.

5 투시 □□□은 소실점과 눈높이 기준선의 원리를 이용해, 평면으로 된 그림에서 실제 사물을 보는 것과 같은 입체감을 느낄 수 있게 한다.

6 귀면의 유래와 기원은 인도와 중국의 귀면에서 찾을 수 있지만, 무서움과 장난기가 함께 느껴지는 한국의 귀면은 다른 나라의 귀면과 달리 악인을 징벌하면서도 포용하여 화합을 이루려는 □□의 정신이 담겨 있다.

우리는 어떻게 수수께끼를 해결할까?

"수수께끼의 답을 찾아 나서는 것은 미지의 세계에 대한 즐거운 도전이다"

사람들은 아예 손을 못 댈 만큼 어려운 문제라면 쉽게 포기하지만, 알 듯 말 듯 아리송한 문제에 직면한다면 왠지 오기가 생겨 끝까지 도전하게 됩니다. 문제의 답을 찾으려고 하는 과정 자체가 즐겁기 때문입니다. 그리고 어려운 문제의 답을 찾았을 때, 사람들은 커다란 만족감과 기쁨을 느끼게 되지요. 앞으로 우리는 살아가면서 또 어떤 수수께끼들을 마주하게 될까요?

> 나는 도대체 누구지?
> 아, 그거야말로 굉장한 수수께끼다!
> – 『이상한 나라의 앨리스』 중에서

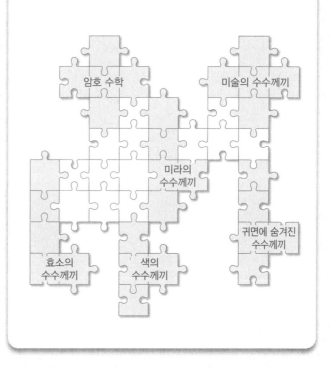

05 진화

생각의
발견

진화를 말하다!

'진화'라는 말은 19세기 말 찰스 다윈이 생물학 이론인 진화론을 주장하면서 처음 사용되었습니다. 20세기 초반만 해도 진화론은 조롱과 비판의 대상이 되기도 했지만, 20세기 중반 이후로는 진화의 개념을 인정하면서, 사회학, 의학, 역사학, 정치학 등 다양한 영역에서 진화의 개념을 수용한 연구가 나타나게 되었습니다. 진화는 원래 아주 오랜 시간의 흐름 속에서 환경에 적응하기 위해 나타난 생물들의 점진적인 변화를 의미하는 말이지만, 다양한 학문 분야에서 사용되면서 조금씩 다른 의미로도 사용되고 있습니다. 여기서는 다윈의 진화론을 포함하여 다양한 학문 영역에서 진화론이 어떻게 수용되어 왔는지에 대해 살펴보도록 할까요?

찰스 다윈의 진화론

진화론 연구

Q 식물 또는 동물이 생존 경쟁을 하는 이유는 무엇 때문인가요?

고대로부터 르네상스 시대 사람들은 인간보다 단순한 형태의 생명체 번식은 생명이 없는 물질로부터 저절로 생겨난다고 여겨 생식(生殖)*의 문제를 초자연적인 사건의 결과라고 생각했다. 예를 들어 어느 날 갑자기 진흙에서 구더기가 생겨나고, 나무에서 벌레가 생겨나고, 거름에서 딱정벌레가 생겨나고, 쓰레기에서 생쥐가 생겨나는 식으로 생각해 왔는데, 무생물체로부터 생물체가 생길 수 있다는 이러한 생각을 '자연 발생설'이라고 한다. 이후 윌리엄 하비, 프란체스코 레디 등 여러 생물학자의 실험을 통해 이러한 현상이 우연이 아닌 박테리아나 미생물 등에 의해 발생된 것임이 밝혀짐으로써 자연 발생설은 힘을 잃었다.

영국의 생물학자인 찰스 다윈은 영국 해군 탐사선의 공식 박물학자*로 승선하여, 배가 항구에 정박할 때마다 가까운 마을을 돌아다니며 암석, 화석, 수생 동물, 식물, 육지 동물의 표본을 수집하였다. 다윈은 이 활동을 통해 멸종된 종은 물론 현존하는 종까지 수집할 수 있는 생물의 표본과 이들을 둘러싼 지질학적 특징을 세밀하게 관찰할 수 있었다. 그 과정에서 다윈은 지질학적 변화와 그러한 환경에서 살아남은 생명체 사이의 관계에 관심을 가지기 시작했다. 비글호가 갈라파고스 제도에서 머무는 동안 다윈은 서로 떨어진 두 섬에서 포획한 '되새(Finch)'들을 연구하며, 이들이 동일한 새임에도 불구하고 부리 형태가 크게 다르다는 사실을 발견했다. 또한, 서로 다른 섬에 서식하는 거북이들의 등딱지도 모양이나 색깔, 두께가 다양하다는 사실과 그리고 몸집의 크기나 목과 다리의 길이도 다르다는 사실을 발견했다. 총 16개의 섬에서 관찰한 다른 동물들에서도 이와 같은 신체적 차이가 발견되자 다윈은 그 차이의 원인이 궁금해졌다.

다윈은 식물과 동물의 생식 능력은 그들의 개체 수를 일정한 수준으로 유지하는 데 필요한 정도를 뛰어넘는데도 불구하고, 실제 개체 수는 언제나 거의 일정한 수준으로 유지된다는 사실에 주목했다. 이에 대해 다윈은 격렬한 생존 경쟁 속에서 살아남은 식물과 동물은 살아남지 못한 개체에 비해 특정 환경에서 더 잘 살아남을 수 있도록 대비되어 있었던 것이라고 결론지었다. 이때 다윈이 도입한 개념이 바로 '적자생존'과 '생존 경쟁'이다. 그중 '적자생존'이란 '환경에 적응하는 생물만이 살아남고, 그렇지 못한 것은 도태*되어 멸망하는 현상'을 뜻하고, '생존 경쟁'이란 '생물이 생장과 생식 등에서 더욱 좋은 조건을 얻기 위하여 다투는 것으로, 생물의 증식 능력이 높아지는 반면 필요한 먹이나 생활 공간 따위가 부족하여 나타나는 현상'을 의미한다.

예를 들어 육식 동물들은 영역과 먹이를 두고 싸우며, 초식 동물들은 더 좋은 풀밭을 찾아 싸운다. 또 많은 종의 수컷들은 짝짓기에 필요한 암컷을 차지하기 위해 싸우며, 식물들은 더 좋은 자리에서, 더 편히 성장하기 위해 경쟁한다. 결국 가장 빠르고, 가장 강하고, 가장 영리한 개체가 나머지 개체들을 지배하고, 자신들의 우월한 형질*을 후손에게 물려주는 것이다. 이러한 자연 선택은 생존 능력을 강화해 주는 변화를 후대에 점진적으로 전달하고, 그렇지 못한 변화는 조금씩 제거해 버린다.

다윈은 이러한 '생존 경쟁'에서 '적자생존'의 원칙에 따라 살아남은 육식 동물, 초식 동물, 암컷을 차지한 수컷들 그리고 좋은 곳에 자리 잡은 식물들이 가진 ㉠중요한 형질들이 후대에 전달된다고 추측했다. 생존을 위한 싸움에서 승리한 각 동식물의 우월성과 성공에 이바지하는 형질들은 미래 세대에 지속적으로 대물림되는 것이다. 이처럼 동식물의 종들은 그 종에서 가장 적합한 개체만이 변화하는 환경에서 살아남기 때문에 자체적으로 변화를 겪을 수밖에 없다. 그리고 변화하는 환경에 적응한 종만 계속해서 환경에 따라 진화한다. 그렇게 하지 못한다면 생존 경쟁에서 살아남을 수 없고, 결국 멸종에 이르게 될 것이다.

* 생식: 생물이 자기와 닮은 개체를 만들어 종족을 유지함. 또는 그런 현상.
* 박물학자: 동물학, 식물학, 광물학, 지질학을 통틀어 이르는 박물학을 전문적으로 연구하는 학자.
* 도태: 여럿 중에서 불필요하거나 부적당한 것을 줄여서 없앰.
* 형질: 사물의 생긴 모양과 성질.

0 이 글의 중심 내용으로 가장 적절한 것이 무엇인지 고르세요.

① 진화론에 관한 생물학자들의 견해 비교 ☐
② 자연 발생설이 진화론보다 과학적인 이유 ☐
③ 적자생존과 생존 경쟁의 공통점과 차이점 ☐
④ 자연 발생설과 구분되는 다윈의 진화론 소개 ☐
⑤ 식물 및 동물이 진화 또는 멸종하게 되는 환경 ☐

'중심 내용'이란 '핵심 내용'을 의미해! 이 글에서 가장 중요하게, 가장 많은 비중을 할애하여 다룬 내용이 무엇인지를 떠올려 봐!

1 **이 글의 내용과 일치하지 <u>않는</u> 것을 고르세요.**

① 자연 발생설은 생물학의 발전에 따라 점차 설득력을 잃게 되었다. ☐

② 고대 사람들은 생식 문제를 초자연적인 사건과 연관 지어 이해했다. ☐

③ 다윈은 지질학적 변화와 그 속에서 살아남은 생명체 간의 관계에 주목했다. ☐

④ 우월한 형질을 지닌 개체와 열등한 형질을 지닌 개체는 상호 의존하며 공존
한다. ☐

⑤ 생존 경쟁이란 생물이 생장 및 생식 과정에서 더욱 좋은 조건을 얻기 위해
다투는 것을 의미한다. ☐

2 **〈보기〉는 이 글을 도식화한 것입니다. 〈보기〉를 바탕으로 이 글을 이해할 때, 적절하지 <u>않은</u> 것
은 무엇인가요?**

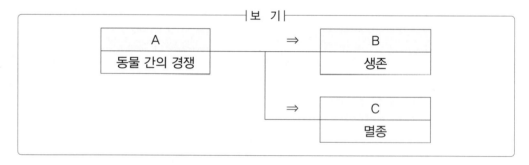

① A는 개체 수에 비해 필요한 먹이나 생활 공간이 충분할 때 발생할 수 있겠군.

② A에서 적자생존의 원칙에 따라 살아남은 동물들이 B의 결과를 얻을 수 있겠군.

③ B를 가능하게 한 성질들과 동물들의 우월성은 미래 세대에 지속해서 대물림되겠군.

④ B의 동물들도 변화하는 환경에 적응하지 못한다면 장차 C의 결과에 처할 수 있겠군.

⑤ A에서 도태된 동물들은 점차 개체 수가 줄어들다가 결국 C의 단계에 다다를 수 있겠군.

3 문맥상 ㉠이 뜻하는 내용으로 가장 적절한 것은 무엇인가요?

① 초자연적인 현상에 따라 생존을 위한 싸움의 결과가 달라진다.
② 우월한 형질과 열등한 형질이 모두 후손에게 고스란히 전해진다.
③ 생존 경쟁에 도움이 될 만한 우월한 능력이 다음 세대에 유전된다.
④ 환경에 적응하여 살아남을 수 있는 방법을 생존 경쟁을 통해 학습한다.
⑤ 생존 경쟁에서 도태된 대상의 능력은 새로운 형태로 변이되어 나타난다.

4 이 글을 읽고 〈보기〉의 ⃞되새⃞에 대해 보인 반응으로 적절하지 않은 것은 무엇인가요?

┤보 기├

　㉮와 ㉯는 모두 ⃞되새⃞인데, 사는 곳과 먹이에 따라 부리의 모양이 다르게 나타난다는 특징이 있다. ㉮는 크고 단단한 씨앗이 먹이로 있는 곳에 서식하고 있으며, 튼튼하고 큰 부리를 지니고 있다. 반면 ㉯는 작고 숨어 있는 씨앗이 먹이로 있는 곳에 서식하고 있으며, 좁고 긴 형태의 부리를 지니고 있다.

① ㉮와 ㉯의 신체적 특징은 각각의 서식지에서 후대에 유전되겠군.
② ㉮의 부리 모양은 단단한 씨앗을 쉽게 부수기 위한 방향으로 진화한 것이군.
③ ㉯의 부리 모양은 작은 씨앗을 원활하게 먹기 위한 방향으로 진화한 것이군.
④ ㉮와 ㉯의 생존 경쟁을 통해 둘 중 한 개체의 부리 모양은 점차 사라지게 되겠군.
⑤ ㉮와 ㉯는 같은 종이지만 서식하는 장소가 달라짐에 따라 신체적 차이가 발생하였군.

강한 자만이 살아남는다?

사회 진화론

Q 서구 열강은 우월한 집단이 열등한 집단을 지배하는 것을 어떻게 바라보았을까요?

사회 진화론은 다윈의 생물 진화론을 개인과 집단에 ⓐ적용시킨 사회 이론이다. 사회 진화론의 핵심 개념은 다윈의 생물 진화론에서 언급된 '생존 경쟁'과 '적자생존'인데, 이 두 개념의 적용 범위가 개인인가 혹은 집단인가에 따라 자유방임주의와 결합하기도 하고 민족주의 또는 제국주의와 결합하기도 한다. 이때 자유방임주의는 국가 권력의 간섭을 최소한도로 제한하고 사유 재산과 기업의 자유를 ⓑ옹호하려는 경제 정책이고, 민족주의는 민족의 독립과 통일을 가장 중시하는 국가 형성의 기본 사상이며, 제국주의는 우월한 군사력과 경제력으로 다른 나라나 민족을 정벌하여 대국가를 건설하려는 침략주의적 경향을 의미한다. 이러한 사회 진화론은 그 적용 범위에 따라 나라마다 다양한 형태로 변형되어 나타나는 특징을 보였다.

1860년대 영국의 사회 진화론자인 스펜서(Herbert Spencer)는 인간 사회의 생활은 개인과 개인 간의 '생존 경쟁'이라고 보았고, 그 경쟁은 '적자생존'에 의해 지배된다고 주장하였다. 스펜서는 가난한 사람은 자연적으로 '도태된 자'에 해당하므로 그에게 인위적인 도움을 주어서는 안 된다고 보았고, ㉠빈부 격차는 사회 진화의 과정에서 불가피한 것이라고 인식하였다. 이러한 그의 주장은 자본주의가 확장되던 영국 및 미국에서 자유 경쟁과 약육강식의 현실을 정당화하고, 개인주의적 정서를 강화하는 데 주로 이용되었다. 19세기 말 키드, 피어슨 등은 '생존 경쟁'과 '적자생존'을 인종이나 민족, 국가 등의 집단 단위에 적용하였다. 그리고 이를 통해 우월한 집단이 열등한 집단을 지배하는 것은 자연법칙이라고 주장함으로써 인종 차별이나 제국주의를 정당화하였다. 우생학이란 유전 법칙을 응용해서 인간 종족의 개선을 연구하는 학문인데, 우생학과 결합한 사회 진화론은 앵글로·색슨족이나 아리안족이 문화적·생물학적으로 ⓒ우월하다는 믿음을 지지함으로써 서구 열강의 제국주의적 정책, 식민주의적 정책, 인종주의적 정책들을 합리화하는 데 이용되었다.

한편 일본에서는 19세기 말 문명개화론자*들이 사회 진화론을 수용하였다. 이들은 국가와 민족 단위에 '생존 경쟁'과 '적자생존'을 적용하여 약육강식과 우승열패의 논리를 바탕으로 서구식 근대 문명국가 건설과 군국주의의 실현을 역설하였다. 나아가 이들은 세계적인 대세에 적응한 일본이 경쟁에서 뒤처진 조선을 지배하는 것이 자연의 이치라고 주장하였는데, 이러한 ⓓ왜곡된 사고는 식민 사관*으로까지 이어졌다.

우리나라에서 사회 진화론은 구한말 개화파 지식인들에게 영향을 미쳤다. 그중 개화파인 윤치호는 사회 진화론에 따라 약자가 강자에 의해 패배하는 것을 불가피한 숙명으로 인식하였고, 이러한 생각을 기반으로 조선의 망국* 가능성을 ⓔ거론하며 무기력한 현실 대응 태도를 보였다. 반면 민족주의자인 박은식, 신채호 등은 개화파와 마찬가지로 사회 진화론을 수용하면서도 조선이 살아남기 위해서는 서구 열강이나 일본과의 경쟁에서 반드시 승자가 되어야 한다는 점을 강조하였다. 그리고 이를 위해서는 조선이 힘을 키워서 자력으로 부국강병을 추구해야 한다는 자강론을 주장하였다.

통시적, 공시적 관점은 어떻게 구분할까
시간의 흐름이 나오면 통시적!
특정 시대를 다루면 공시적!
► 생각읽기가 수능이다 140쪽

---

* 문명개화론자: 낡은 폐습을 타파하고 서양의 발달된 문명을 받아들여 민족의 발전을 이루어야 한다고 주장하는 사람.
* 식민 사관: 한 나라가 자력으로는 아무것도 해낼 수 없어서 다른 나라로부터 모든 것을 이식받았다고 보는 역사관.
* 망국: 이미 망하여 없어진 나라.

0 **이 글에 부제를 달 때, 가장 적절한 것은 무엇인지 고르세요.**

① 사회 진화론의 개념과 한계 ☐

② 사회 진화론이 정착되기 위한 전제 조건 ☐

③ 사회 진화론의 성립 요소 및 장단점 ☐

④ 사회 진화론이 등장하게 된 시대적 배경 ☐

⑤ 사회 진화론에 대한 학자들의 다양한 비판 ☐

120cm

바이킹을 타려면 120cm가 넘어야 된대…

제목은 글의 이름이라고 생각하면 돼. 글 전체의 내용을 한눈에 보여 줄 수 있으려면 핵심 화제가 제목에 드러나야겠지?

성립 요소, 말이 조금 어렵지?

어떤 일이나 관계가 제대로 이루어지기 위해 **꼭 필요한 요소나 조건**을 뜻해.

1 이 글을 읽고 메모한 내용으로 적절하지 <u>않은</u> 것을 고르세요.

- 자본주의가 확장되던 국가에서는 사회 진화론이 개인주의적 정서를 강화하는 기능을 하였군. ·· ①
- '생존 경쟁', '적자생존'이 개인에게 적용되면 자유방임주의와 결합하는 형태로 나타날 수 있겠군. ·· ②
- 피어슨은 '생존 경쟁'과 '적자생존'을 집단 단위에 적용하여 인종 차별 또는 제국주의를 정당화하였군. ·· ③
- 일본은 사회 진화론을 수용하여 약육강식과 우승열패의 논리에 따라 군국주의를 실현하고자 노력하였군. ·· ④
- 아리안족은 인종주의적 정책의 문제점을 개선하고 자유 경쟁을 정착시키기 위해 사회 진화론을 수용하였군. ·· ⑤

2 다음은 ㉠에 대한 선생님의 질문과 학생의 답변입니다. 문맥을 고려할 때, (   ) 안에 들어가기에 적절한 것은 무엇인가요?

선생님: 스펜서는 왜 빈부격차가 사회 진화 과정에서 불가피하다고 생각했나요?
학 생: 사회 진화론에서는 (   ) 보기 때문입니다.

① 가난한 사람을 개인 간 생존 경쟁에서 도태된 존재로
② 인위적인 도움을 통해 가난을 근본적으로 해결할 수 있다고
③ 사유 재산에 대한 국가 권력의 간섭을 최소한으로 제한해야 한다고
④ 자유 경쟁을 통한 개인의 재산 형성보다 집단의 공익이 더욱 중요하다고
⑤ 문화적·생물학적으로 열등한 사람에게 사회적 부를 분배하는 것이 합당하다고

3 이 글을 바탕으로 〈보기〉를 이해한 내용으로 가장 적절한 것은 무엇인가요?

┤보 기├

　1905년 을사늑약이 강제 체결된 이후 대한 제국이 일제의 식민지로 전락해 가는 가운데 국내외에서 신교육을 받은 신지식층, 개신 유학파들을 주축으로 자강 운동이 전개되었다. 자강 운동은 국권 회복을 목적으로 전개된 교육·산업·언론·문화·정치 분야의 실력 양성 운동을 의미하며, 당시의 한국 사회가 필요로 하는 각 분야의 개혁을 주창·보급·실현하고자 하였다.

〈보기〉와 이 글에서 말하는 공통된 부분이 있을 거야. 그걸 찾는 게 키포인트!

① 자강 운동은 자력으로 각 분야의 실력을 키움으로써 일제와의 생존 경쟁에서 승리하고자 한 것이겠군.

② 자강 운동을 추진한 사람들은 생존 경쟁에 따라 대한 제국이 일제에 패배하는 것을 불가피한 숙명으로 여겼겠군.

③ 윤치호와 같은 개화파는 자강 운동을 통해 대한 제국이 일제와 겨룰 수 있는 강한 힘을 지닐 수 있다고 생각했겠군.

④ 박은식과 같은 민족주의자는 자강 운동을 하더라도 대한 제국이 일제에 패배할 것이라는 무기력한 태도를 보였겠군.

⑤ 신지식층은 자강 운동을 통해 다양한 분야에서 개혁을 이루어 낸다면 생존 경쟁이 치열한 세계 질서에서 벗어날 수 있다고 보았겠군.

4 ⓐ~ⓔ의 사전적 의미로 적절하지 <u>않은</u> 것은 무엇인가요?

① ⓐ: 알맞게 이용하거나 맞추어 씀.

② ⓑ: 두둔하고 편들어 지킴.

③ ⓒ: 보통의 수준이나 등급보다 낮음.

④ ⓓ: 사실과 다르게 해석하거나 그릇되게 함.

⑤ ⓔ: 어떤 사항을 논제로 삼아 제기하거나 논의함.

시간의 흐름이 나타나는지를 살펴보라

다음은 국내 총생산(GDP)에 관련된 통계 자료입니다. 두 자료의 공통점과 차이점은 무엇인가요?

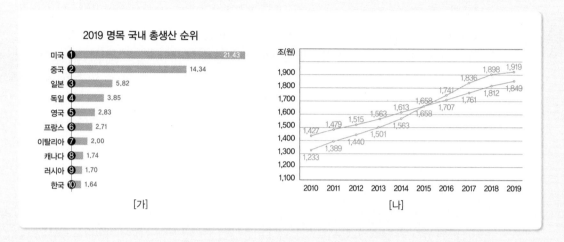

두 자료의 공통점은 국내 총생산(GDP)을 나타내는 자료라는 것입니다. 그런데 [가]는 2019년을 기점으로 여러 나라들의 동시 지표를 나타내고 있다면, [나]는 2019년까지 우리나라 GDP의 변화 지표를 나타내고 있다는 점에서 차이점이 있습니다.

GDP라는 같은 주제를 염두에 둔다면 [가]는 공시적인 자료로 볼 수 있습니다. 이때 '공시적'은 '하나의 시대'를 의미합니다. 쉽게 말하면 **시간의 흐름이 아니라 같은 시대의 어느 한 시점에서 대상에 관한 내용을 전개하는 것**을 말합니다.

반면 [나]는 통시적인 자료라고 볼 수 있습니다. '통시적'은 '시대를 관통하다'는 의미로 시간의 흐름에 따라 내용을 전개하는 것을 말합니다. 즉 **대상의 변화나 발달 과정을 시대의 흐름에 따라 서술하는 방식**으로, 통시적 전개 방식이 사용된 글을 읽을 때에는 **대상의 변화 과정과 각 시대 간의 차이점을 파악하는 것**이 중요합니다.

136쪽 지문

한편 **일본에서는** 19세기 말 문명개화론자*들이 사회 진화론을 수용하였다. 이들은 국가와 민족 단위에 '생존 경쟁'과 '적자생존'을 적용하여 약육강식과 우승열패의 논리를 바탕으로 서구식 ～～～～～～～～～～～～～～ 이들은 세계적인 대세에 적응

> **통시적 관점과 동시적 관점을 구분하려면
> 시간의 흐름이 나타나는지를 파악**하는 게 가장 먼저야!

한 ～～～～～～～～～～～～～～～～～～～라고 주장하였는데, 이러한 ⓓ**왜**곡된 ～는 ～인 사관 으로써 이어졌다.

우리나라에서 사회 진화론은 구한말 개화파 지식인들에게 영향을 미쳤다. 그중 개화파인 윤치호는 사회 진화론에 따라 약자가 강자에 의해 패배하는 것을 불가피한 숙명으로 인식하였고, 이러한 생각을 기반으로 조선의 망국* 가능성을 ⓔ**거론**하며 무기력한 현실 대응 태도를 보였다. 반면 민족주의자인 박은식, 신채호 등은 개화파와 마찬가지로 사회 진화론을 수용하면서도 조선이 살아남기 위해서는 서구 열강이나 일본과의 경쟁에서 반드시 승자가 되어야 한다는 점을 강조하였다.

독해실전

배운 글을 다시 읽고, 물음에 답해 보세요.

생각독해 II 74쪽

> 기계가 없던 고대에는 사람, 곧 노동력이 생존을 위한 가장 중요한 가치였다. 따라서 아이를 많이 낳을 수 있는 건강한 몸이야말로 아름다움의 기준이었기 때문에 몸에 살이 많은 여성을 아름답다고 여겼다. 이러한 건강미는 석기 시대의 조각 '빌렌도르프의 비너스상'에서도 확인할 수 있다. 반면 로마 제국에 이르러서는 날씬한 몸매에 짙게 화장을 한 여성들이 미인으로 인정받았다. 여러 식민지 국가를 거느리며 부를 축적한 로마 귀족들은 경쟁적으로 자신들의 부와 지위를 과시하려고 하였다.

1 위 글의 내용 전개상 특징으로 가장 적절한 것은 무엇인가요?

① 여러 입장을 제시한 후 이를 통합하고 있다.

② 시간의 흐름에 따라 변화하는 내용을 다루고 있다.

수능실전

아래 글을 읽고, 수능 실전감각을 길러 보세요.

2012학년도 고3

> 음악에서 연주라는 개념이 본격적으로 의미를 갖게 된 것은 18세기부터이다. 당시 유행하였던 영향미학에 따라 음악은 '내용'을 가지고 있어야 한다고 생각되었다. 여기서 내용은 누구나 느낄 수 있는 객관적인 감정을 의미했는데, 이 시기의 연주는 그 감정을 청중에게 정확하게 전달하는 것으로 이해되었다. 따라서 작곡자들은 악곡 속에 그 감정들을 담아내었고, 연주자들은 자신의 생각이나 주관을 드러내기보다는 작품이 갖고 있는 감정을 청중에게 정확하게 전달하는 역할을 했다.
> 그러나 이러한 연주의 개념은 19세기에 들어 영향미학이 작품미학으로 전환되면서 바뀌게 된다. 작품 그 자체가 지니는 의미와 가치에 관심을 갖는 작품미학의 영향에 따라 작곡자들은 음악이 내용을 지시하거나 표상하도록 할 필요가 없게 되었고, 오로지 음악 그 자체로서 고유한 가치를 갖는 절대음악을 탄생시켰다.

1 위 글의 내용 전개 방식으로 적절한 것은 무엇인가요?

① 기존의 주장들을 논리적으로 비판하고 있다.

② 중심 개념의 변천을 역사적으로 개관하고 있다

> 시간의 흐름이 보이면 통시적, 같은 시대를 다루면 공시적, 쉽지?

생각읽기가 수능이다! [통시적－공시적 관점]의 생각 구조에서 글쓴이의 생각은 어떻게 알 수 있나요?

실제 수능에서 어떤 대상의 시대적 변화 양상이 드러나면 통시적 관점, 시대의 흐름보다는 특정 시대 혹은 동시대의 상황이 잘 드러나면 공시적이라고 하는 거야! 공시적 관점보다는 통시적 관점이 많이 나오니까 더 꼼꼼하게 살펴봐야겠지?

전염병, 인류 생존을 위협하다

질병의 진화

Q 20~30대 청장년층의 A형 간염을 예방하려면 어떻게 해야 할까요?

전염병으로 전 세계가 몸살을 앓고 있다. 전염병이란 전염성을 가진 병들을 통틀어 이르는 말로 세균, 바이러스, 리케차, 스피로헤타, 진균, 원충 따위의 병원체가 다른 생물체에 옮아 집단적으로 유행하는 병들을 의미한다. 전염병은 고대부터 인류를 괴롭혀 왔는데, 지금까지도 변화를 거듭하며 인류의 생존을 위협하고 있다. 과거와는 다른, 현대 전염병의 특징은 무엇일까?

현대 전염병의 두드러진 특징은 인수 공통 전염병(人獸共通傳染病, Zoonosis)이 늘고 있다는 점이다. 인수 공통 전염병이란 사람과 동물 사이에서 상호 전파되는 전염병을 뜻하는데, 이 중 약 70%가 동물이 사람에게 옮기는 전염병이다. 2015년 우리나라를 휩쓸었던 메르스(중동 호흡기 증후군, MERS)는 낙타와 같은 동물로부터 사람에게 전파된 것으로 추정되고 있다. 과거의 전염병은 한 종 안에서만 감염이 되었는데, 현대에는 동물을 감염원으로 하여 사람도 2차 감염될 수 있다. 또한, 원숭이로부터 에이즈(후천 면역 결핍증, AIDS)가 전파된 것과 소와 새 등으로부터 각각 광우병이나 조류 독감이 사람에게 전염된 것도 인수 공통 전염병에 해당한다.

오늘날 이러한 인수 공통 전염병이 늘어나게 된 원인은 다양하게 분석된다. 우선 의학 전문가들은 기존에도 인수 공통 전염병이 많이 존재했었지만, 의학 기술이 충분히 발달하지 못했기 때문에 이를 진단하지 못했을 뿐이라고 주장한다. 반면 현재는 의학 기술이 더욱 발달하여 새로운 질병을 진단하는 기술이 향상되었기 때문에 인수 공통 전염병의 발견 역시 많아졌다고 보는 것이다. 그리고 각종 전염병이 진화하고 변종이 나타나는 현상이 증가하였다는 점도 인수 공통 전염병이 증가한 원인으로 볼 수 있다. 사람들이 사는 생활 환경의 변화 속도가 빨라지자 이에 따라 병원체들이 쉽게 변이를 일으킬 수 있는 환경이 조성되었다. 이러한 환경 변화는 전염병의 병원체가 환경에 적응하는 능력을 향상시키는데, 이 과정에서 병원체의 종수가 다양해지고 인간에게 영향을 미치는 병원체의 수도 증가하게 되어 인수 공통 전염병의 증가로 이어진다고 보는 것이다.

한편 과거에 유행했던 질병이 오늘날에 다시 유행하고 있다는 것도 인수 공통 전염병의 증가와 무관하지 않다. 그동안 제2급 법정 감염병인 A형 간염은 인류가 정복한 질병으로 여겨졌지만, 최근 이 질병의 감염자 수가 다시 늘어나고 있다. 질병관리청의 발표 자료에 따르면 A형 간염은 국내에서만 2014년 한 해 동안 15,000여 명의 환자를 발생시켰다. A형 간염에 걸리면 소아들은 감기처럼 가볍게 앓고 지나갈 수 있지만, 나이가 많을수록 관련 증상이 심해진다는 특징이 있다. 또한, A형 간염은 전염성이 강하여 단순 접촉만으로도 전염될 수 있기 때문에 주의가 필요하지만 백신 접종을 통해 약 98% 예방이 가능한 전염병이기도 하다. 의학 전문가들은 현재 우리나라 A형 간염 발생의 약 82%를 차지하고 있는 연령대가 20~30대이기 때문에, 신생아뿐만 아니라 20~30대 청장년층에 대한 예방 접종도 시급하다고 주장한다.

A형 간염과 마찬가지로 이미 사라진 질병으로 인식되던 결핵 역시 현재 전 세계적으로 약 200만 명 이상 사망하는 질환으로 다시금 부각되었다. 결핵이 다시 유행하게 되면서 발생한 문제는 결핵약에 내성이 생긴 결핵균의 등장으로 인해 치료가 어려워졌다는 점이다. 결핵은 인류가 정복한 질병으로 인식되어 왔기 때문에 1960년대 이후 결핵과 관련하여 출시된 신약이

전무한 상태였으며, 그동안 진화해 온 결핵균에 대한 적절한 대응이 이루어지지 못해서 환자가 급증하였다. 최근에는 이러한 문제를 해결하기 위해 국제결핵연구센터가 설립되어 결핵과 관련된 신약 개발을 진행하고 있다. 이와 관련하여 다수의 의학 전문가들은 미래에는 전염병이 현재보다 더욱 진화될 것이고, 인류에게 심각한 피해를 주는 형태로 변이될 것이라고 예측하고 있다.

0 이 글에서 글쓴이가 말하고자 하는 중심 화제가 무엇인지 고르세요.

① 전염병의 특징과 진화 양상 ☐
② 전염병이 확산되는 원인과 과정 ☐
③ 인수 공통 전염병이 전파되는 환경 ☐
④ 다양한 전염병의 예방과 치료 방법 ☐
⑤ 시대적 상황에 따라 달라지는 전염병의 특징 ☐

1 이 글의 표제와 부제로 가장 적절한 것은 무엇인가요?

① 인류를 괴롭히는 전염병의 진화
    – 인수 공통 전염병이 증가하는 원인을 중심으로
② 인수 공통 전염병을 치료하기 어려운 이유
    – 병원체가 동물로부터 인류에게 옮아가는 과정을 중심으로
③ 전염병 문제를 해결하기 위한 인류의 노력
    – 동물로부터의 질병 전파를 차단하는 방안을 중심으로
④ 일반 질병과 인수 공통 전염병의 특성 비교
    – 인수 공통 전염병의 종류와 인류의 피해 상황을 중심으로
⑤ 인수 공통 전염병을 비롯한 각종 전염병의 특징
    – 전염병의 치료 효과를 극대화하는 방안을 중심으로

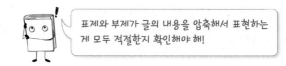

표제와 부제가 글의 내용을 압축해서 표현하는 게 모두 적절한지 확인해야 해!

2 이 글에 대한 학생의 이해와 이에 대한 평가가 가장 적절한 것은 무엇인가요?

	학생의 이해	평가	
		적절함	부적절함
①	전염병은 사람과 동물 사이에서 상호 전파되지 않는군.	✓	
②	전염병은 특정 병원체가 옮아가며 집단적으로 유행하는 것이군.		✓
③	결핵은 A형 간염과 달리 예방약과 치료제가 모두 개발된 상태이군.	✓	
④	인수 공통 전염병 중 절반 이상은 동물이 사람에게 전파하는 형태이군.		✓
⑤	의학 기술이 발달함에 따라 예전보다 많은 인수 공통 전염병이 발견되는군.	✓	

3 이 글을 읽고 답을 찾을 수 <u>없는</u> 질문은 무엇인지 고르세요.

- 인수 공통 전염병에 해당하는 질병에는 무엇이 있나요? ················· ① ☐
- 백신 접종을 통해 예방 가능한 전염병에는 어떤 것이 있나요? ········· ② ☐
- 1960년대 이후 결핵과 관련된 신약 개발이 중단된 이유는 무엇인가요? ③ ☐
- 동물이 사람에게 전염병 병원체를 전파시킬 수 있는 이유는 무엇인가요?
  ·· ④ ☐
- 전염병 병원체의 환경 적응 능력을 향상시키는 요인에는 무엇이 있나요?
  ·· ⑤ ☐

4 이 글을 바탕으로 〈보기〉의 전염병에 대해 이해한 내용으로 가장 적절한 것은 무엇인가요?

┤보 기├

　14세기 중엽 유럽에서 유행한 질병 A는 시궁쥐 등으로부터 사람에게 전염되는 질병으로, 수십 일 만에 환자들의 목숨을 잃게 만든 강력한 바이러스이다. 하지만 숙주인 사람이 갑작스럽게 사망하게 되면 바이러스도 생존할 수 없기 때문에, 질병 A는 사람을 더 오래 살려 두는 형태로 변이되며 점차 진화하였다. 오늘날 질병 A는 더 많은 피해자를 양산하고, 더욱 오래 살아남는 전염병의 형태로 자리 잡았다.

① 사람들의 생활 환경이 과거와 달라짐에 따라 질병 A가 발생할 가능성은 점차 커지겠군.
② 질병 A는 과거와 달리 현재는 백신 접종을 통해 전염을 충분히 예방할 수 있는 질병이겠군.
③ 질병 A를 앓고 완치된 환자가 다른 동물에게 질병을 전파시켜서 제3차 변종이 생겨날 수 있겠군.
④ 질병 A는 이미 치료제가 개발되어 현재는 사라진 전염병이므로 더 이상 변이가 진행되지 않겠군.
⑤ 질병 A는 인수 공통 전염병이므로 감염원인 시궁쥐를 제거하면 사람으로의 전염 가능성을 낮출 수 있겠군.

원래 모양과 다르네?
모양과 성질이 다른 개체가 존재하는 현상이 '변이'야!

생존의 비법, 알레로파시

식물 진화의 비밀

Q 허브는 외부 침입자를 쫓아내기 위하여 어떻게 반응하나요?

　동물들과 식물들은 번식과 생존을 위해 각각 끊임없이 경쟁한다. 그중 식물들은 자신의 생존을 위해서 뿌리나 잎, 줄기 등에서 특정한 화학 물질을 분비하여, 자신에 이웃하는 다른 식물의 발생을 막거나 성장이나 번식을 억제하기도 한다. 이를 알레로파시(Allelopathy) 또는 타감 작용(他感作用)이라 하며, 이 과정에서 배출하는 화학 물질을 타감 물질이라고 한다. 이때 알레로파시는 특정 식물체 내에서 생성된 물질이 다른 식물의 발아와 생육에 영향을 미치는 생화학적인 상호 반응으로, 진화와 관련된 현상이다.

　식물계에서 나타나는 알레로파시의 예는 매우 다양한데, 우선 소나무 뿌리가 갈로탄닌(Gallotannin)이라는 타감 물질을 분비하는 것을 들 수 있다. 이 갈로탄닌으로 인해 소나무 아래에는 어린 소나무를 비롯한 다른 식물들이 거의 살지 못하게 된다. 미국 캘리포니아에 서식하는 실비아 나무가 휘발성 테르펜을 배출하는 것과 유칼립투스 나무가 유칼립톨을 줄기나 낙엽, 뿌리에서 뿜어내어 다른 식물들의 성장을 억제하는 것도 이와 유사한 사례이다. 또한, 잔디밭의 클로버는 화약(火藥)이라는 타감 물질을 분비하는데, 이를 통해 클로버가 잔디와 영역 다툼을 하며 서식지를 점차 넓혀 나가는 것도 식물계에서 나타나는 알레로파시에 해당한다.

　사람들이 집에서 흔히 키우는 허브나 제라늄 같은 식물은 가만히 두면 아무런 향기가 나지 않지만, 바람이 세게 불거나 해당 식물을 건드리게 되면 갑자기 짙은 향기가 나게 된다. 이렇게 식물이 향기를 뿜는 것은 신속히 침입자를 쫓는 그들만의 방식으로 이해할 수 있다. 사람들은 이러한 식물의 향기가 좋다고 말하지만, 실제로 이 향기는 외부 세력으로부터 자신을 보호하려는 방어 기제*인 것이다. 이와 더불어 감자의 싹눈에 들어 있는 솔라닌의 독성이나 마늘의 매운 냄새 성분인 알리신 역시 식물이 자신의 몸을 보호하기 위해 분비하는 타감 물질에 해당한다.

　한편 병원균에 대한 식물의 방어 과정도 알레로파시 현상의 하나로 볼 수 있다. 예를 들어 병원균이 식물의 세포벽에 달라붙어서 해로운 물질을 끼워 넣는다면, 식물은 체관을 통해 비상 신호 물질을 온 세포에 빠르게 흘려보내게 된다. 상처 부위는 단백질 분해 효소 억제 물질을 이끌어 세포벽 단백질의 용해*를 ㉠막으면서 세포벽에 딱딱한 리그닌(Lignin)이라는 물질을 층층이 쌓게끔 한다. 그리고 파이토알렉신(Phytoalexin)과 같은 항생* 물질까지 생성해 냄으로써 자신을 보호한다.

　우리는 송충이는 솔잎을 먹고, 배추벌레는 배춧잎을 갉아 먹으며 산다는 것을 알고 있다. 그런데 송충이와 배추벌레가 각 식물에 달려들 때 솔잎과 배춧잎이 가만히 당하고만 있지는 않는다는 점에 주목할 필요가 있다. 이 상황에서 식물들은 갉아 먹힌 솔잎과 배춧잎의 상처 부위에 테르펜이나 세키테르펜 같은 휘발성 화학 물질을 내뿜고, 이 냄새에 반응한 말벌들이 신속히 자신들 쪽으로 날아오도록 만

든다. 식물들은 자기를 죽이려 드는 송충이, 배추벌레를 잡아가 달라고 알레로파시를 통해 그들의 천적인 말벌에게 신호를 보내는 것이다. 이처럼 식물은 화학 물질을 활용하여 말을 한다. 식물이 진화하며 오랜 기간 생존해 온 비법이 바로 여기에 있다.

* 방어 기제: 두렵거나 불쾌한 정황에 직면했을 때 스스로를 방어하기 위해 자동적으로 취하는 적응 행위.
* 용해: 고체의 물질이 열에 녹아서 액체 상태로 되는 일. 또는 그렇게 되게 하는 일.
* 항생: 두 종류의 미생물을 같은 배지에서 배양할 때, 한쪽 미생물이 다른 쪽 미생물의 생육을 억제하는 현상.

0 이 글의 중심 내용으로 가장 적절한 것은 무엇인지 고르세요.

① 알레로파시의 구체적 실행 과정
② 알레로파시에 대한 진화론적 설명
③ 생존 경쟁을 통한 식물과 동물의 진화
④ 타감 물질이 다른 생명체에 미치는 영향
⑤ 식물과 동물 알레로파시의 공통점 및 차이점

글의 핵심 화제를 파악하는 것이 최우선이지.

이 글에서 중요하게 다루는 화제는 '알레로파시', '진화'야.

1 **알레로파시**에 대한 이해로 적절하지 <u>않은</u> 것은 무엇인가요?

① 식물이 생존을 위하여 특정한 화학 물질을 분비하는 것이다.

② 다른 생명체와 번식 및 생존을 경쟁하는 과정에서 나타나는 진화와 관련된 현상이다.

③ 자신을 공격하는 외부 대상으로부터 스스로를 보호하려는 방어 방식으로도 나타난다.

④ 특정 식물이 독성이 있는 화학 물질을 분사하여 천적인 곤충을 직접 공격하기도 한다.

⑤ 특정 식물의 내부에 유해 물질이 유입될 경우 항생 물질을 생성하여 이를 방어하기도 한다.

내용 일치 문제, 핵심 화제에 대한 이해 문제는 '틀린 그림 찾기'지? 본문과 선지를 일대일로 하나씩 비교해 봐!

2 이 글의 서술상 특징으로 적절한 것을 〈보기〉에서 골라 바르게 묶은 것은 무엇인가요?

┤보 기├

ㄱ. 정의의 방법을 활용하여 알레로파시와 관련된 용어의 의미를 설명하고 있다.

ㄴ. 시간의 흐름에 따라 알레로파시가 진행되는 과정을 순차적으로 제시하고 있다.

ㄷ. 예시의 방법을 활용하여 알레로파시가 실현되는 실제 자연 현상을 소개하고 있다.

ㄹ. 질문의 방식을 활용하여 알레로파시에 관한 독자의 잘못된 배경지식을 수정해 주고 있다.

① ㄱ, ㄴ   ② ㄱ, ㄷ   ③ ㄴ, ㄷ

④ ㄴ, ㄹ   ⑤ ㄷ, ㄹ

3 다음은 이 글을 읽고 정리한 글의 일부입니다. ⓐ, ⓑ에 들어갈 말을 바르게 짝지은 것은 무엇인가요?

> 이 글을 읽고 식물계에서 나타나는 알레로파시는 다양한 형태로 발생한다는 사실을 알게 되었다. 그중 [ⓐ   ]는 [ⓑ   ](이)라는 타감 물질을 분비함으로써, 자신의 주변에 다른 식물들이 성장하는 것을 억제하거나 자신을 보호한다는 점이 신기했다.

	ⓐ	ⓑ
①	소나무	유카립톨
②	실비아	테르펜
③	유칼립투스	갈로탄닌
④	클로버	짙은 향기
⑤	허브	화약

4 다음 밑줄 친 말 중에서 ㉠의 문맥적 의미와 가장 유사한 것은 무엇인가요?

① 먼저 온 그녀는 통로를 막고 서 있었다.
② 추위를 어떻게 막아야 할지 걱정이 앞선다.
③ 진심에서 우러나오는 호의라면 막지 않겠다.
④ 소방관은 화재가 번지는 것을 막기 위해 애썼다.
⑤ 그 회사는 어음을 막지 못하고 부도가 나고 말았다.

고고학의 유물 해석 이론들

고고학과 진화론

Q 유물을 다양한 시각에서 해석하려면 어떤 자세를 갖추어야 할까요?

고고학자들이 발굴을 통해 얻은 유물 자료에는 과거 인간의 삶에 관한 정보들이 일부 남아 있다. 유물과 유적을 통하여 옛 인류의 생활·문화를 연구하는 학문인 고고학은 이러한 자료를 통해 과거 인간의 삶을 복원하고자 여러 분야의 이론을 ⓐ활용한다.

예를 들어 진화고고학에서는 인간의 삶은 자연환경에 더욱 잘 적응하기 위한 선택이라고 보는 진화론을 활용하여 과거를 설명한다. 진화론이 고고학에 적용된 사례를 토기의 변화에 대한 연구를 통해 구체적으로 살펴보자. 이 연구에서는 기원전 1세기부터 약 1천 년 동안 어느 지역에서 ⓑ출토된 조리용 토기들의 두께를 조사하였고, 해당 토기에 탄화*된 채로 남아 있던 식재료에 사용된 곡물의 전분 함량을 조사했다. 그 결과 후대로 갈수록 토기 두께가 얇아지고, 곡물의 전분 함량은 증가한다는 사실을 ⓒ발견했다. 이 발견에 대해 진화고고학에서는 토기 두께가 얇아진 이유를 전분이 좀 더 많은 씨앗의 출현이라는 외부 환경의 변화에 적응하였기 때문이라고 설명한다. 즉 자연환경이 변화함에 따라 껍질이 두꺼워지고, 전분 함량이 높아진 씨앗이 많아지게 되자 씨앗의 채집량이 ⓓ늘어나게 되었으며, 먹기 위해 오래 가열해야 하는 이 씨앗의 특성상 열전도가 빠른, 얇은 토기가 ⓔ쓰이게 되었다고 해석하는 것이다. 그러나 이후 과학 기술의 발달로 더욱 정밀한 연대 측정을 통해 토기 두께의 변화를 재조사해 보니, 토기의 두께가 점진적으로 변한 것이 아니라 서기 4세기경 급작스럽게 변화된 것이고, 그 이후에는 토기 두께의 변화가 거의 없었다는 사실이 밝혀졌다. 또한, 전분 함량이 높은 음식이 보편화된 것은 기존에 알려졌던 것보다 늦은 시기인 5세기 이후부터였다는 사실도 알려졌다. 이로 인해 토기의 두께 변화에 대한 진화론의 자연 선택적 설명은 그 설득력이 약화되었다.

한편 두께가 얇은 토기가 사용된 의미를 파악하기 위해서는 토기 두께의 변화를 일으킨 원인을 찾는 것도 중요하지만, 두께가 얇아진 토기가 오랫동안 사용된 이유에도 주목할 필요가 있다. 예를 들어 전분 함량이 높은 곡물을 이유식으로 이용한다면 여성들의 수유기*가 짧아지는 상황에서 출산율을 높이는 데 도움이 되었을 것이라고 추측할 수 있다. 이러한 관점에서 본다면 두께가 얇은 토기가 오랫동안 사용된 원인을 자연환경에 적응하기 위한 선택이 아닌, 이유식을 만들기 위한 인간의 능동적 선택에서 찾는 생태학적 이론에 따른 설명도 가능하게 된다. 이때 생태학적 이론에 따른 설명은 ㉠진화론적 관점에 근거하지만, 인간의 이성적 사유 능력에 따른 선택 과정에 좀 더 초점을 두고 있다는 특징이 있다.

진화고고학과는 달리 유물의 의미를 해석할 때 기능적 요인보다는 개개의 유물이 사용된 맥락을 찾는 것이 더 중요하다고 보고, 해당 유물을 사용한 사람의 사회적 지위와 기호 변화 등 ㉡사회 문화적 요인으로 유물의 의미를 설명하려는 관점도 있다. 이 관점에서는 4세기경에 토기의 두께가 급격히 얇아지는 이유를 집단 간의 활발한 교류로 새로운 토기가 유입되었고, 사람들이 그것을 선호하게 되었기 때문이라고 설명한다.

이처럼 고고학에서는 발굴 작업을 통해 유물 자료가 축적되고, 주변 과학의 발달에 힘입어 새로운 측정 방법이 개발됨에 따라 다양한 해석을 제시할 수 있게 되었다. 따라서 특정 이론에 얽매이기보다는 새로운 자료와 방법을 적극적으로 활용하여 유물을 다양한 시각에서 해석하려는 열린 자세를 갖추어야 한다.

＊ 탄화: 유기 화합물이 열분해나 화학적 변화에 의하여 탄소로 변함.
＊ 수유기: 젖먹이에게 젖을 먹여 기르는 기간.

0   이 글에서 다루고 있는 핵심 화제가 무엇인지 고르세요.

① 고고학에서 유물을 해석하는 다양한 이론
② 고고학자들이 유물과 유적을 발굴하는 과정
③ 시대에 따라 토기의 두께가 변하게 된 이유
④ 진화고고학과 생태학적 이론 활용의 장단점
⑤ 과학적 이론을 활용한 유물 해석 이론의 문제점

'화제'는 이야기의 재료나 소재를 의미해. 물론 글에서 노출된 내용이라면 화제가 될 수는 있어. 하지만 모두 '핵심 화제'가 될 수는 없어!

1 이 글을 읽은 학생이 〈보기〉의 질문에 대해 답할 때, (　　　) 안에 들어갈 말로 적절하지 **않은** 것은 무엇인가요?

┤보 기├

선생님: 오늘 수업에서는 고고학에서 유물을 해석하는 이론에 관해 배웠어요. 오늘 읽은 글의 내용 중에서 가장 기억에 남는 것은 무엇인가요?

학 생: (　　　　　　　　　　　　　　　　　　　　　　　　　　　　　　　　　　)

'질문'에 제대로 '답변'하려면 무엇을 묻는지를 잘 파악해야 해. 선생님은 '오늘 읽은 글의 내용'을 묻고 있다는 점을 꼭 기억해!

① 고고학이란 유물·유적에 담긴 정보를 파악하여 과거 인간의 삶을 복원하려는 것입니다.
② 고고학에서는 다른 분야의 이론인 진화론을 활용해 과거 인간의 삶을 설명하기도 합니다.
③ 고고학에서는 과학 기술이 발달하여 유물 해석법이 달라지더라도 기존의 설명법을 존중합니다.
④ 특정 행동을 하기 위한 인간의 능동적 선택에 초점을 두고 유물을 해석하는 고고학 이론도 있습니다.
⑤ 특정 이론만을 고집하기보다는 다양한 시각에서 유물을 해석하려는 태도를 갖추는 것이 바람직합니다.

2 ㉠, ㉡에 대한 이해로 적절하지 **않은** 것은 무엇인가요?

① ㉠은 특정 유물의 기능적 요인에 초점을 두어 유물의 의미를 해석한다.
② ㉡은 특정 유물의 의미를 해석할 때 유물이 사용되었던 맥락을 중요시한다.
③ ㉠은 ㉡과 달리 외부 환경의 변화에 적응하며 유물이 변화해 왔다고 생각한다.
④ ㉡은 ㉠과 달리 특정 유물에 대한 사용자 기호 변화를 고려하여 유물의 의미를 해석한다.
⑤ ㉠과 ㉡은 모두 외부 세력과의 교류가 새로운 유물이 유입되는 데에 영향을 끼친다고 본다.

초점, 가운데 점을 기준으로 원이 그려지지?
모든 것엔 중심이 있어!

3 〈보기 1〉은 '토기 ㉮'에 대한 설명이고, 〈보기 2〉는 이에 대한 학생의 반응입니다. 학생의 반응으로 적절한 것을 〈보기 2〉에서 골라 바르게 짝지은 것은 무엇인가요?

─┤보 기 1├─

㉮

㉮는 기원전 1세기경에 사용된 토기이다. ㉮는 발굴 당시 토기의 안팎에 음식이 흘러넘친 흔적이 있었고, 토기에 식재료의 일부가 탄화되어 있었다.

─┤보 기 2├─

ㄱ. ㉮에는 식재료가 탄화되어 있으므로 이를 조리용 토기로 보는 학자들이 있겠군.

ㄴ. 후대로 갈수록 토기의 두께가 점차 ㉮보다 두꺼워질 것이라고 주장하는 학자들이 있겠군.

ㄷ. ㉮의 두께는 후대의 특정 시기 이후에 갑자기 얇아지게 되었다고 주장하는 학자들이 있겠군.

ㄹ. 씨앗의 채집량이 늘어남에 따라 ㉮가 저장용 토기로 대체될 것이라고 주장하는 학자들이 있겠군.

① ㄱ, ㄴ   ② ㄱ, ㄷ   ③ ㄴ, ㄷ   ④ ㄴ, ㄹ   ⑤ ㄷ, ㄹ

4 문맥상 ⓐ~ⓔ와 바꿔 쓰기에 적절하지 <u>않은</u> 것은 무엇인가요?

① ⓐ: 차용한다

② ⓑ: 파내어진

③ ⓒ: 알아냈다

④ ⓓ: 증가하게

⑤ ⓔ: 사용되게

인공 지능은 어떻게 인간을 이겼나

인공 지능의 진화

Q 연구자들은 인공 지능이 어떤 형태로 발전할 것이라고 예상하나요?

(가) '인공 지능'이란 스스로 생각하는 능력을 지닌 기계를 말한다. 그렇다면 '생각하는 능력'이란 무엇일까? 인공 지능 연구자들은 이에 대해 '주위에서 일어나는 일과 환경에 맞추어 어떤 목표를 이룰 수 있는 방법을 찾는 능력'이라고 설명한다. 연구자들은 인간의 직관을 흉내 낼 수 있는 방법을 찾고 있는데, 이때 직관이란 복잡한 정보 속에서 정답을 찾아내는 인간의 특별한 능력을 뜻한다. 연구자들은 인공 지능이 많은 연습과 방대한 데이터를 바탕으로 인간의 직관을 흉내 낼 수 있을 것으로 예상하고 있다.

(나) 인공 지능의 연구 초기에는 ㉠기계 학습(Machine Learning)을 통해 인공 지능이 스스로 학습하도록 했다. 기계 학습이란 인공 지능 스스로 데이터를 수집하고 분석해서 규칙을 찾는 과정을 의미하는데 그 과정은 다음과 같다. 먼저 어떤 문제를 해결하기 위한 규칙을 인공 지능에게 학습시킨 후, 새로운 데이터를 입력해서 인공 지능이 결과를 예측하도록 훈련한다. 그리고 이렇게 학습한 내용을 기반으로 인공 지능은 방대한 양의 데이터를 분석하여 인공 지능 나름의 규칙을 세우게 되는 것이다.

(다) 현재 가장 많이 이용하는 인공 지능의 학습 방법은 인공 신경망을 이용한 ㉡'딥 러닝(Deep Learning)'이다. 딥 러닝은 기계 학습과는 달리 인공 지능에게 규칙을 설명하지 않는다는 특징이 있다. 인공 지능에 방대한 양의 데이터를 입력하면, 인공 지능이 이를 스스로 학습하는 형태이기 때문이다. 예를 들어 엄청나게 많은 양의 고양이 사진을 인공 지능에 집어넣으면, 딥 러닝은 고양이 사진을 보며 여러 단계에서 다양한 특징을 찾아낸다. 우선 처음 단계에서는 고양이들의 얼굴에서 기울기가 같은 선들을 찾아내고, 각 이미지를 단순하게 분석한다. 이후 단계가 높아짐에 따라 각 이미지에서 서로 다른 특징을 발견하게 되고 이를 종합하여 가장 높은 단계에서는 고양이 얼굴을 최종적으로 구분할 수 있게 되는 것이다.

(라) 이러한 인공 신경망을 바탕으로 만들어진 인공 지능 중 가장 유명한 것은 구글(Google)사(社)에서 개발한 알파고(AlphaGo)이다. 알파고는 딥 러닝으로 바둑을 학습한 것으로 알려졌다. 구글은 알파고에 16만 판이 넘는 엄청난 양의 바둑 기보*를 입력했고, 어떤 순서로 바둑 대국이 진행되었는지 각각의 순서도 입력하였다. 이렇게 진행 순서를 알파고에게 제공해 주면 바둑돌이 놓일 수 있는 모든 경우의 수를 따지지 않게 되어 처리 속도를 현저히 줄일 수 있고, 바둑 기사들이 바둑을 두는 방식을 효과적으로 학습할 수 있다는 장점이 있기 때문이다.

(마) 알파고는 이러한 데이터를 바탕으로 바둑을 스스로 학습하였고, 이와 더불어 구글사는 여러 버전의 알파고를 만들어서 알파고끼리 수십 만 판이 넘는 바둑 대결을 하게 한 후 해당 기보를 다시 알파고에 입력하여 학습 자료로 삼았다. 이렇게 알파고는 하루에도 수만 판씩 바둑을 두면서 바둑의 원리를 스스로 깨달으며 실력을 쌓게 되었는데, 이는 바둑을 학습할 때 시간적·물리적 제약을 받는 인간은 결코 따라할 수 없는 학습 방법이다. 많은 연습과 데이터를 기반으로 바둑 실력을 쌓은 '인공 지능' 대표인 알파고는 '인간' 대표인 바둑 기사 이세돌과의 세기의 대결에서 4승 1패의 최종 성적으로 승리하였다.

* 기보: 바둑이나 장기를 둔 내용의 기록.

0 이 글에 뒤이어 전개될 수 있는 내용으로 가장 적절한 것을 고르세요.

① 인공 지능의 개념　　　□
② 인공 지능의 개발 과정　　　□
③ 알파고와 인간의 바둑 대국의 진행 과정　　　□
④ 기계 학습보다 더 유용한 딥 러닝의 특장점　　　□
⑤ 인공 지능이 인간 생활에 주는 효용성과 위험성　　　□

1 (가)~(마)의 중심 내용으로 적절하지 <u>않은</u> 것은 무엇인가요?

① (가): 인공 지능의 정의와 연구자들의 예상
② (나): 기계 학습을 통한 인공 지능의 학습 과정
③ (다): 딥 러닝을 통한 인공 지능의 학습 과정
④ (라): 인공 신경망을 바탕으로 한 알파고의 특징
⑤ (마): 인공 지능이 인간의 능력을 뛰어넘지 못하는 이유

2 이 글의 논지 전개 방식으로 가장 적절한 것은 무엇인가요?

'사례'는 어떤 일이 실제로 일어난 예를 의미해. 그리고 '예시'는 이러한 사례를 들어 보여 주는 설명 방식이야.

① 인공 지능이 발전해 온 과정을 시간의 흐름과 공간의 변화에 따라 설명하고 있다.
② 인공 지능의 구체적인 사례를 활용하여 인공 지능의 학습 과정을 절차대로 설명하고 있다.
③ 인공 지능이 지닌 유용성을 언급하고 이를 활용할 수 있는 다양한 분야의 범주를 소개하고 있다.
④ 인공 지능이 지닌 한계를 지적한 후 인공 지능의 문제점을 개선할 수 있는 방안을 제시하고 있다.
⑤ 인공 지능에 관한 대립된 학설을 제시한 후 인공 지능의 발전을 위해 두 학설의 절충안을 모색하고 있다.

같은 성질을 가진 것들끼리 묶어 봐~
동일한 성질을 가진 부류나 범위를 범주라고 해.

1 찰스 다윈은 '적자생존'과 '생존 경쟁'의 개념을 바탕으로 생물의 우월한 형질은 살아남고 열등한 형질은 사라진다는 ☐☐☐을 주장하였다.

2 다윈의 진화론을 개인과 집단에 적용시킨 이론인 ☐☐☐☐☐은 약육강식과 제국주의, 인종주의 등을 합리화한다는 점에서 한계가 있다.

3 ☐☐☐은 사람과 동물 사이에 상호 전파되는 인수 공통 전염병을 중심으로 인류의 역사와 함께 진화하고 있다.

4 식물이 생존을 위해 경쟁하는 과정에서 나타나는 ☐☐☐☐☐는 식물이 진화하며 오랜 기간 생존해 온 비법이다.

5 유물이나 유적을 통해 과거 인간의 삶을 연구하는 ☐☐☐에서는 진화론적 관점, 생태학적 관점, 사회 문화적 관점 등을 활용하여 유물을 해석한다.

6 알파고와 인간의 바둑 대국은 ☐☐☐이 어떻게 진화해 왔는지 보여 주고 있다.

우리는 어떻게 진화해야 할까?

"세상의 모든 존재는 진화를 거듭한다"

진화라는 개념을 이해하는 핵심은 바로 '점진적인 변화 양상'과 '환경의 변화'라는 원인에 있습니다. 변화의 양상과 원인을 아는 것은 곧 변화의 맥락을 이해하는 것을 의미합니다. 무엇이, 어떻게, 왜 변하는지를 하나의 흐름 속에서 파악하고자 하는 것이 곧 대상의 진화를 파악하고자 하는 이유인 것입니다. 우리가, 우리 주변의 자연 세계가, 우리 사회가 어떤 맥락 속에서 변화하고 있는지를 파악하는 것은, 곧 우리 자신이 어떤 존재인지를 이해하는 것이기 때문이니까요.

*가장 간단한 형태에서부터 가장 아름답고
가장 화려한 형태까지 끊임없이 진화해 왔다.*
– 찰스 다윈

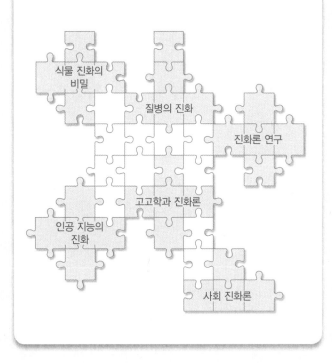

시스템을 말하다!

사람들은 직관적이고 단순하게 생각하려는 성향을 가지고 있습니다. 그래서 지금 보고 있는 대상에 대해서만 주목하게 되곤 하죠.
하지만 눈앞에 보이는 것은 보이지 않는 여러 대상과 밀접하게 연관되어 있고, 나름의 규칙에 따라 상호작용하고 있어요. 혼자 따로 있는
것처럼 보이는 것들도 사실은 어떤 시스템, 즉 체계 속에 있기 때문입니다. 시스템이란 필요한 기능을 실현하기 위하여 관련 요소를
어떤 법칙에 따라 조합한 집합체를 일컫는 말입니다. 여러분이 생각하는 것보다 훨씬 더 많은 것들이 시스템을 가지고 있어요. 그렇다면
우리의 눈에 보이지 않게 작동하는 시스템에는 어떤 것들이 있는지, 각 시스템들은 어떻게 작동하는지에 대해 알아볼까요?

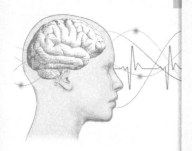

수면 시스템

Q 렘수면과 비렘수면은 어떻게 다른가요?

잠잘 때 우리 뇌에서 벌어지는 일

낮 시간에는 활기차게 생활하다가도 밤늦은 시간이 되면 졸리게 된다. 그런데 왜 밤늦은 시간이 되면 잠이 오는 걸까? 많은 학자들은 낮 동안의 활동으로 인해 몸에 피로가 쌓이고 수면을 유도하는 물질이 증가하기 때문이라고 말한다. 이렇게 수면을 유도하는 물질을 수면 유도체라고 하는데, 최근에 이 수면 유도체가 신체 면역계에서 만들어진다는 것이 밝혀졌다. 그러나 수면 유도체만으로는 수면의 원인을 온전히 설명할 수 없다. 사람의 몸에는 낮과 밤을 알려주는 생체 시계가 있다. 생체 시계는 밤이 되면 잠을 자도록 유도하고, 아침이 되면 잠에서 깨도록 신체 리듬을 조절한다. 그런데 이 생체 시계는 빛에 매우 민감하게 반응한다. 아침이 되면 태양빛이 뇌의 각성 중추를 자극하고, 이로 인해 뇌에서 멜라토닌*이라는 호르몬 분비가 감소하며, 그 결과 사람은 잠에서 깨게 된다. 반대로 태양빛이 사라지면 수면 중추가 자극되고 멜라토닌의 분비가 증가한다.

그런데 잠을 잘 때 우리의 뇌에서는 어떤 일이 벌어질까? 과거에는 피곤할 때나 뇌가 정상적인 작용을 하지 못할 때 잠을 잔다고 여겼으므로, 잠잘 때 뇌의 활동이 깨어 있을 때보다 줄어든다는 생각이 지배적이었다. 그러나 최근 연구에서는 수면 시에도 뇌의 활동이 활발하며, 렘수면과 비렘수면 상태가 번갈아 나타난다는 것이 밝혀졌다. 눈을 감고 있는 상태에서도 급속한 안구 운동이 일어나는 수면을 '렘수면', 그렇지 않은 수면을 '비렘수면'이라고 한다. 그런데 렘수면 상태에서는 뇌의 활동이 활발하기 때문에 이 상태에 있는 사람을 깨우면 금방 각성 상태*로 돌아와 쉽게 잠에서 깬다. 반면 외부 자극에 반응하지 않는 비렘수면 상태에서는 육체의 온전한 휴식을 통해 피로를 회복한다는 것이 밝혀졌다.

잠이 들기 시작하면 비렘수면 상태가 먼저 나타난다. 비렘수면은 뇌파의 종류에 따라 다시 4단계로 구분되는데, 1단계에서 4단계로 진행될수록 뇌파의 진폭이 점점 커지고 속도가 느려지면서 점차 깊은 잠에 빠지게 된다. 보통 1, 2단계를 얕은 수면, 3, 4단계를 깊은 수면이라고 하며, 특히 4단계의 수면을 '서파 수면'이라고 한다. 만일 잠을 자는 내내 서파 수면 상태만 유지하다 깨어난다면 매일 아침이 피곤함 없이 활기차게 느껴질 것이다. 하지만 사람은 잠자는 동안 서파 수면에만 빠져 있는 것이 아니다. 서파 수면 상태에 이르고 얼마 지나지 않아 이번에는 거꾸로 1단계를 향해 진행되며, 1단계를 거쳐 렘수면 단계에 이르게 된다. 이후 다시 비렘수면의 상태가 되었다가 렘수면 상태로 변하게 되는 과정이 약 90분을 주기로 반복된다. 정상인의 경우 밤새 4~5회 정도의 주기를 가진다. 대체로 아침이 되면 비렘수면 1~2단계에 잠에서 깨기 때문에, 아침 무렵에는 선잠을 자게 된다.

그렇다면 렘수면 동안에는 어떤 일이 벌어질까? 렘수면 상태에 이른 사람을 깨워 물어보면 십중팔구는 꿈을 꿨다고 이야기하기 때문에, 렘수면은 흔히 '꿈꾸는 수면'이라 불린다. 한편, 렘수면 상태에서 눈을 급속히 움직이는 이유는 아직 명확하게 밝혀지지 않았다. 다만, 신경 과학 권위자인 프란시스 크릭은 렘수면이 뇌를 재정비하고 정보들을 분류함으로써 다음날의 인식 능력을 향상시킨다고 주장했다. 렘수면의 또 다른 특징은 뇌의 활동은 활발하지만 신체 근육은 거의 마비 상태에 가까울 정도로 이완되어 있다는 것이다. 그 이유는 꿈속에서의 신체의 움직임이 현실에서도 그대로 ㉠실행치 않도록 하기 위해서이다. 뇌 속에는 렘수면 동안에 신체를 이완시키는 명령을 내리는 신경 회로가 있기 때문에, 우리가 꿈속에서는 몸을 마음대로 움직이지만, 실제로는 가만히 누워 있는 것이다.

* 멜라토닌: 뇌에서 분비되는 생체 호르몬. 성적 충동을 억제하며, 불면증의 치료 따위에 쓰인다.
* 각성 상태: 외부 현상 따위를 알아채고 깨어 있는 상태.

0 **이 글의 표제와 부제로 가장 적절한 것은 무엇인가요?**

① 수면의 효과
  – 스트레스 해소와 활력 충전에 효과적
② 잠이 드는 과정
  – 개인별 유전자의 특성에 따라 상이
③ 잠을 잘 자는 방법
  – 규칙적인 운동과 긍정적인 사고 필요
④ 밤에만 잠을 자는 까닭
  – 태양광에 의해 조절되는 수면 체계
⑤ 사람이 잠을 자는 이유
  – 뇌가 만들어 낸 체계적인 신체 현상

1 이 글의 내용 전개 방식으로 적절하지 <u>않은</u> 것은 무엇인가요?

① 묻고 답하는 방식으로 내용을 전개하고 있다.
② 전문가의 말을 인용하여 설명을 보완하고 있다.
③ 구성 요소의 중요성과 장단점을 분석하고 있다.
④ 현상의 진행 과정을 순차적으로 제시하고 있다.
⑤ 대상의 개념을 정의하고 그 원리를 설명하고 있다.

2 〈보기〉는 수면 과정에서 뇌파의 움직임을 그래프로 나타낸 것입니다. 이 글을 바탕으로 〈보기〉를 이해한 내용이 적절하지 <u>않은</u> 것은 무엇인가요?

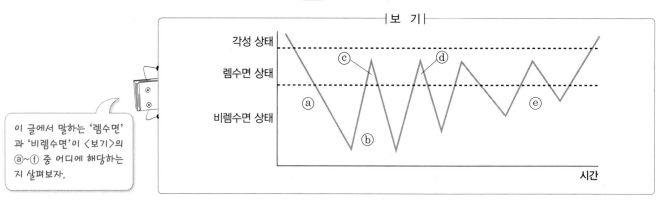

이 글에서 말하는 '렘수면'과 '비렘수면'이 〈보기〉의 ⓐ~ⓕ 중 어디에 해당하는지 살펴보자.

| 보 기 |

각성 상태
렘수면 상태
비렘수면 상태

시간

① ⓑ에 도달하기 위해서는 렘수면 상태를 거쳐야 한다.
② ⓐ에서 점점 깊은 잠에 빠져 ⓑ에서는 서파 수면 상태가 된다.
③ ⓒ에서 ⓓ까지의 과정은 평균적으로 90분이 걸린다.
④ 주로 ⓒ나 ⓓ의 상태에서 꿈을 꾸는 경우가 많다.
⑤ ⓔ에서 관찰되는 뇌파는 ⓑ보다 진폭이 더 크다.

3 이 글에서 설명한 수면에 대해 잘못 이해한 것은 무엇인가요?

① 우리가 활동하면서 체내에 쌓인 피로는 비렘수면을 통해 회복된다.
② 우리 몸에 있는 생체 시계는 빛에 민감하게 반응하여 신체 리듬을 조절한다.
③ 태양빛이 없는 밤에는 뇌에서 분비되는 멜라토닌이 증가하여 수면을 유도한다.
④ 비렘수면 4단계일 때 잠에서 깨면 피곤함을 느끼지 않고 활기차게 활동하게 된다.
⑤ 렘수면 상태에서 우리의 뇌는 신체를 수축시키는 명령을 내려 몸이 움직이지 않는다.

4 〈보기〉를 참고할 때, ㉠과 같은 방식으로 된 준말은 무엇인가요?

─────────────┤ 보 기 ├─────────────

【한글 맞춤법 규정 제5절 준말】
제40항: 어간의 끝음절 '하'의 'ㅏ'가 줄고 'ㅎ'이 다음 음절의 첫소리와 어울려 거센소리로 될
　　　　적에는 거센소리로 적는다.

(본말)	(준말)	(본말)	(준말)
간편하게	간편케	다정하다	다정타

[붙임 1] 'ㅎ'이 어간의 끝소리로 굳어진 것은 받침으로 적는다.

(본말)	(준말)	(본말)	(준말)
그러하다	그렇다	어떠하다	어떻다

[붙임 2] 어간의 끝음절 '하'가 아주 줄 적에는 준 대로 적는다.

(본말)	(준말)	(본말)	(준말)
거북하지	거북지	깨끗하지 않다	깨끗지 않다

[붙임 3] 다음과 같은 부사는 소리대로 적는다.

결단코　　결코　　기필코　　무심코　　아무튼　　하여튼　　한사코

① 흔타
② 익숙지
③ 이렇다
④ 하마터면
⑤ 아무렇지

어제 눈코 뜰 새가 없었어.

새 → 사이

새는 준말이고 사이가 본말이지!

본말에서 줄어든 말을 준말이라고 해. '새'처럼 **단어의 일부분이 줄어든 것**이 준말이고,
'사이'처럼 **줄지 않은 본디 말**이 본말이니깐 잊지 마!

바람으로부터 건물을 지키려면

제진 기술 시스템

Q 제진 기술에는 어떤 것들이 있을까요?

일반−구체의 글, 어떻게 읽어야 할까
일반적 진술에 주목하지!
구체적인 내용은 일반적 진술을 거들 뿐이니까~

▶ 생각읽기가 수능이다 170쪽

바람에도 끄떡없는 건물은 어떻게 만들 수 있을까? 가장 쉬운 방법은 건물의 **뼈대**를 튼튼하게 하는 방법이다. 건물의 형태를 유지하는 벽을 두껍게 하거나 콘크리트 벽을 추가로 설치하면 건물의 흔들림이나 변형을 줄일 수 있다. 하지만 강하고 튼튼한 **뼈대**를 사용한다고 무조건 바람에 잘 견디는 것은 아니다. 아무리 강한 철골 구조물이라 할지라도 외부에서 힘을 받으면 변형이 생기거나 흔들릴 수밖에 없다. 바람으로부터 건물을 지키기 위해 사용하는 기술이 제진 기술인데, 건물의 외관을 바꾸는 방법이나 제진 장치를 설치하는 방법을 사용한다. 특히 바람의 영향을 많이 받는 초고층 건물에는 제진 기술이 필수적으로 사용된다.

건물의 모양을 바꾸는 방법은 바람이 일으키는 진동을 줄이기 위해 사용된다. 즉, 건물 모서리 형태를 둥글게 설계하거나, 건물의 높이가 높아질수록 단면적을 작게 설계하여 바람의 영향을 덜 받게 만드는 것이다. 건물의 '단면'이란 건물을 위에서 아래로 내려다보았을 때의 형태를 의미한다. 일반적으로 건물의 단면은 사각형이 많은데, 이러한 건물의 경우 바람이 건물의 모서리에 부딪히면 불어오던 공기 중 일부 공기 덩어리가 떨어져 나간다. 이렇게 떨어진 공기 덩어리는 건물 뒤로 돌아가 소용돌이를 만드는데, 이 소용돌이는 바람이 불어온 방향의 직각 방향으로 건물을 흔든다. 하지만 건물 모서리를 둥글게 하면 소용돌이의 크기를 작게 만들어 건물이 덜 흔들리게 된다.

또한 건물의 형태를 위쪽으로 갈수록 좁아지는 원뿔 형태로 만들어 건물 상층부로 올라갈수록 단면적을 줄이면 바람과 부딪히는 면적을 줄일 수 있다. 이렇게 높이가 높아질수록 건물의 단면적이 좁아져 진동이 줄어드는 현상을 ㉠**테이퍼링 효과**라고 한다. 그리고 건물 상층부에 큰 구멍을 뚫어 바람이 건물에 부딪히지 않고 지나가도록 하기도 하고, 건물의 모양을 꽈배기처럼 비틀리게 만들어 각 면마다 받는 바람의 양이 달라지게 만들어 바람의 영향을 상쇄시키기도 한다.

건물과 함께 흔들리며 진동을 흡수하는 장치인 제진 장치를 설치하는 것도 바람의 영향을 줄이는 방법이다. 제진 장치를 설치하면 바람으로 인한 건물의 진동을 50% 이하로 줄일 수 있다. 그리고 제진 장치는 보통 건물의 상층부에 설치하는데, 그 이유는 바람으로 인한 진동 폭이 저층보다 고층이 더 크기 때문이다. 제진 장치는 건물 무게의 300분의 1 수준으로 설계되고 물이나 철을 이용하는데, 물은 비용이 저렴하지만 부피가 커서 보통 철을 더 많이 이용한다. 예를 들어 150m 높이의 50층 아파트 옥상에 철로 된 제진 장치를 설치하는 경우, 아파트 무게를 3만 톤이라고 하면, 100톤의 제진 장치를 만들어야 한다.

[A]
제진 장치가 작동하는 원리는 다음과 같다. 한쪽 방향에서 바람이 불면 건물은 좌우로 흔들리게 된다. 이때 건물은 좌우로 진동하는 진자와 같은 운동을 한다고 보면 된다. 진자가 좌우로 왕복하는 진동 주기를 가지듯이, 바람에 흔들리는 건물 역시 진동 주기를 가진다. 제진 장치는 건물의 진동 주기보다 4분의 1만큼 느리게 움직임으로써 건물이 진동하는 힘을 줄인다. 오른쪽에서 바람이 불어 건물이 왼쪽으로 움직이기 시작하면 제진 장치는 중심축 위치에 그대로 있다가, 건물이 왼쪽 끝에 도달하여 움직이는 방향을 바꿀 때, 제진 장치가 비로소 왼쪽으로 움직인다. 이렇게 되면 건물은 오른쪽 중심축을 향해 이동하지만, 제진 장치는 왼쪽으로 움직이게 된다. 질량을 가진 두 물체가 서로 반대 방

향으로 움직이게 되면 두 물체의 운동을 일으키는 힘이 약화된다. 즉 건물과 제진 장치는 서로 반대 방향으로 움직이면서 움직이는 힘이 일정 정도 상쇄되는 것이다. 그리고 건물이 중심축을 지날 때 제진 장치는 왼쪽 끝에 위치하게 되고, 건물이 오른쪽 끝에 있게 될 때 제진 장치는 중심축에 위치하게 된다. 오른쪽 끝에 있던 건물이 다시 중심축으로 움직일 때, 제진 장치는 건물의 이동 방향과 반대로 이동함으로써 건물이 움직이는 힘을 다시 상쇄시킨다. 이렇게 제진 장치는 건물이 중심축을 향해 움직일 때 그 반대 방향으로 움직임으로써 건물이 움직이는 힘을 상쇄시키고, 그 결과 건물의 흔들림이 줄어들게 되는 것이다.

0 이 글의 중심 내용으로 알맞은 것은 무엇인가요?

① 바람의 방향을 바꾸는 제진 장치
② 제진 기술의 탄생 배경과 발전 과정
③ 지진의 피해를 최소화하는 방진 기술
④ 초고층 건물의 건축미를 구현하는 기법
⑤ 바람으로부터 건물을 보호하는 제진 기술

1 이 글의 내용과 일치하지 <u>않는</u> 것을 고르세요.

① 바람은 초고층 건물에 진동을 발생시킨다. ☐
② 제진 장치는 건물의 상층부에 설치할수록 효과가 크다. ☐
③ 건물의 모양을 바꾸면 바람으로 인한 피해를 줄일 수 있다. ☐
④ 물을 사용한 제진 장치는 철을 사용한 것에 비해 진동 흡수력이 떨어진다. ☐
⑤ 위에서 내려다본 단면이 사각형인 건물은 바람이 불면 건물 뒤에서 큰 공기
소용돌이가 발생할 수 있다. ☐

> '제진 기술'의 사례를 묻고 있으니까 이 글에서 제진
> 기술의 여러 가지 방법이 제시된 부분을 먼저 찾아
> 봐야 해. 그리고 그 내용을 선지와 대응시켜 보면 답
> 을 찾을 수 있을 거야.

2 이 글에서 설명한 제진 기술의 사례에 해당하지 <u>않는</u> 것은 무엇인가요?

① 부산의 A 주상 복합 아파트(60층, 21m)는 건물의 모서리를 둥글게 건설하였다.
② 두바이의 B 호텔(321m)은 두 개의 객실 건물이 V자 모양의 날개처럼 본 건물의 양쪽에
위치하도록 설계되었다.
③ 높이 505m인 C 세계 금융 센터 정상에는 바람이 지나갈 수 있는 축구장 절반 정도의 구
멍이 있다.
④ 서울의 초고층 주상 복합 건물인 D는 높은 층으로 올라갈수록 거주의 공간 면적이 점점
줄어드는 형태이다.
⑤ 인천 송도의 E 무역 센터는 1층은 사다리꼴 모양이지만 위로 올라갈수록 건물이 비틀려
최상층은 삼각형 모양이다.

3 [A]의 내용을 바탕으로 제진 장치가 진동을 줄이는 과정을 순서대로 나열한 것은 무엇인가요?

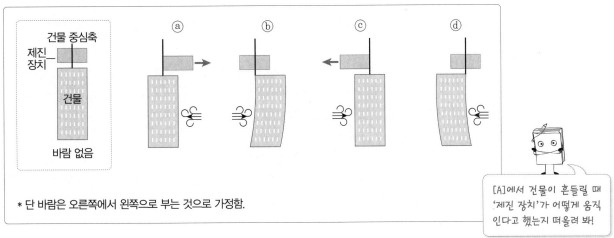

* 단 바람은 오른쪽에서 왼쪽으로 부는 것으로 가정함.

[A]에서 건물이 흔들릴 때 '제진 장치'가 어떻게 움직인다고 했는지 떠올려 봐!

① ⓐ → ⓑ → ⓒ → ⓓ
② ⓐ → ⓒ → ⓑ → ⓓ
③ ⓐ → ⓓ → ⓑ → ⓒ
④ ⓓ → ⓐ → ⓑ → ⓒ
⑤ ⓓ → ⓒ → ⓑ → ⓐ

4 건축에서 ㉠을 이용하는 이유로 가장 적절한 것은 무엇인가요?

① 아름다운 외관을 위해서
② 건물을 보호하기 위해서
③ 관광객을 유치하기 위해서
④ 건축 비용을 줄이기 위해서
⑤ 제진 장치를 만들기 위해서

일반적 진술을 중심으로 요약하라

다음 글을 읽고, 글쓴이가 말하고자 하는 바가 무엇인지 일반적 진술로 정리해 볼까요?

우리나라의 남해안 일대에서는 중생대 백악기에 살았던 공룡의 발자국 화석이 1만 개 이상 발견되었다. 이 화석들은 당시 한반도에 서식했던 공룡들의 특성을 밝히는 실마리를 제공한다. 공룡 발자국 연구에서는 발자국의 형태를 관찰하고, 발자국의 길이와 폭, 보폭 거리 등을 측정한다. 이렇게 수집한 정보를 분석하여 공룡의 종류, 크기, 보행 상태 등을 알아낸다.

특히 공룡 발자국의 길이로부터 공룡의 크기를 추정할 수 있다. '발자국의 길이(FL)'에 4를 곱해 '지면으로부터 골반까지의 높이(h)'를 구하여[h=4FL], 그 크기를 짐작할 수 있다. 4족 보행 공룡의 경우에는 일반적으로 뒷발자국의 길이를 기준으로 한다. 단, h와 FL의 비율은 공룡의 성장 단계나 종류에 따라 약간씩 다르게 적용된다.

글쓴이가 글을 쓸 때 자주 쓰는 방법 중 하나로, 일반적 진술을 먼저 제시한 뒤 구체적 내용을 뒤에 제시하는 경우 혹은 그 반대로 전개하는 경우가 있습니다. 이때에는 일반적 진술이 그 문단 혹은 글을 대표하는 역할을 하게 됩니다. 대개 많은 학생들이 어려워하는 과학·기술 주제를 다루는 지문들이 위와 같은 전개 구조로 진행되는 경우가 많습니다.

그러면, 이러한 전개 구조를 지닌 글을 학생들은 왜 어려워할까요? 대개 어렵고 복잡하며 다소 생소한 내용을 다룰 때, 일반적 진술의 앞뒤에서 그 내용을 이해시키기 위해 구체적 내용을 덧붙이기 때문입니다. 그러니 이러한 글을 읽어 나갈 때 중요한 것은 당연히 일반적 진술이겠죠? 따라서 **일반적 진술이 나왔다면 앞뒤의 구체적 내용은 빠르게 읽어 나가고,** 구체적 내용을 포괄하는 일반적 개념이나 진술을 중심으로 독해하는 것이 필요합니다.

166쪽 지문

건물의 모양을 바꾸는 방법은 바람이 일으키는 진동을 줄이기 위해 사용된다. 즉, 건물 모서리 형태를 둥글게 설계하거나, 건물의 높이가 높아질수록 단면적을 작게 설계하여 바람의 영향을 덜 받게 만드는 것이다. 건물의 '면'이란 건물을 위에서 아래로 내려다보았을 때 ~~~~~~~ 많은데, 이러한 건물의 경우 바람이 ~~~~~ 어리가 떨어져 나간다. 이렇게 떨어진 공기 덩어리는 건물 뒤로 돌아가 소용돌이를 만드는데, 이 소용돌이는 바람이 불어온 방향의 직각 방향으로 건물을 흔든다. 하지만 건물 모서리를 둥글게 하면 소용돌이의 크기를 작게 만들어 건물이 덜 흔들리게 된다.

> 일반적 진술이 나오면 뒤에 구체적 진술이 나오고,
> 구체적 진술이 나오면 뒤에 일반적 진술이 나와!

독해실전

배운 글을 다시 읽고, 물음에 답해 보세요.

생각독해 I 132쪽

> ㉠차이법은 결과가 나타난 사례와 나타나지 않은 사례를 비교하여 선행하는 요소들 사이의 유일한 차이를 찾아 그것을 원인으로 추론하는 방법이다. 인도네시아의 연구소에 근무하던 에이크만은 사람의 각기병과 유사한 증상을 보이는 닭의 질병을 연구하고 있었다. 어느 날 그는 병에 걸린 닭들 중에서 병이 호전된 한 마리의 닭을 발견하고는 호전된 원인이 무엇인지를 찾아보았다. 그 결과 병이 호전된 닭과 호전되지 않은 닭들의 모이에서 나머지는 모두 같았으나 유일한 차이가 현미에 있음을 알게 되었다. 즉 병이 호전되지 않은 닭들은 채소, 고기, 백미를 먹었으나 병이 호전된 닭은 추가로 현미를 먹었던 것이다. ㉡이렇게 모이의 차이를 통해 닭의 병이 호전된 원인을 현미에서 찾은 에이크만의 사례는 바로 차이법을 적용한 예이다.

1 위 글을 읽고, ㉠과 ㉡을 일반적 진술과 구체적 내용으로 구분해 보세요.

수능실전

아래 글을 읽고, 수능 실전감각을 길러 보세요.

2007학년도 수능

> (가) 제2차 세계 대전 중, 태평양의 한 전투에서 일본군은 미군 흑인 병사들에게 자신들은 유색인과 전쟁할 의도가 없으니 투항하라고 선전하였다. 이 선전물을 본 백인 장교들은 그것이 흑인 병사들에게 미칠 영향을 우려하여 급하게 부대를 철수시켰다. 사회학자인 데이비슨은 이 사례에서 아이디어를 얻어서 대중 매체가 수용자에게 미치는 영향과 관련한 '제3자 효과(third-person effect)' 이론을 발표하였다.
>
> (나) 이 이론의 핵심은 사람들이 대중 매체의 영향력을 차별적으로 인식한다는 데에 있다. 곧 사람들은 수용자의 의견과 행동에 미치는 대중 매체의 영향력이 자신보다 다른 사람들에게서 더 크게 나타나리라고 믿는 경향이 있다는 것이다. 예를 들어 선거 때 어떤 후보에게 탈세 의혹이 있다는 신문 보도를 보았다고 하자. 그때 사람들은 후보를 선택하는 데에 자신보다 다른 독자들이 더 크게 영향을 받을 것이라고 여긴다. 이러한 현상을 데이비슨은 '제3자 효과'라고 하였다.

1 (가)와 (나)의 내용 전개 방식으로 적절하지 **않은** 것은 무엇인가요?

① (가): 제3자 효과가 나타나게 된 배경과 관련된 사건을 소개하고 있다.

② (나): 묻고 답하는 방식으로 제3자 효과의 개념과 특징을 구체적으로 설명하고 있다.

> 우리가 읽는 글 대부분이 '일반-구체'의 구조야!

생각읽기가 수능이다! [일반-구체]의 생각 구조에서 글쓴이의 생각은 어떻게 알 수 있나요?

실제 수능에서 일반적 진술이 나온 뒤 구체적 진술이 나오면 일반적 진술에 초점을 둬 글을 읽으면 돼! 구체적 진술이 나올 때 '예를 들어, 가령' 등 신호어가 없을 때도 많다는 점에 주의하구!

자본주의의 토대가 된 시장 경제

시장 경제 시스템

Q 애덤 스미스가 시장 경제에
미친 영향은 무엇인가요?

시장 경제는 무엇을 의미하는가? 그것은 사회적 ㉠분업 속에서 개인 간의 협동이 시장에 의해 이루어지는 시스템이다. 이때 시장은 어떤 장소가 아니라 하나의 '과정'이다. 그 안에서 이루어지는 생산, 판매 그리고 소비에 의해 개인들은 자신의 의사와는 관계없이 사회의 전체적 ㉡운영에 기여하게 된다. 우리는 시장 경제에서 자연스러운 하나의 질서를 발견할 수 있다. 이를 두고 흔히 교통질서와 같은 인위적인 질서와 구분해서 '자생적 혹은 자발적 질서'라 부른다. 다시 말하면 시장 질서는 시장에 참여하고 있는 사람들이 자신이 할 수 없는 행동 영역을 제외한 범위 내에서 가장 유리한 행동을 선택한 결과로 자연스럽게 이루어진 질서이다.

인류의 역사 속에서 시장 경제는 그 기원을 알 수 없을 정도로 아주 오래전부터 존재하고 있었다. 시장 경제가 활성화된 17~18세기 유럽의 지식인들은 이미 개인의 이익과 사회의 이익 사이에 숨겨진 비밀을 정확하게 꿰뚫고 있었다. 이때 시장 질서의 본질을 정확하게 분석하여 새로운 질서관을 ㉢제고할 수 있게 만든 사람이 바로 애덤 스미스이다. 그는 그동안의 학자들이 주장해 온 바를 종합하여 시장 질서의 운영 원리를 누구든지 납득할 수 있게끔 명확하게 밝혀냈다. 오늘날 전 세계에 광범위하게 퍼진 자본주의 체제의 핵심적인 원리의 토대는 애덤 스미스의 자유 시장 경제 이론인 것이다. 또한, 애덤 스미스는 모든 국가가 부를 증대시킬 수 있는 방법을 고안하기 위해 노력하였으며, 이러한 노력 끝에 그는 인간의 창조성을 가장 잘 발휘하도록 고안된 체제가 자유 시장 경제 체제라는 결론에 도달했던 것이다.

애덤 스미스는 개인들이 자신들의 이기적인 욕망을 실현하는 것이 오히려 사회 구성원 모두가 풍요롭고 행복해질 수 있게 만든다고 보았다. 즉, 시장 경제하에서는 개인의 사익 추구가 사회 전체의 이익을 ㉣증진시키게 된다고 주장하였다. 그는 국가나 봉건 귀족 또는 상인 연합체인 길드가 시장에 간섭하지 않고, 누구든지 상품을 자유롭게 생산, 판매, 소비할 수 있는 자유 시장 경제 시스템을 갖추어야 한다고 보았다. 여기서 자유란 시장 참여자들이 그 누구에게서도 간섭받지 않는 것을 의미한다.

자유 시장 경제에서는, 생산자는 더 많은 이익을 얻기 위해 다른 생산자들과 경쟁을 하게 된다. 그런데 소비자들은 더 싼 가격에 더 좋은 물건을 구입하고자 하는 이기적인 욕망을 가지고 있다. 그리고 자유로운 시장에서는 상품의 생산과 공급량은 누군가가 정하는 것이 아니라, 소비자들의 수요량과 생산자들의 공급량에 따라 결정되는데, 이것을 '보이지 않는 손'이라고 한다. 가격 역시 마찬가지로 보이지 않는 손에 의해 결정된다. 생산자들은 더 많은 이익을 얻기 위해 소비자의 수요가 많은 상품을 생산하여 이익을 얻게 된다. 생산자들은 더 많은 이익을 얻기 위해 서로 경쟁하게 되고, 이로 인해 소비자들은 더 좋은 품질의 상품을 더 싼 가격에 살 수

있게 된다. 결국 생산자와 소비자 모두 이익을 얻게 되며, 이 과정에서 자원의 배분 역시 효율적으로 이루어지게 된다.

그러나 시장 경제 체제는 개인의 이기적 욕망 실현을 최고의 가치로 내세웠기 때문에, 사회 공동체적 가치와 충돌하게 되는 문제가 발생하기도 하였다. 빈익빈 부익부라는 분배

의 불평등 문제나 환경 오염과 같은 문제들이 발생했다. 특히 경제적 불평등 문제는 공산주의, 사회주의 체제라는 새로운 체제를 만들어 내게 되었다. 그러나 자본주의 체제와 경쟁하던 공산주의, 사회주의 체제는 비록 공동 생산, 공동 분배라는 인류의 원시적인 본능에는 부합하지만, 인간의 자발성과 창조성을 이끌어 낼 수 없었기 때문에 결국 실패하고 말았다. 그 결과 오늘날 상당수 국가의 경제 체제는 시장 경제 체제로 ⑩수렴하되, 정부가 시장에 일정 정도 개입하여 문제점을 보완하는 체제로 발전하였다.

0 이 글에서 언급하지 <u>않은</u> 것은 무엇인지 고르세요.

① 시장 질서가 지닌 성격 ☐
② 자유 시장 경제 체제의 원리 ☐
③ 자유 시장 경제 체제의 몰락 ☐
④ 자유 시장 경제 체제의 문제점 ☐
⑤ 자유 시장 경제 체제의 장점 ☐

1 이 글의 내용과 일치하지 <u>않는</u> 것은 무엇인가요?

① 오늘날 자본주의 체제는 정부의 시장 개입을 허용한다.

② 시장 경제의 시장에서는 생산과 판매 그리고 소비가 이루어진다.

③ 애덤 스미스의 경제 이론을 바탕으로 하여 시장 경제가 탄생하였다.

④ 시장 경제에서 개인은 자신에게 가장 유리한 선택을 하는 존재이다.

⑤ 시장 경제에서는 개인이 자신의 이익을 추구하는 것을 정당하게 본다.

2 이 글을 바탕으로 〈보기〉를 이해한 내용으로 적절한 것은 무엇인가요?

─┤ 보 기 ├─

　독점 기업은 시장에 상품을 유일하게 공급하는 기업이고, 과점 기업은 상품을 공급하는 소수의 기업을 의미한다. 시장이 독점이나 과점 기업에 의해 지배되는 불완전한 경쟁 상태가 되면 시장 기능이 제대로 발휘되지 않는다. 독과점 시장에서는 시장에 대한 지배력을 가진 기업이 상품의 가격과 수량을 마음대로 정하기 쉽기 때문이다. 독점 시장의 경우 독점 기업은 보다 많은 이익을 얻기 위해 높은 가격에 적은 공급량을 유지하려 할 것이고 과점 시장의 경우에도 몇 개의 기업들이 보다 많은 이익을 얻기 위해 담합을 하면 유사한 문제가 발생하여 시장 기능이 제대로 발휘되지 않게 된다.

① 소비자가 시장에 적극적으로 참여하지 않아 시장 경제가 실패한 경우이다.

② 정부가 시장에 지나치게 개입하여 시장의 자발적 질서가 사라진 경우이다.

③ 시장의 여건이 불완전하여 '보이지 않는 손'이 제대로 작동하지 못하는 경우이다.

④ 상품이 가진 특성으로 인해 '보이지 않는 손'이 제대로 작동하지 못하는 경우이다.

⑤ 생산자가 품질이 낮은 상품을 시장에 공급함으로써 시장의 질서가 무너진 경우이다.

'독과점 시장'과 애덤 스미스가 말하는 시장 경제가 작동하는 방식에는 어떤 차이가 있을까? 〈보기〉를 읽고 독과점 시장의 특징을 파악하면 답을 쉽게 찾을 수 있어!

3 이 글과 〈보기〉를 읽은 반응으로 가장 적절한 것은 무엇인가요?

이 글에서 글쓴이가 공산주의와 사회주의에서 어떻게 평가하고 있는지 먼저 생각해 보자.

┤보 기├

　공산주의는 사유 재산을 인정하지 않고 재산의 공유를 실현시킴으로써 계급 없는 평등 사회를 이룩하려는 체제이고, 사회주의는 생산 수단을 사회적으로 공유하는 사회 체제를 통해 모든 사람이 평등하게 조화를 이루는 사회를 실현하려는 체제이다.

① 공산주의 체제와 사회주의 체제가 성공한 것은 공동 생산 분배 시스템 때문이군.
② 사회주의 체제와 달리 공산주의 체제는 구성원 간의 평등을 최대한 실현하려는 목적을 가지고 있군.
③ 공산주의 체제와 달리 사회주의 체제는 자유 시장 경제로부터 멀어진 체제의 한계를 보여 주고 있군.
④ 모든 체제가 자유 시장 경제 체제로 수렴된 것은 공산주의나 사회주의보다 자본주의가 인류의 원시 본능과 잘 맞았기 때문이군.
⑤ 공산주의 체제나 사회주의 체제가 아닌 자유 시장 경제 체제가 오늘날 정착되게 된 것은 인간의 자발성과 창조성을 이끌어 낼 수 있었기 때문이군.

4 ㉠~㉤의 사전적 의미로 적절하지 <u>않은</u> 것은 무엇인가요?

① ㉠: 일을 나누어서 함.
② ㉡: 조직이나 기구, 사업체 따위를 운용하고 경영함.
③ ㉢: 쳐들어 높임.
④ ㉣: 기운이나 세력 따위가 점점 더 늘어 가고 나아감.
⑤ ㉤: 어떤 일을 하여 얻은 성과.

자연의 성질, 카오스

'카오스'라는 단어는 수학자였던 제임스 요크가 1975년『미국 수학 월간』에 제출한 자신의 논문에 처음 도입하면서 이 분야를 대표하는 개념으로 널리 사용되기 시작했는데 흔히 '매우 복잡한 혼돈 양상' 혹은 '무질서 상태'라는 뜻으로 사용되었다. 이는 코스모스*를 잉태하기 전 카오스 상태라는 창세기 구절에서 따온 말로 그 안에 질서를 품고 있다는 의미를 내포하고 있다. 카오스는 두 개의 진자가 결합된 운동이나 수도꼭지에서 물방울이 떨어지는 운동, '태양–지구–달'의 삼체 운동 같은 단순한 물리 시스템뿐 아니라 심장이나 뇌의 전기 화학적 활동, 화학 반응, 날씨 변화 등 자연계에 존재하는 거의 대부분의 시스템에서 발견된다.

㉠카오스를 물리적인 관점에서 정의하자면, 정해진 규칙에 의해 운동하는 결정론적인 시스템이 초기 조건에 따라 민감하게 변하는 특성을 말한다. 북경에서 나비가 펄럭이며 날개짓을 하면 뉴욕에 폭풍이 몰아친다는 나비 효과는 카오스의 본질을 정확히 짚어 낸 표현이라 할 수 있다. 바람이 불거나 폭풍이 치는 것과 같은 날씨 변화는 고도에 따른 기온과 기압의 함수 관계에 의해 기술되는 전형적인 결정론적인 시스템이다. 하지만 이들의 함수 관계는 매우 복잡하고 비선형적*인 까닭에 작은 변화에도 큰 영향을 받을 수 있어 날씨의 장기 예측은 본질적으로 불가능하다는 것이다. 미국의 기상학자 에드워드 로렌츠는 컴퓨터 기상 예측 시뮬레이션을 하다가 이러한 카오스의 특성을 처음 발견했다. 그는 소수점 아래 세 자리 이하는 별 영향을 미치지 않을 것이라 판단하고 초기값을 적당히 반올림해 입력한 결과값이 원래 값과 전혀 다른 값으로 출력되는 것을 보고, '초기 조건의 민감성'이란 카오스 개념을 처음 제안했다.

카오스가 과학자들에게 주목받는 이유는 결정론적인 시스템이 예측 불가능한 상태에 놓일 수 있음을 단적으로 보여 주고 있기 때문이다. 17세기 뉴턴이 만유인력의 법칙*을 발견한 이후 우주의 운행이 톱니바퀴처럼 정해진 규칙대로 돌아간다고 여겼던 물리학자들은 초기 조건만 주어지면 미래가 이미 결정되어 있다고 믿었다. 반면 도박장에 던져진 주사위처럼 확률적인 시스템의 경우에는 그 운동이 무작위적이어서 예측 불가능하며, 우리는 그 시스템을 확률·통계적인 방법으로 기술할 수밖에 없다고 생각했다. 이렇듯 20세기 전까지 과학자들은 모든 자연계를 결정론적인 시스템과 확률론적인 시스템으로 나누어 이해해 왔다. 그러나 카오스는 결정론적인 시스템이라 하더라도 비선형적인 특성이나 복잡한 상호 작용에 의해 시스템이 얼마든지 복잡한 양상을 보일 수 있고, 그로 인해 '예측 불가능'한 상태에 놓일 수 있음을 역설한다. 그리고 카오스가 특수한 경우에만 관찰되는 것이 아니라 자연계 도처에 존재한다는 사실은 자연에 존재하는 복잡성의 기원을 카오스로 설명할 수 있을 것이라는 가능성을 제시하고 있다. 카오스를 20세기 마지막 과학 혁명이라 부르는 것도 바로 그 때문이다.

카오스는 흔히 ㉡프랙탈과 함께 거론되곤 하는데, 그것은 카오스 특성을 가진 시스템이 시공간적으로 만들어 내는 패턴이 프랙탈적인 성질을 보이기 때문이다. 프랙탈은 세부 구조가 전체 구조를 끊임없이 반복하며 되풀이되는 양상을 말하며, 자기 유사성이라고도 불린다. 뿌리에서 뻗어 나온 나무줄기가 다시

가지를 치고, 그 가지가 다시 가지를 치면서 끊임없이 반복되거나, 그 끝에 매달린 잎 역시 가운데 줄기가 잔 줄기를 뻗어 내는 문양을 하고 있는 것이 프랙탈 패턴의 대표적인 예이다. 헬리콥터를 타고 영국의 해안선을 관찰할 경우 헬리콥터의 고도를 낮추면서 가까이 다가갈수록 좀 더 복잡한 굴곡이 나타나는 것을 볼 수 있다. 세계 지도 수준의 척도에서는 영국의 해안선이 둥근 선으로 표시되지만 해상도를 증가시키면서 세밀하게 그려 갈수록 해안선의 굴곡이 끊임없이 드러나 결국 무한대의 길이를 갖게 된다. 이처럼 프랙탈은 유한한 면적을 무한대의 둘레로 둘러싼다거나, 1, 2, 3차원 같은 단순한 도형이 아니라 1.37차원, 혹은 3.25차원 같은 소수 차원을 갖는다는 특징이 있다.

자연이 만들어 내는 '복잡하면서도 그 안에 나름의 질서가 있는 구조'가 무작위적으로 만들어진 것이 아니라 카오스 성질에 의해 발현된 것이라는 점에서 카오스와 프랙탈은 자연을 이해하는 중요한 두 개념으로 받아들여지고 있다. 카오스는 물리학 중에서도 통계 역학과 비선형 동역학 분야에서 주로 연구되어 왔으나, 최근에는 복잡한 시스템을 기술하는 데 필요한 새로운 이론을 만들고 탐구하는 복잡계 물리학 또는 네트워크 물리학 등에서 연구되고 있다.

* 코스모스: 고대 그리스의 우주관에서 비롯한 철학적 개념으로 질서와 조화를 지니고 있는 우주 또는 세계.
* 비선형적: 선처럼 길게 일렬로 나아가지 않는. 또는 그런 것.
* 만유인력의 법칙: 모든 물체 사이에는 서로 끌어당기는 힘이 작용하고, 그 크기는 두 물체의 질량의 곱에 비례하며 두 물체 사이 거리의 제곱에 반비례한다는 법칙.

0 **이 글의 중심 내용으로 가장 적절한 것은 무엇인가요?**

① 무작위적으로 일어나는 자연 현상
② 규칙을 알 수 없는 나비 효과 이론
③ 날씨 예측에 카오스가 미치는 영향
④ 현대 수학의 바탕이 된 카오스 개념
⑤ 자연을 이해하는 데 중요한 개념인 카오스와 프랙탈

1 이 글의 내용 전개 방식으로 가장 적절한 것은 무엇인가요?

① 중심 화제의 특성이 변화되는 과정을 서술하고 있다.
② 중심 화제의 등장 배경을 소개하고 특성과 활용 분야에 대해 설명하고 있다.
③ 중심 화제에 대한 다양한 사례들을 제시한 후 이를 유형별로 분류하고 있다.
④ 중심 화제에 대한 이론이 후속 연구에 의해 보완되는 과정을 고찰하고 있다.
⑤ 중심 화제의 역사적 기원에 대한 다양한 가설들의 의의와 한계를 평가하고 있다.

2 이 글의 내용과 일치하지 <u>않는</u> 것은 무엇인가요?

① 카오스는 창세기 구절에서 따온 말이다.
② 작은 변화에도 큰 영향을 받는 날씨는 장기 예측이 힘들다.
③ 카오스라는 단어는 날씨 예측을 위해 처음으로 사용되었다.
④ 결정론적인 시스템은 예측 불가능한 자연 환경을 완벽히 설명하지 못했다.
⑤ 프랙탈은 같은 구조가 반복되어 나타나는 양상으로 자연에서 흔히 발견된다.

3 ㉠과 ㉡의 관계로 가장 적절한 것은 무엇인가요?

① ㉠과 ㉡은 서로 반대되는 개념이다.
② ㉠의 특성을 잘 보여 주는 양상이 ㉡이다.
③ ㉡을 연구하는 중에 ㉠의 개념이 제시되었다.
④ ㉠과 달리 ㉡은 이론상으로만 존재하는 개념이다.
⑤ ㉠은 ㉡을 뒷받침하기 위해 후대에 도입된 개념이다.

4 이 글을 바탕으로 〈보기〉을 이해한 내용으로 적절하지 <u>않은</u> 것은 무엇인가요?

┤보 기├

　과학관에 전시된 ○○○ 수차는 매우 간단한 원리로 구성되어 있다. 일정한 간격으로 8개의 컵을 원형으로 수차에 매달고, 수차의 상부 중앙에서는 계속 일정한 양의 물을 흘려 준다. 이렇게 하면 물이 떨어지는 지점(수차 상부 중앙)에 있는 컵부터 물이 채워지는데, 이 컵은 왼쪽과 오른쪽 중 무거운 쪽으로 돌기 시작한다. 수차가 돌면서, 물이 떨어지는 지점을 지나가는 컵에는 계속해서 물이 조금씩 채워진다. 이러한 과정이 반복되면서 수차의 왼쪽과 오른쪽에 위치한 컵들의 무게는 수시로 달라진다. 그래서 수차의 회전 속도 또한 느려지기도 하고 빨라지기도 한다. 또한, 경우에 따라서는 수차가 정지했다가 반대로 돌기도 한다. 그런데 우리는 이러한 과정이 일어나는 동안 수차가 어떤 방향으로 돌아갈지, 어떤 속도로 돌지에 대해 전혀 예측할 수 없다.

> 〈보기〉에 제시된 수차의 작동 방식을 파악하고, '카오스 시스템'의 특징과 비교해 보아야 해. '카오스 시스템'은 어떤 특징을 지니고 있는지 생각해 보자.

① 수차의 회전 속도는 비선형적인 특성을 가지고 있다.
② 수차의 움직임은 '매우 복잡한 혼돈 양상'이라는 말로 표현할 수 있다.
③ 수차는 항상 무거운 컵이 있는 쪽으로 돌기 시작한다는 질서를 가지고 있다.
④ 아주 작은 물방울의 변화로도 수차의 회전 운동에 큰 변화가 나타날 수 있다.
⑤ 수차의 회전 방향은 왼쪽과 오른쪽 중 하나라는 점에서 결정론적 시스템에 의해 정해진다.

언어에 대한 다양한 접근법

물고기가 물 없이 살 수 없듯이, 언어가 결여된 인간은 사회적 삶을 온전하게 영위할 수 없다. 인간이 비교적 분절된 상징체계*로서의 언어를 획득한 것은 수백만 년 동안의 진화를 거치면서 가능해진 일이었다. 인간의 진화와 함께해 온 언어의 본질적 속성들 중 대표적인 것은 다음과 같이 정리할 수 있다.

첫째, 인간의 언어는 의미와 소리·이미지의 결합으로 이루어진 기호 체계이다. 언어 또는 말이라는 것은 인간의 생각, 느낌, 사물을 표현하거나 지시하기 위한 도구, 즉 기호이다. 예를 들어, 아직 말을 할 줄 모르는 아이가 귤을 나타내기 위해서는 귤 자체를 눈앞에 가져올 수밖에 없다. 그림책 속의 과일 그림을 손가락으로 ⓐ가리키는 것도 마찬가지이다. 그러다 아이는 '밥'이라는 실체에 'ㅂ+ㅏ+ㅂ'이라는 소리가 대응하는 것을 깨닫고 입을 통해 '밥'이라고 소리 내면 곧 그것이 '밥'을 가리킨다는 것을 알게 된다. 그런데 여기서 중요한 사실은, 'ㅂ'이라는 발음에는 전혀 우리가 먹는 '밥'이라는 요소가 담겨 있지 않다는 점이다. 그것은 우리의 '밥'을 영어로는 'rice'라 하며 불어로는 '리(riz)'라고 말하는 것을 통해서도 알 수 있다. 즉 밥을 나타내는 음성이나 글자의 기호성은 의미와 직접적·필연적으로 결부되어 있는 것이 아니다.

둘째, 언어는 유한한 요소로 무한한 수의 문장을 생성할 수 있는 창조성을 지니고 있다. 예컨대 한글의 자음과 모음은 고작 40개에 불과하지만 자음과 모음을 결합하여 우리는 수백만 개의 단어를 만들어 낼 수 있으며, 다시 이 엄청난 수의 단어를 결합하여 무한대의 문장을 생성해 낼 수 있다.

셋째, ㉠언어의 구성 요소들은 상호 관련성을 맺고 있는 복잡한 체계를 형성하고 있으며 고립적으로 존재하지 않는다. 달리 말하면, 각각의 단어들은 다른 단어들의 이미지를 불러오며 상호 관련성을 맺고 있다. 예를 들어 '빨갛다'라는 단어에는 색감의 이미지만 있는 것이 아니라 '불, 피, 열정' 등의 이미지도 있으며, '사과'의 이미지를 떠오르게 할 수도 있다. 이처럼 한 단어와 잠재적으로 존재하는 다른 단어들 사이의 관계를 '연합체적 관계'라 하는데, 이러한 '연합체적 관계'에서는 어떤 절대적 중심이나 종료에 해당되는 단어가 존재하지 않는다.

언어에 접근하는 방법들에는 여러 가지가 있다. ㉮상식적 관점에서 볼 때 언어는 사고의 소통을 위한 운반체라고 할 수 있다. 이 관점에서는 언어를 개인의 마음속 생각들을 표현하는 과정으로 인식한다. 일차적으로 화자의 의도나 전달하고자 하는 의미가 있고, 언어를 이 의도나 의미를 전달하기 위한 부차적 도구로 보는 것이다. 이와는 다른 접근법도 존재한다. 언어가 있는 그대로 세계를 우리에게 표상*하는 것인지 아니면 언어가 세계를 구성하는 것인지 아니면 언어가 비언어적 실재들을 지시하는 데 성공한 것인지와 같은 형이상학, 존재론, 인식론 등의 관점에서 언어의 본질을 살피는 것이다. 언어 철학자 데리다는 서구 형이상학의 전통을 의미와 의도의 본질에 대한 일련의 전제 조건들의 집합을 구현하는 것으로 파악한 바 있다. 그러한 전제 조건들 가운데서 두드러진 태도는 의미가 화자들의 눈앞의 문제이며 문자는 의미의 위계에서 이차적이라는 가정이다. 그와 유사하게 주체성이 의미의 근원이라는 견해는 주체에 대한 특별한 존재론을 전제로 한다. 즉 의미 생성의 직접적인 원인은 바로 주체라는 생각이다. 이 밖에도 언어의 규범과 공동체의 문제 등이 고려되어야 할 것이며 이것은 곧 언어에 대해 온전히 설명하기 위해서는 의미의 구성에 관여하고 있는 문화적 요인들에 대해 세심하게 주의를 기울여야 한다는 점을 시사한다.

* 상징체계: 상징이 엮어 내는 체계. 각 사회·문화에 따라 서로 다른데, 세계를 탐구·인식·표현하기 위하여 사용한다.
* 표상: 추상적이거나 드러나지 아니한 것을 구체적인 형상으로 드러내어 나타냄.

0 이 글에서 글쓴이가 말하고자 하는 핵심 화제가 무엇인지 고르세요.

① 언어와 사회의 관계 ☐
② 언어를 통한 의사소통 과정과 한계 ☐
③ 언어의 예술적 특성과 미학적 요소 ☐
④ 언어의 특징과 언어에 대한 접근법 ☐
⑤ 언어의 생성 과정과 언어의 본질적 속성 ☐

1 **이 글에서 확인할 수 <u>없는</u> 내용은 무엇인가요?**

① 언어는 인간의 사회적 삶에 필수적인 요소이다.
② 언어의 구성 요소들은 상호 간에 밀접한 관계를 맺고 있다.
③ 언어는 의미와 소리·이미지의 결합으로 이루어진 기호 체계이다.
④ 언어는 한정된 요소를 통해 무한한 개수의 문장을 만들어 낼 수 있다.
⑤ 언어에서 대상의 의미와 이를 나타내는 음성·문자의 결합은 필연적이다.

2 **㉠의 예시로 가장 적절한 것은 무엇인가요?**

① '아름답다'는 형용사이므로 명령형 종결 표현에서는 사용할 수 없다.
② 누군가를 좋아하는 감정을 한국은 '사랑'이라고 하고 영국은 'Love'라고 한다.
③ '비둘기'라는 단어에는 조류의 하나라는 의미뿐만 아니라 '평화'의 이미지도 담겨 있다.
④ '어리다'는 15세기에는 '어리석다'라는 뜻으로 쓰였지만 현대에는 '나이가 어리다.'라는 뜻으로 쓰인다.
⑤ '천'이라는 뜻을 가진 '즈문'이라는 단어는 중세 국어에서는 사용되었지만 현대 국어에서는 사용되지 않는다.

㉠에서는 언어의 연합체적 관계를 설명하고 있어. 단어가 다른 단어들의 이미지를 불러 오며 상호 관련성을 맺고 있다는 것에 주목하자.

3 ㉮와 〈보기〉의 ㉯에 대한 설명으로 가장 적절한 것은 무엇인가요?

┤보 기├

　㉯후기 구조주의에서 언어는 기호 체계로 이해되며 존재론적으로 독립하는 의미적 과정이다. 화자의 의도 같은 것들은 모두 언어의 존재 덕분에 가능한 것이다. 다시 말해 화자들은 언어 안에서 구성되는 것으로 여겨지며 결코 존재론적으로 언어에 선행하는 것으로 여겨지지 않는다.

> ㉮ '상식적 관점'과 〈보기〉의 ㉯ ' 후기 구조주의'에서 언어를 어떻게 보고 있는지 묻는 문제니까, 선지가 무엇에 대한 설명인지에 주의를 기울여야 해. '～ 와(과) 달리', '모두' 등의 말에 표시해 두고, 헷갈리지 않도록 하자.

① ㉮와 달리 ㉯는 화자를 언어에 선행하는 요소로 인정한다.
② ㉯와 달리 ㉮는 화자가 언어 체계 안에서 구성되는 것으로 인식한다.
③ ㉮와 ㉯는 모두 언어를 화자의 의미 전달에 부속되는 전달 도구로 본다.
④ ㉮는 의미를 전달하는 화자를 중시하지만, ㉯는 기호 체계로서의 언어의 독립성을 중시한다.
⑤ ㉮는 언어 덕분에 화자의 의도 전달이 가능하다고 평가하고, ㉯는 화자가 있어 언어의 기능이 살아난다고 평가한다.

4 ⓐ와 바꿔 쓰기에 가장 적절한 것은 무엇인가요?

① 지명(指名)하는
② 지시(指示)하는
③ 지정(指定)하는
④ 지목(指目)하는
⑤ 지원(支援)하는

Q 기울어진 자전축과 지구의 공전으로 인해 나타나는 북극의 특이한 기후 현상은 무엇인가요?

북극의 기후와 지구 기후 시스템

북극은 북위 66.5도 이북의 언제나 얼음으로 덮여 있는 지역을 지칭한다. 대륙 위에 거대한 얼음이 쌓여 있는 남극과 달리 북극은 바다 위에 두꺼운 얼음이 떠 있다. 그래서 북극을 북극해라고 부르기도 한다. 북극해는 지구 전체 바다 면적의 약 3%를 차지하며, 겨울철에는 대부분이 얼음으로 덮여 있지만, 여름이 되면 얼음 면적이 겨울철의 약 30% 정도로 줄어든다.

지구는 자전축이 약 23.5° 기울어진 채 태양을 공전하기 때문에, 극지방에서는 낮과 밤이 1년 단위로 나타난다. 남극과 달리 북극은 춘분*과 추분* 사이의 기간이 여름철인 동시에 24시간 해가 떠 있는 백야*가 나타난다. 북극의 여름은 계속해서 태양에서 오는 열복사 에너지를 받지만, 문제는 통과해야 하는 대기층이 두꺼워서 대기층을 통과하면서 많은 양이 사라져 버린다는 점이다. 대기의 구름, 먼지, 이산화 탄소, 수증기 등은 열을 전달하는 열복사 에너지를 반사·산란·흡수해 버린다. 중위도 지역에서도 실제 지표면에서 흡수하는 복사 에너지는 전체 입사 에너지 중 절반 정도에 불과한데, 북극은 훨씬 더 두꺼운 대기를 통과해야 하는 것이다. 그나마 도착한 복사 에너지도 눈과 얼음에 부딪히면 반사되어 버린다. 겨울철이 되면 아예 해가 뜨지 않는 극야가 나타나므로, 북극의 온도는 더 낮아질 수밖에 없다.

이런 점 때문에 사람들은 북극의 기온은 항상 매우 낮을 것이라고 생각한다. 하지만 이것은 북극점 주위의 중심부에만 해당하고, 주변부의 경우에는 여름철에 영상 10도 정도까지 상승한다. 이렇게 북극의 기후가 통념과 다른 이유는 북극이 바다이기 때문이다. 북극해는 유라시아 대륙과 북아메리카 대륙으로 둘러싸여 있는데, 알래스카에 인접한 좁은 베링해협으로는 태평양과 연결되고, 노르웨이와 그린란드 사이 넓은 노르웨이해를 통해서는 대서양과 연결된다. 그래서 북극해는 대서양에서 흘러오는 북대서양 해류에 영향을 받는다. 표면에서 흐르는 북대서양 해류는 적도 부근 멕시코만에서부터 시작하는 따뜻한 난류로, 북대서양을 가로질러 북극해로 이어진다. 그래서 고위도 지역인 노르웨이해를 포함한 북극해 주변부에서는 상대적으로 온도가 높은 바닷물의 열이 대기에 전달된다. 게다가 여름철 북극 상공의 대기는 태양 복사 에너지를 적게나마 받고 있기 때문에, 북극해 주변부의 기온은 생각보다 높게 나타나는 것이다.

지구 전체 기후 시스템에서 볼 때 북극은 매우 중요한 역할을 한다. 온실 효과를 유발하여 기온을 상승시키는 이산화 탄소는 생태계 활동과 인간의 산업 활동에 의해 발생하지만, 식물 등의 육상 생태계와 바다에 의해 흡수된다. 이 발생량과 흡수량의 차이가 대기 중 이산화 탄소 농도를 결정하는데, 여기서 바다가 대기 중 이산화 탄소 농도를 낮춘다는 것을 알 수 있다. 그런데 이산화 탄소는 차가운 물에서는 잘 녹고 따뜻한 물에서는 잘 녹지 않는 성질이 있기 때문에, 상대적으로 수온이 낮은 북극해는 이산화 탄소의 저장고 역할을 하게 된다. 또한 앞서 살펴보았듯이 북극의 눈과 얼음은 태양 복사 에너지를 반사한다. 이는 태양 복사 에너지 흡수량을 낮춘다는 의미로 해석할 수 있으며, 지구 전체로 보았을 때 북극이 지구의 태양 복사 에너지의 흡수량을 낮춘다는 것을 의미한다.

이렇게 북극은 온실 효과를 유발하는 대기 중 이산화 탄소의 농도를 낮출 뿐만 아니라, 태양에서부터 흡수되는 열에너지의 양도 줄어들게 만듦으로써, 지구 기후 시스템이 안정적으로 작동하게 만든다. 북극의 기후와 환경은 인간을 거부하는 혹독한 환경으로서만 존재하는 것이 아니라, 지구 전체 기후에 큰 영향을 미치며 지구 온난화 현상과 밀접한 관계를 가지고 있다. 과학자들이 북극의 얼음 면적 감소에 특별한 관심을 가지고 연구하는 이유도 바로 여기에 있는 것이다.

* 춘분: 24절기 중 4번째. 경칩과 청명의 사이로 절기(양력 3월 21일 무렵)로, 낮과 밤의 길이가 같음.
* 추분: 24절기의 16번째. 백로와 한로 사이의 절기(양력 9월 20일 무렵)로, 낮과 밤의 길이가 같음.
* 극야: 겨울철 고위도 지방이나 극지방에서 추분부터 춘분 사이에 오랫동안 해가 뜨지 않고 밤만 계속되는 상태.

0 **이 글의 주제로 가장 적절한 것은 무엇인가요?**

① 북극과 남극의 기후 차이
② 북극에서 낮의 길이와 기온의 관계
③ 북극이 지구 기후 시스템에 미치는 영향
④ 이산화 탄소와 지구 온도 변화와의 상관성
⑤ 대기와 해류에 의해 순환되는 태양 복사 에너지

1 이 글의 내용 전개 방식으로 가장 적절한 것은 무엇인가요?

① 과학적 지식을 바탕으로 대상의 특징을 설명하고 있다.

② 전문가의 말을 인용하여 특정 현상의 원인을 규명하고 있다.

③ 자연 현상이 일어나는 과정을 시간 순서에 따라 제시하고 있다.

④ 가설을 세운 후 과학적 방법을 사용하여 타당성을 입증하고 있다.

⑤ 서로 다른 대상이 갖고 있는 유사성을 중심으로 논지를 전개하고 있다.

2 북극의 기후와 환경에 대해 이해한 내용으로 적절하지 <u>않은</u> 것은 무엇인가요?

① 북극 주변부의 기온은 해류의 영향으로 북극의 중심점보다 더 높다.

② 북극을 둘러싼 주변 지형과 지구의 자전축은 북극의 기후에 영향을 준다.

③ 겨울철 북극에는 태양의 열복사 에너지가 닿지 않아 얼음 면적이 늘어난다.

④ 겨울철 북극해의 얼음 면적은 여름철 북극해의 얼음 면적보다 세 배 이상 더 넓다.

⑤ 여름철 북극의 온도가 적도 지역보다 낮은 이유는 해가 떠 있는 시간이 적기 때문이다.

3 여름철 북극의 기온이 사람들의 통념보다 높게 나타나는 이유끼리 바르게 묶인 것은 무엇인가요?

ㄱ. 북대서양 해류의 수온이 대기의 온도보다 더 높다.
ㄴ. 얼음의 영향으로 태양으로부터 전달되는 열이 반사된다.
ㄷ. 낮이 지속되므로 태양 복사 에너지가 일정 수준까지 전달된다.
ㄹ. 태양 복사 에너지가 두꺼운 대기층을 통과하면서 흡수·산란된다.

① ㄱ, ㄴ   ② ㄴ, ㄷ   ③ ㄷ, ㄹ
④ ㄱ, ㄷ   ⑤ ㄴ, ㄹ

4 이 글을 읽은 학생이 〈보기〉의 자료를 보고 추론한 내용으로 가장 적절한 것은 무엇인가요?

┤ 보 기 ├

　북극 해빙* 영역이 가장 넓은 3월은 4년 이상 된 두꺼운 해빙이 1980년대에는 20% 이상을 차지했는데 2010년대에는 10% 이하로 줄어들었다. 반대로 해빙 면적이 가장 작은 9월 해빙 영역은 위성 관측이 시작된 1979년 이후 10년마다 약 13%씩 줄고 있다. 과학자들은 21세기 안에 해빙이 여름철 북극해에서 사라질 것으로 전망하고 있다.

* 해빙: 바다 얼음

① 북극의 겨울철 두꺼운 해빙 면적이 줄어들고 있는 것은, 이산화 탄소가 차가운 물에 더 잘 녹는 현상과 관련된다.
② 북극의 겨울철 두꺼운 해빙 면적이 1980년대보다 줄어든 것은, 북극이 이산화 탄소의 저장고 역할을 하지 못하게 되었기 때문이다.
③ 북극의 여름철 해빙이 사라지면 대기 중 이산화 탄소 농도는 낮아지지만, 지구 전체의 태양 복사 에너지 흡수량은 늘어나게 될 것이다.
④ 북극의 겨울철 해빙이 사라지면 북극해의 이산화 탄소 흡수량이 늘어나고, 지구 전체의 태양 복사 에너지 흡수량은 줄어들게 될 것이다.
⑤ 북극의 여름철 해빙이 매년 10%가 넘게 줄어들고 있는 현상은, 대기 중 이산화 탄소가 북극해의 바닷물에 더 많이 녹고 있기 때문에 발생한다.

Q 다음은 생각을 읽을 수 있는 지문 구조도를 퍼즐로 나타낸 것입니다. 앞에서 읽은 글의 내용을 떠올리며 생각읽기 1~6에 해당하는 퍼즐을 선으로 연결해 보세요.

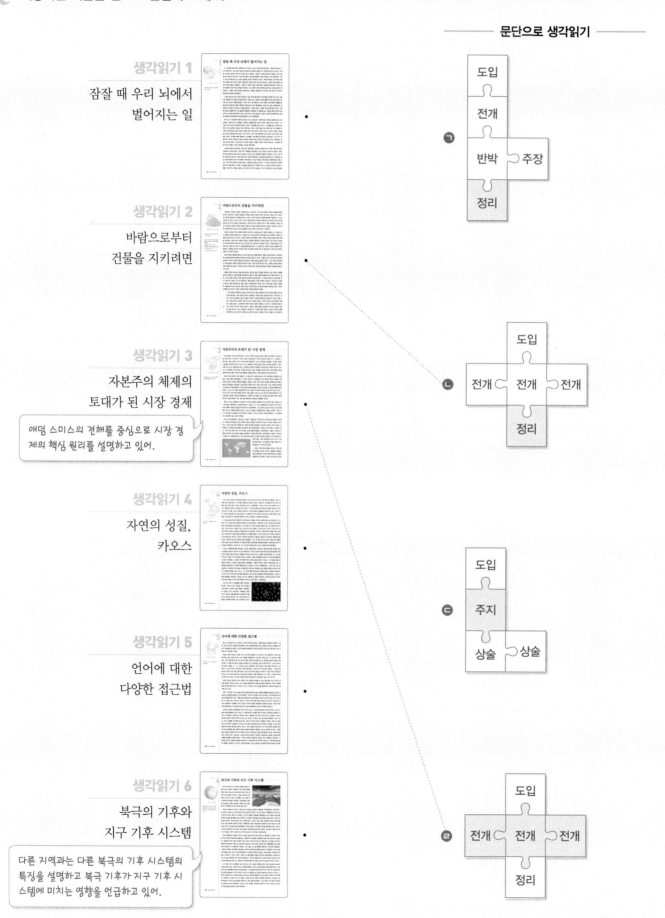

문단으로 생각읽기

생각읽기 1
잠잘 때 우리 뇌에서 벌어지는 일

생각읽기 2
바람으로부터 건물을 지키려면

생각읽기 3
자본주의 체제의 토대가 된 시장 경제

애덤 스미스의 견해를 중심으로 시장 경제의 핵심 원리를 설명하고 있어.

생각읽기 4
자연의 성질, 카오스

생각읽기 5
언어에 대한 다양한 접근법

생각읽기 6
북극의 기후와 지구 기후 시스템

다른 지역과는 다른 북극의 기후 시스템의 특징을 설명하고 북극 기후가 지구 기후 시스템에 미치는 영향을 언급하고 있어.

ㄱ
도입 / 전개 / 반박 – 주장 / 정리

ㄴ
도입 / 전개 – 전개 – 전개 / 정리

ㄷ
도입 / 주지 / 상술 – 상술

ㄹ
도입 / 전개 – 전개 – 전개 / 정리

1 잠은 수면 물질과 수면 유도체, 생체 시계로 인해 나타나는 현상으로, 잠이 들면 비렘수면 상태에서 시작하여 '☐☐☐'으로 진행되고 다시 반대로 진행되는 과정이 반복되면서 뇌의 활동이 이루어진다.

2 바람으로부터 건물을 지키는 방법으로는 건물의 모양이나 단면적 등 건물의 외관을 바꾸는 방법, 진동을 흡수하는 ☐☐ 장치를 설치하는 방법 등이 있다.

3 시장 질서의 운영 원리를 밝혀낸 애덤 스미스에 의해 자본주의 경제 체제의 토대가 만들어졌으며, 인류는 여러 가지 체제를 실험하였으나 대부분은 자유 ☐☐ ☐☐ 체제로 수렴하게 되었다.

4 '매우 복잡한 혼돈 양상, 무질서 상태'를 의미하는 카오스는, 세부 구조가 전체 구조를 끊임없이 반복하는 양상을 의미하는 개념인 ☐☐☐ 과 함께 예측 불가능한 자연을 이해하는 데 중요한 개념으로 받아들여지고 있다.

5 ☐☐ 는 기호성, 창조성, 상호 관련성이라는 본질적 속성을 지니고 있으며, 언어의 본질을 어떻게 규정하느냐에 따라 언어에 대한 다양한 접근법이 존재한다.

6 북극은 지구 전체의 ☐☐☐☐ ☐☐ 농도를 낮추고, 북극의 눈과 얼음은 지구 전체의 태양 복사 에너지 흡수량을 낮추어, 지구 기후 시스템을 안정시키는 역할을 한다.

우리는 어떻게 시스템을 만들까?

"모든 것은 관련되어 있고, 나름의 질서 속에서 움직인다"

시스템을 이해하는 것은 대상이 어떻게 작동·작용하는가를 이해할 수 있게 만들어 줍니다. 그래서 시스템을 제대로 이해하고 있으면 문제가 생겼을 때 이를 바로잡을 수 있고, 단점을 보완하여 더 나은 수준으로 끌어올릴 수 있으며, 어떤 일이나 현상이 발생했을 때 앞으로 어떤 일이 일어나게 될지 예측할 수 있게 만들어 줍니다. 즉, 시스템에 대한 이해는 과거와 현재를 이해하는 것인 동시에, 미래를 이해하는 것입니다.

나는 시스템을 창조해야 한다.
그렇지 않으면 다른 이의 시스템에 예속되니까.
– 윌리엄 블레이크

07 미래

생각의
발견

미래를 말하다!

점을 치거나 사주를 보는 것, 노스트라다무스의 예언, 그리스로마 신화 속 신탁, 그리고 일기 예보에 이르기까지. 이 모든 것들에는
미래에 대해 알고 싶어 하는 마음이 반영되어 있습니다. 인간이 미래를 궁금해하는 것은 어제오늘의 일이 아닙니다. 그래서
'미래학'이라는 학문도 생겨난 것이겠지요. 엘빈 토플러로 대표되는 미래학은 미래 사회의 모습을 다양하게 예측합니다. 토플러가 예견한
그 미래 속에 살고 있는 우리는 또 다른 미래를 상상하고 예측합니다. 이제는 실현되어 버린 과거의 미래인 현재와 아직은 실현되지
않은 다가올 미래를 그려 보며 현재의 우리가 새롭게 만들어 나가야 할 미래는 어떠한 모습일지 생각해 볼까요?

앨빈 토플러의 미래학

미래 연구

Q 토플러가 물결 이론에서 설명한 세 가지 물결은 무엇인가요?

어떤 분야든 그 분야를 상징하는 이들이 있기 마련이다. 철학이라면 칸트, 음악이라면 베토벤, 미술이라면 고흐가 이에 해당할 것이다. 그리고 만일 분야가 미래학이라면 그 상징적 인물은 ⓐ단연 앨빈 토플러가 될 것이다. 1970년『미래 충격』이라는 책으로 자신의 존재를 알린 앨빈 토플러는 기술적 변화가 가져온 개인과 집단의 변동을 언급하고, 기술 발전을 현대 사회 변동의 원동력으로 파악하는 미래학의 분석틀을 제안했다. 이후 토플러는 1980년 그의 대표작인 『제3의 물결』에서 ㉠물결 이론을 통해 현대 사회의 변화 양상을 설명했으며 특히 21세기 정보화 사회를 예견하였다.

토플러는 세 번의 커다란 사회 변화를 물결에 비유하여 설명했다. 그의 구분에 따르면 제1의 물결은 농업 혁명, 제2의 물결은 산업 혁명, 제3의 물결은 정보 혁명이다. 제1의 물결인 농업 혁명은 과거 채집과 수렵을 중심으로 한 사회에서 농경 사회로 옮겨 간 혁명적인 변화를 일컫는다. 신석기 혁명이라고도 하는 이 변화를 통해 인류는 채집 경제에서 농경과 목축이라는 생산 경제로 들어서게 되었다. 제2의 물결인 산업 혁명은 농경 사회에서 대량 생산을 기반으로 하는 산업 사회로의 ⓑ변혁을 일컫는다. 토플러는 산업 사회를 대량 생산과 대량 분배, 대량 소비, 대중문화 등에 기반을 둔 사회로 설명했다. 또한 표준화와 중앙 집중화로 연결된 산업 사회는 관료제*를 통해 운영되며 핵가족과 공장, 교육 시스템, 기업의 조직화 등을 산업 사회의 특징이라 말했다. 제3의 물결은 과학 기술에 의한 정보 혁명이다. 토플러는 후기 산업 사회라고도 불리는 정보화 사회의 특징으로 탈대량화와 다양화, 지식에 기반을 둔 생산 등을 꼽았다. 그는 산업 사회와 달리 정보화 사회에서는 다양한 생활 방식이 존재하며 기술의 발전으로 재택근무가 일상화될 것으로 보았다. 산업 측면에서는 생산 과정에 직접 참여하는 소비자가 등장하는 등 생산자와 소비자 간의 거리가 좁아질 것으로 예측했다. 토플러는 제1의 물결에서 제2, 제3의 물결로 변화하는 기간이 점차 짧아진다는 사실에도 주목했다. 제1의 물결인 농업 혁명은 수천 년에 걸쳐 진행되었으나 제2의 물결인 산업 혁명은 약 300년 만에 이루어졌기 때문이다. 그는 제3의 물결인 정보 혁명은 20~30년 만에 이루어지리라 전망했다.

관점이 다른 글, 어떻게 읽어야 할까
상반된 관점이 나온다면, 글쓴이의 관점과 소통하라!
▶ 생각읽기가 수능이다 196쪽

그러나 토플러로 대표되는 미래학에 대해서는 상반된 평가가 존재한다. 한편에서는 미래학자들이 당장 일어나고 또 일어날 것으로 확실시되는 변화를 주목한다는 점에서 이들의 사상이 미래학이 아니라 현재학이라고 높이 평가한다. 하지만 다른 한편에서는 미래학이 자본주의의 미래를 장밋빛으로 포장해 현실의 모순과 위기를 ⓒ은폐함으로써 지배 이데올로기에 봉사한다고 비판한다. 하지만 분명한 것은 미래학은 정보 사회와 연관된 세계화 현상을 분석하고 세계의 미래를 예측하는 데 상당한 근거를 제공했다는 점이다. 특히 토플러가 저서를 통해 밝힌 미래에 대한 전망은 상당 부분 옳았던 것으로 보인다. 물론 토플러가 기술적 낙관주의를 과도하게 ⓓ부각시켰다는 점은 약점으로 꼽을 수 있다. 기술적 낙관주의는 정보 사회에서 근대 민주주의의 기반을 뒤흔들어 놓을 수 있는 개인이나 집단에 대한 새로운 감시 체제와 포퓰리즘*을 과소평가했기 때문이다.

현대 사회를 이끌어 가는 중요한 ⓔ원천은 지식과 정보라고 할 수 있다. 제4차 산업 혁명에서 볼 수 있듯 사회의 정보화 속도는 더욱더 빨라지고 그 영향은 갈수록 확대되고 있다. 토플러 미래학의 의의는 지식 정보 자체에 주목한 것을 넘어서 그것의 발전이 인간과 사회에 어떤 영향을 미치는지를 분석하고 전망한다는 데 있다.

> * 관료제: 특권을 가진 관료가 국가 권력을 장악하고 지배하는 정치 제도. 또는 그런 정치. 권위적 · 획일적 · 형식적 경향을 지닌 제도나 기구를 비판적으로 이르는 말이다.
> * 포퓰리즘: 인기를 좇아 대중을 동원하여 권력을 유지하려는 정치적 태도나 경향.

0 이 글을 바탕으로 할 때, 앨빈 토플러가 예측한 정보화 사회의 특징이 <u>아닌</u> 것은 무엇인가요?

① 탈대량화
② 기업의 조직화
③ 재택근무의 일상화
④ 지식에 기반을 둔 생산
⑤ 생산 과정에 직접 참여하는 소비자의 등장

예측이란 **미리 헤아려 짐작 가능한 걸** 말해!
문제에선 글의 내용으로 미루어 앞으로 벌어질 상황을 내다보게 할 때 사용해!

1 이 글에 대한 설명으로 가장 적절한 것은 무엇인가요?

① 미래학의 탄생 배경을 소개하고 있다.
② 미래학 발달에 숨은 이면을 밝히고 있다.
③ 미래학에 대한 상반된 평가를 소개하고 있다.
④ 지역에 따라 미래학이 어떻게 뿌리내렸는지 밝히고 있다.
⑤ 토플러의 생애를 바탕으로 미래학의 특징을 제시하고 있다.

"달 뒤에 정말 토끼가 살고 있어?"
숨은 이면이란 겉으로 나타나거나 눈에 보이지 않는 부분을 말해!

2 ⊙에 대한 설명으로 적절하지 <u>않은</u> 것은 무엇인가요?

① 토플러가 저서에서 제시한 이론으로 사회 변화를 커다란 물결에 비유한 것이다.
② 채집과 수렵을 중심으로 생활하던 사회에서 농경 사회로의 변화는 제1의 물결에 해당한다.
③ 농경 사회는 대량 생산을 특징으로 하는 데 비해, 산업 사회는 대중문화에 기반을 둔 사회라는 점에서 차이가 있다.
④ 토플러에 따르면 제1의 물결에서 제2의 물결로 변화하는 기간보다 제2의 물결에서 제3의 물결로 진행되는 기간이 짧다.
⑤ 토플러는 제3의 물결로 인해 정보화 사회가 오게 되면 재택근무가 일상화되고, 다양한 생활 방식이 존재할 것이라고 예견했다.

3 이 글의 미래학에 대한 입장이 <u>다른</u> 하나는 무엇인가요?

① 미래학은 제3의 물결 이후의 삶을 정확히 분석하였다.
② 세계 곳곳에서 일어날 다양한 변화를 예측하는 데 신뢰할 만한 근거를 제공했다.
③ 미래학은 단지 미래에 일어날 일뿐만 아니라 현재 우리 주변에서 일어나는 변화에도 주목했다.
④ 미래 사회를 이끌어 갈 동력뿐 아니라 그것이 인간과 사회에 어떤 영향을 미치는지를 분석했다.
⑤ 미래를 기술적 문제가 없는 완벽한 사회로 이해하고 기술 발달이 가져올 긍정적인 측면을 강조했다.

어떤 이론에 대한 입장의 차이를 묻는 문항은 이론에 대해 우호적인지 비판적인지 판단하여 답을 선택해야 하는 경우가 많아. 이론의 긍정적 측면과 부정적 측면을 꼼꼼히 이해한 후 답을 고를 것!

4 @~@를 활용하여 만든 문장으로 적절하지 <u>않은</u> 것은 무엇인가요?

① @: 개인의 기량으로 보면 우리 반이 <u>단연</u> 앞선다.
② ⓑ: 그의 등장 이후 우리 마을에는 <u>변혁</u>이 일어났다.
③ ⓒ: 진실을 <u>은폐</u>하려는 그들의 시도는 실패로 돌아갔다.
④ ⓓ: 긍정적인 이미지 <u>부각</u>을 위해 해야 할 일이 무엇일까?
⑤ ⓔ: 이 작품은 <u>원천</u>을 그대로 복사한 것이므로 믿을 만하다.

대상을 보는 시각 차이를 느껴라

다음 두 그림 중에서 어떤 그림을 더 높게 평가할 수 있을까요?

① 알브레히트 뒤러,
「엉겅퀴를 든 화가의 초상」

② 장 뒤뷔페,
「복숭아맛 도텔」

그림을 볼 때 사람들은 하나의 관점을 취하기 쉽습니다. 그리고 그와 다른 관점을 무시하고 거부하기란 더 쉬운 일이죠. 만약 유치원생이 아무렇게나 한 낙서와 같은 그림을 화가가 전시했다면 사람들은 어떻게 생각할까요? 그림에 대해 거부 반응을 보이는 사람도 있을 것이고, 공감하는 사람도 있을 것입니다. 사물을 똑같이 재현해 내는 걸 중시하는 관점에서는 ②의 그림에 거부 반응을 보일 수도 있겠지만, 내면의 표현을 중시하는 관점에서는 ②의 그림에 더 공감할 수도 있는 것처럼 말이죠. 같은 그림을 두고 이렇게 상반된 반응을 보이는 것은 그림은 어떠해야 하는가에 대한 관점이 다르기 때문입니다. 이때 **관점이란 사물을 바라보는 시각이나 입장, 태도 등을 포함하는 말**입니다.

그림을 볼 때처럼 한 편의 글에서도 어느 하나의 관점만 드러나는 글은 찾아보기 어렵습니다. 그보다 중요한 건 글에 제시된 여러 관점 중에서 글쓴이의 관점과 일치하는지, 혹은 반대되는지를 파악하는 데 있습니다. 그러므로 글을 읽을 때에도 글에 제시된 관점과는 별개로 나만의 관점, 혹은 어느 하나의 관점만 고집하고 있지는 않은지 따져 봐야겠죠?

192쪽 지문

그러나 **토플러로 대표되는 미래학에 대해서는 상반된 평가가 존재한다.** 한편에서는 미래학자들이 당장 일어나고 또 일어날 것으로 현실시되는 변화를 주목하는 견해서 이들의 사상이 미래학이 의 분석과 전망이 과학의 외

> 관점은 출제자와 소통하는 길이다. 글쓴이가 어느 편에 서 있는지를 알면 문제에서 요구하는 해답도 보일 것이다!

특히 후자의 견해는 미래학이 자본주의 미래를 장밋빛으로 포장해 현실의 모순과 위기를 은폐함으로써 지배 이데올로기에 봉사한다고 비판한다. 하지만 분명한 것은 미래학은 정보 사회와 연관된 세계화 현상을 분석하고 세계의 미래를 예측하는 데 상당한 근거를 제공했다는 점이다. 특히 토플러가 저서를 통해 밝힌 미래에 대한 전망은 상당 부분 옳았던 것으로 보인다.

독해실전

배운 글을 다시 읽고, 물음에 답해 보세요.

생각독해 Ⅱ 180쪽

> 인간의 본성은 선한가, 악한가? 성선설과 성악설은 이 문제에 대해 뚜렷하게 상반된 견해를 제시한다. 학자들은 본성을 인간에게 '본질적인 것'으로 보기도 하고, 인간이 '타고난 것'으로 보기도 한다. 성선론자들은 '본질적인 것'이라는 의미를 중시하므로 그들이 쓰는 '본성'이라는 말은 '도덕적 이성'을 가리킨다. 반대로 '타고난 것'이라는 뜻을 중시하는 성악론자들에게 본성은 '감정과 욕망'을 의미한다. 이처럼 학자에 따라 가리키는 대상이 다르기는 하지만, 본성은 마음의 본질을 가리키며 행위의 원동력이라는 뜻을 담고 있다. 그 원동력이 선한가 악한가 또는 좋은 것인가 나쁜 것인가를 탐구하는 이론이 바로 성선설과 성악설이다. 따라서 성선설과 성악설 모두 결국은 선악의 문제를 통해서 인간의 본성을 문제 삼는다.

1 위 글에서 성선설과 성악설이 공통으로 탐구하고 있는 대상은 무엇인지 찾아 써 보세요.

수능실전

아래 글을 읽고, 수능 실전감각을 길러 보세요.

2011학년도 수능

> 일탈은 일반적으로 사회의 규범을 어긴 행위라고 규정할 수 있다. 그런데 우리는 왜 일탈을 하게 되는 것일까? 학자들은 이 질문에 답하기 위해 많은 연구를 해 왔다. 일탈의 원인을 규명하려는 이러한 연구는 크게 개인적 관점과 사회적 관점으로 나뉜다. 일탈의 원인을 개인의 문제로 본 이론들은 주로 일탈자의 생물학적 특성이나 심리적 요인에 주목하였다. 그 중에서 '좌절-공격 이론'은 개인의 심리적 요인에서 일탈의 원인을 찾는 대표적 이론의 하나였다.
>
> 한편, 일탈의 원인을 사회적인 맥락 속에서 파악하려고 했던 이론들도 있었다. 그 중에서도 '낙인 이론'은 일탈에 대한 새로운 관점을 제시해 주었다. 이 이론에서는 일탈을 낙인의 결과로 보았다.

1 위 글에서 알 수 있는 글쓴이의 집필 의도로 가장 적절한 것은 무엇인가요?

① 대비되는 관점을 지닌 두 이론을 소개한다.

② 특정 이론의 문제점에 대한 글쓴이의 대안을 제시한다.

③ 두 이론의 공통점을 확대 적용하여 새로운 사실을 밝힌다.

'무엇을', '어떻게' 다르게 보고 있는지에 주목!

생각읽기가 수능이다! 🧠 [상반된 관점]의 생각 구조에서 글쓴이의 생각은 어떻게 알 수 있나요?

실제 수능에서 하나의 주제 혹은 대상에 대해 상반된 관점이 나오면, 물어보는 내용은 뻔해. 우선은 '무엇'을 다르게 보고 있는지, 그리고 그 '무엇'을 '어떻게' 다르게 보고 있는지에 주목해야 해! 관점이 다르다는 건, 하나의 대상을 두고 양쪽에서 서로 다르게 보는 것과 마찬가지니까!

어느 정도 소비하는 것이 좋을까

Q 현재 소비와 미래 소비의 합리적인 양을 결정하기 위해 먼저 계산해야 하는 것은 무엇인가요?

'어느 정도 소비하는 것이 좋을까?'라고 묻는다면 역사학자 토머스 플러는 "오늘의 달걀보다 내일의 닭이 더 좋다."라고 대답할 것이고, 작가인 사무엘 존슨은 "당신이 무엇을 가지고 있든, 적게 소비하라."라고 할 것이다. ㉠그렇다면 경제학자는 어떻게 대답할까?

경제학적 관점에서 돈을 버는 목적은 부자가 되려는 것이 아니다. 돈을 기반으로 한 소비와 그 소비를 통한 만족을 느끼기 위해서이다. 인간은 소비를 통한 즐거움으로 궁극적 만족을 얻기 때문에 '얼마나 돈을 벌까'라는 고민은 '얼마나 소비할까'라는 걱정과 다르지 않다. 만약 평생 벌 수 있는 수입을 알 수 있다면, 죽는 순간에는 번 돈을 다 쓰고 남기지 않는 것이 합리적일 것이다. 애초에 다 쓰지 못할 재산을 벌 이유가 없기 때문이다. 그런데 여기서 끝이 아니다. 앞서 언급한 토머스 플러와 사무엘 존슨의 소비에 대한 언급을 구체적으로 해결해야 합리적 소비가 된다. 즉 '현재와 미래에 얼마만큼 소비해야 합리적인가'의 문제를 해결해야 하는 것이다.

현재 소비와 미래 소비를 결정하려면 개인이 평생 벌 수 있는 소득을 계산해야 한다. 가령, 직장을 얻기 전에는 소득이 없거나 적을 것이다. 하지만 직장에 들어가면 평균 근속* 기간 및 연봉을 알 수 있고 매년 오르는 급여를 계산할 수 있다. 이를 바탕으로 평생 소득을 예상할 수 있다. 이제 현재와 미래의 최적* 소비량을 생각해 보도록 하자. 우선 현재 소비와 미래 소비 사이에 상충 관계가 있다는 사실을 이해해야 한다. 평생 벌 수 있는 소득은 정해져 있는데 현재 많이 소비한다면 미래에는 조금밖에 소비할 수 없다. 만약 미래를 위해 현재 소비할 양의 일부를 남겨 둔다면, 그 금액만큼 저축을 할 수 있다. 이 저축은 시간이 지나면서 원금은 물론이고 이자라는 추가 수입을 가져다준다. 그로 인해 미래에는 원금에 이자의 증가분만큼 더 많은 소비가 가능해진다.

그러나 현재 소비를 줄이는 데에는 고통이 따른다. 같은 조건이라면 사람들은 먼 미래에 벌어질 일보다 현재 눈앞의 일에 더 큰 만족을 느끼기 때문이다. 예를 들어 밸런타인데이에 친구에게 초콜릿을 건네면서 "오늘 줄까, 내일 줄까?"라고 물어보는 상황을 상상해 보자. 대부분은 '오늘 줘.'라고 할 것이다. 심지어 "매도 먼저 맞는 것이 낫다."라는 말처럼 고통도 먼저 경험하려고 한다. 이처럼 사람들이 현재를 미래보다 더 선호하는 것을 '시간 선호'라고 부른다. 따라서 ㉡현재 소비를 줄이고 저축을 늘리면 미래에 이자 수입이라는 수익을 올리는 반면, 시간 선호에 따른 현재 소비의 즐거움은 포기해야 한다. 만약 장기적으로 이자 수입과 시간 선호의 효과가 ⓐ상쇄된다면, 현재와 미래의 소비가 주는 각각의 만족만 생각해서 최적 소비량을 결정하면 된다. 결국 평생을 고려한 합리적 소비란 오늘과 내일, 그리고 모레 모두 같은 양을 소비하는 것이다. 쉽게 말해 평생 동안 소비를 고르게 나눠서 하는 것이 젊은 시절 너무 많이 소비하거나 너무 적게 소비하는 것보다 합리적이란 이야기인데, 잘 생각해 보면 고개가 끄덕여진다.

* 근속: 한 일자리에서 계속 근무함.
* 최적: 가장 알맞음.

0 다음은 이 글을 바탕으로 현재 소비와 미래 소비의 관계를 정리한 표입니다. ㉮, ㉯에 각각 들어갈 적절한 말을 두 글자의 단어로 쓰세요.

평생 벌 수 있는 소득은 고정되어 있음.

↓

현재 소비량이 증가하면, 미래에 소비할 수 있는 양이 (㉮)함.

↓

그러므로 현재 소비와 미래 소비는 (㉯) 관계에 있음.

현재 소비와 미래 소비의 관계는 글의 중간 부분에 제시되어 있으니 잘 살펴봐!

1 **이 글로 보아, ㉠에 대한 답변으로 가장 적절한 것은 무엇인가요?**

① 부자가 되면 마음껏 소비할 수 있으므로 돈을 많이 벌어서 부자가 되는 것을 목표로 하여 현재의 소비 정도를 결정해야 한다.

② 어느 정도 소비하는 것이 좋은지는 개인이 돈을 버는 목적과 개인이 만족을 얻는 정도에 따라 결정되므로 일반화하기 어렵다.

③ 인간은 소비를 통해 즐거움을 얻는 존재라는 것을 고려할 때, 평생의 수입을 알 수 있다면 번 돈을 모두 소비하고 죽는 것이 합리적이다.

④ 오늘의 소비와 내일의 소비 중 더 큰 이익을 가져오는 것이 무엇인지 객관적으로 판단해 보면 무조건 지금 적게 소비하는 것이 결과적으로는 이익을 가져온다.

⑤ 인간은 돈을 기반으로 한 소비와 그 소비를 통한 만족을 느끼기 위해 평생 동안 얼마를 벌어야 할지 알 수 없기 때문에 어느 정도 소비하는 것이 좋은지도 알기 어렵다.

2 **㉡의 사례로 가장 적절한 것은 무엇인가요?**

① 고모는 효과적인 재테크 방법을 배우기 위해 큰 비용을 들여 학원에 등록했다.

② 외숙모는 오래된 아파트를 싼 값에 구입한 후 내부를 모두 새롭게 고쳐서 이사했다.

③ 삼촌은 10년 후에 가족들과 함께 세계 여행을 하기 위해 매달 월급의 10%를 저금하고 있다.

④ 이모는 내년에는 원하는 회사에 들어가려고 현재 관련 분야에서 열심히 경력을 쌓고 있다.

⑤ 오빠는 자신의 소비 형태를 살펴보기 위해 카드 회사에 카드 사용 내역을 요청해서 메일로 받았다.

3 이 글의 내용을 고려할 때, 가장 합리적인 소비를 계획한 학생은 누구인가요?

> 학생 1 현재 소비를 줄이면 미래에는 더 여유 있는 생활을 할 수 있으므로 저축을 늘려야겠어. ·· ①
> 학생 2 현재의 행복과 미래의 행복 모두 중요하므로 현재와 미래의 소비가 같은 양이 되게 해야겠어. ·· ②
> 학생 3 시간 선호는 인간의 보편적 행복이 어디에서 오는지를 알려 주는 기준이 되므로 현재를 즐겨야겠어. ·· ③
> 학생 4 미래 소비를 위해 현재 소비를 줄이는 데 고통이 따른다면 삶이 즐겁지 않으므로 현재 소비를 늘려 삶의 질을 높여야겠어. ··· ④
> 학생 5 내가 평생 벌 수 있는 소득을 계산한 후 미래에 쓸 것을 조금 남겨 두고 현재 쓸 수 있는 최대의 양을 소비하는 것이 가장 좋은 선택이겠어. ··················· ⑤

4 문맥을 고려할 때, ⓐ의 의미로 가장 적절한 것은 무엇인가요?

① 서로 관련을 가짐.
② 맞지 아니하고 서로 어긋남.
③ 모자라거나 부족한 것을 보충하여 완전하게 함.
④ 상반되는 것이 서로 영향을 주어 효과가 없어짐.
⑤ 지나치거나 모자라지 아니하고 한쪽으로 치우치지도 아니함.

우주를 향한
갈망과 미래

Q 인간이 라플라스의 악마가
되어 우주의 앞날을 정확히 예
측하기 위해서는 어떤 전제가
성립되어야 하나요?

라플라스의 악마

(가) 우주를 이루는 모든 요소들이 현재 어느 자리에서 어떻게 움직이는지를 파악할 수 있다면 미래에 우주에서 벌어질 모든 현상을 정확히 예측할 수 있지 않을까? 18세기 프랑스 수학자 피에르-시몽 라플라스가 바로 이런 상상을 했다. 그는 우주에 존재하는 모든 원자들의 현재 위치와 운동 방향, 속도를 정확하게 파악할 수 있는 전지전능한 도깨비 같은 존재가 있다면 그 도깨비는 물리 법칙을 통해 과거의 모습을 돌아보고 아직 찾아오지 않은 미래의 우주까지도 정확하게 내다볼 수 있다고 생각했다. 이러한 전지전능한 도깨비에게는 현재 우주의 모습은 1초 전 원자들의 위치와 운동 상태에 의해 이미 결정된 상황일 뿐이다.

(나) 그러나 이러한 상상은, 우주가 처음 만들어지던 빅뱅의 순간 우주 속 원자들이 어디에서 어떤 속도로 움직이고 있었는지에 따라 결국 현재 우주의 모습이 모두 결정되었다는 당황스러운 결론을 이끌어 냈다. 자칫 고개를 끄덕이다 보면 라플라스의 말장난에 넘어가 결국 현재 우주의 모습은 태초에 전부 결정되어 있었다는 결정론의 함정에 빠지게 된다. 그래서 오랫동안 과학자들을 혼란스럽게 했던 라플라스의 상상 속 도깨비를 우리는 ㉠'라플라스의 악마'라고 부른다.

(다) 그렇다면 정말 우리는 라플라스의 악마가 되어 우주의 앞날을 정확하게 내다볼 수 있을까? 이것이 가능하기 위해서는 은하의 움직임과 위치를 정확하게 파악하는 것이 전제되어야 한다.

(라) 우선 태양계가 속해 있는 우리은하의 움직임에 대해 살펴보자. 현대 천문학자들은 우리은하가 고정되어 있지 않고 특정한 방향으로 매우 빠르게 움직이고 있다는 것을 알게 되었다. 우리은하는 시속 약 220만 km로 우주 공간을 떠다니고 있는데, 이는 지구에서 중력을 벗어나기 위해 필요한 탈출 속도의 55배가 넘는다. 그런데 이렇게 빠른 속도로 우리은하가 날아가고 있다는 것은 날아가는 방향에 우리은하를 중력으로 강하게 끌어당기는 무언가가 존재한다는 것을 뜻한다. 그래서 천문학자들은 우리은하를 강한 중력으로 끌어당기고 있는 거대한 인력체*가 있을 것이라고 추정하지만 아직 한 번도 관측되지 않았고, 그 존재 또한 정확히 밝혀지지 않았다.

(마) 다음으로 우리은하의 위치가 어디쯤인지 살펴보자. 우리은하 주변에 분포하는 은하들의 지도를 그려 보면 놀랍게도 우리은하는 상대적으로 은하의 밀도가 굉장히 낮은 곳에 위치한다. 우주의 거대 구조는 은하들이 그물처럼 얼기설기 얽힌 모습을 하고 있다. 강한 중력으로 인해 물질이 한데 모이면서, 은하들이 높은 밀도로 모여 있는 우주 거대 그물의 매듭을 중심으

로 긴 은하들의 흐름이 이어져 있다. 이런 은하들의 흐름을 '필라멘트'라고 하며, 필라멘트 사이사이에 거의 은하가 없는 텅 빈 영역을 '보이드'라고 하는데, 우리은하는 이 보이드의 가장자리에 놓여 있다. 현재 보이드의 가장자리 벽은 대략 초속 $260km$의 속도로 밀려 나가며 보이드의 크기가 계속 커지고 있는 것으로 관측되는데, 이는 은하들이 점점 흩어지면서 보이드의 빈 공간이 더욱 커지고 있기 때문이다. 이 때문에 천문학자들은 다양한 실험과 연구를 거쳐 우리은하의 우주 주소를 새롭게 정의해 나가고 있다.

(바) 현대에 이르러서야 광막한 우주 속에서 우리가 우주의 어디에 위치해 있는지, 또 어떤 방향으로 움직이고 있는지를 파악해 나가고 있다. 이전까지 우리는 우리가 정확히 우주의 어디에서 어디를 향해 항해하고 있는지조차 제대로 알지 못했던 셈이다. 그동안은 나침반도 지도도 없이 암흑 속을 떠돌던 표류기였다면, 이제 겨우 나침반 바늘을 더듬어 가면서 우리은하의 항로를 파악하기 시작한 것이다. 그러나 여전히 많은 의문점이 남아 있다. 아마도 우주의 모든 은하들, 별들의 움직임과 위치를 파악해서 우주의 과거와 미래를 모두 아는 라플라스의 악마가 되겠다는 우리의 꿈은 아마 이루어질 수 없을 것이다. 하지만 지속적으로 업데이트되는 우주의 지도를 손에 쥐고 끝없는 항해를 계속하는 인간의 탐구 정신은 미지의 항해를 멈추지 않게 하는 거대한 인력체가 될 것이다.

* 인력체: 공간적으로 떨어져 있는 물체를 끌어당기는 힘을 가진 물체.

0 다음은 글쓴이가 이 글을 쓰기 전에 작성한 메모입니다. 이 글에 반영되지 <u>않은</u> 것들끼리 묶인 것은 무엇인가요?

> ㉮ 라플라스의 악마에 관한 내용으로 글을 시작할 것.
> ㉯ 우리은하를 중력으로 끌어당기는 인력체의 정체를 밝힐 것.
> ㉰ 우리은하가 위치한 '보이드'의 특징을 밀도와 관련지어 언급할 것.
> ㉱ 라플라스의 악마가 되어 우주의 앞날을 예측할 수 있는 방법을 제시할 것.

① ㉮, ㉯   ② ㉮, ㉰
③ ㉯, ㉰   ④ ㉯, ㉱
⑤ ㉰, ㉱

1 이 글에 대한 설명으로 가장 적절한 것은 무엇인가요?

① 특정 천문 현상에 담긴 과학적 원리를 단계별로 설명하고 있다.

② 과학자의 삶을 바탕으로 과학 이론이 성립되는 과정을 설명하고 있다.

③ 과학적 가설의 실현 가능성을 분석적으로 살펴보고 이에 대한 글쓴이의 생각을 밝히고 있다.

④ 과학 이론의 성과와 한계를 분석한 후, 그것의 현대적 적용을 위한 구체적인 방안을 제시하고 있다.

⑤ 물리학적 가설이 과학의 다른 분야에서 어떻게 적용되는지 살피고 과학이 나아갈 방향을 제시하고 있다.

2 (가)~(바)의 관계를 설명한 내용으로 가장 적절한 것은 무엇인지 고르세요.

문단의 형식적 특징을 판단하기에 앞서 각 문단의 중심 내용을 정리해 봐. 각 문단의 중심 내용을 정리하다 보면 글의 흐름과 글쓴이의 의도가 보이니깐!

① (가)는 (나)의 이론적 배경을 설명하고 있다. ☐

② (다)는 (나)에서 설명한 내용에 대해 반박하고 있다. ☐

③ (다)에서 설명한 내용에 대해 (라)에서 반론을 제기하고 있다. ☐

④ (다)에서 제기한 의문에 대해 (바)에서 답을 제시하고 있다. ☐

⑤ (라)의 내용을 (마)에서 구체적 사례를 활용해 설명하고 있다. ☐

글에서 **의문이 제기되면** 그 해답을 **탐구**하는 내용이 제시될 가능성이 아주 많아!

3 이 글을 읽고 '우리은하의 움직임과 위치'에 대해 이해한 내용으로 적절하지 <u>않은</u> 것은 무엇인가요?

① 우리은하는 어딘가에 고정되어 있지 않고 우주 공간을 떠다니고 있다.

② 중력으로 강하게 끌어당기는 인력체가 없다면 우리은하는 알 수 없는 곳으로 날아갈 것이다.

③ 우리은하는 다른 우주 공간에 비해 은하의 밀도가 상당히 낮은 보이드의 둘레 부분에 위치하고 있다.

④ 우리은하가 위치해 있는 우주 공간은 은하들의 움직임으로 인해 지속적으로 그 크기에 변화가 일어나고 있다.

⑤ 우리은하는 지구가 중력을 벗어나 우주로 날아가는 속도와 비슷한 중력을 행사하는 인력체에 의해 운동의 안정성을 유지하고 있다.

4 ㉠에 대한 설명으로 적절하지 <u>않은</u> 것은 무엇인가요?

① 오랜 시간 많은 과학자들을 혼란스럽게 만든 대상이다.

② 일정한 물리 법칙에 따라 미래를 정확히 내다볼 수 있다고 가정된 존재이다.

③ 모든 원자들의 현재 위치와 운동 방향을 정확하게 파악할 수 있는 상상의 존재이다.

④ 현재 우주의 모습은 우주가 생성될 때 이미 정해져 있다는 결정론과 밀접한 관련이 있는 존재이다.

⑤ 우주가 처음 만들어지던 순간 우주 속 원자들의 위치가 원자의 움직임을 결정한다는 전제하에 만들어진 존재이다.

지진을 예측할 수 있을까

2015년 4월 네팔의 수도 카트만두에서 발생한 규모 7.8의 강진은 수년 전부터 많은 지진학자들이 예측했던 것이었다. 인도판과 유라시아판이 부딪치는 지점에 위치해 있는 네팔은 2500만 년 전까지만 해도 바닷속에 있었다. 그런데 인도판이 계속 유라시아판을 밀어 올리면서 ⓐ융기했고, 그 충돌 에너지가 수십 년을 주기로 지진이라는 형태로 나타나고 있다. 이러한 정보를 바탕으로 전문가들은 2000년에 아이티 대지진이 일어난 직후, 다음 차례는 네팔이며 지진 규모는 8.0이 될 것이라고 예측했다. 하지만 네팔 당국은 이에 전혀 ⓑ대응하지 못하였고 많은 인명 피해가 발생했다.

그렇다면 지진을 언제나 예측할 수 있을까? 결론부터 말하자면 예측은 할 수 있으나 그 정확도는 일정하지 않다. 예측 없이 찾아오는 엄청난 지진들이 있는가 하면, 실제로 일어나지 않은 엄청난 예측들도 있기 때문이다. 접근하기조차 어려운 땅속 깊숙한 곳에서 어떤 일이 벌어지고 있는지 확실하게 알 수 있는 사람은 아무도 없다. 지진은 환태평양대, 지중해 · 히말라야대, 해령 등의 지각판 경계에서 90%가 발생하고, 가끔 판 내부에서도 생각지 못한 지진이 발생하는데, 깊은 땅속에서 지속적으로 축적되던 에너지가 한순간에 커진 압력을 이기지 못하고 폭발적으로 ⓒ방출되기 때문에 지진을 예측하기란 매우 어렵다.

짧은 시간을 사이에 두고 발생한 지진일지라도 전조 현상이 매우 다르게 나타난 사례가 있다. 1975년 중국 랴오닝성에서 규모 7.3의 지진이 발생했을 때는, 지진이 일어나기 수일 전부터 지반이 기울어지고 소규모 지진이 자주 발생하는 등의 전조 현상이 나타났다. 그래서 지진학자들은 이 지역에 지진이 곧 닥칠 것이라고 예보했다. 중국 당국은 그 예측을 믿고 지진 발생 수시간 전에 약 300만 명의 주민을 대피시켰다. 그리고 얼마 후 예측대로 지진이 정확하게 들이닥쳤다. 만반의 준비로 인명 피해는 거의 없었다. 지진 예측이 정확하게 들어맞자 언론은 지진 예보가 머지않아 일기 예보만큼 일상적인 일이 될 것이라고 대대적으로 보도했다. 그러나 다음 해인 1976년에 발생한 규모 7.6의 허베이성 대지진에서는 이러한 전조 현상이 전혀 일어나지 않았고, 지진학자들은 이 지역의 대지진을 ⓓ예측하지 못했다. 그 결과 약 25만 명의 사망자가 발생했다. 이처럼 현대의 기술로서 지진을 정확히 예측하고 대비하기란 매우 어렵다.

지진 예측은 보통 장기 · 중기 · 단기로 나뉜다. 장기는 10~30년 이내에 일어날 지진을 예측한다. 활성 단층과 그 주변 지층에 남아 있는 과거 지진의 증거와 기록을 관찰해 예측하는 것이다. 중기는 특정 활성 단층*에서 한 달 내지 수년 이내에 지진이 발생할 것을 예측한다. 단기는 일기 예보처럼 수 시간 내지 수일 내에 일어날 지진에 대한 예측인데, 이는 우리에게 꼭 필요한 기술이다. 예측을 통해 사람들을 짧은 시간 내에 대피시켜 인명 피해를 막을 수 있기 때문이다. 하지만 지금의 기술로는 일기 예보만큼의 정확한 예측은 불가능하다. 만유인력 법칙처럼 지진의 발생을 예외 없이 방정식으

로 나타낼 수 있는 완전한 법칙이 없기 때문이다. ㉠결국 내진 설계와 같은 사전 대비만이 지진에 대처하기 위한 최선의 방법이다. 건물이나 교량* 등이 수평 방향의 흔들림에도 비틀리거나 붕괴되지 않도록 설계를 해야 할 뿐만 아니라 일정 수준 이상의 흔들림이 ㉣감지되면 송전을 끊고 비상 제동 장치가 작동되는 지진 감지 시스템도 도입할 필요가 있다. 아직까지 자연의 대재앙을 정확히 알 수 있는 것은 신의 영역이지만 그 피해를 최소화하는 것은 인간의 영역이기 때문이다.

* 활성 단층: 지층이 움직여 지진이 일어날 가능성이 있는 단층.
* 교량: 시내나 강을 사람이나 차량이 건널 수 있게 만든 다리.

0 이 글을 학급 신문에 싣는다고 할 때, 그 제목으로 가장 적절한 것은 무엇인가요?

① 지진 예측에 사용되는 과학적 원리
② 지역에 따라 달라지는 지진의 발생 원인
③ 정확한 예측이 어려운 지진, 사전 대비가 최선
④ 내진 설계 방식에 따라 달라지는 지진 피해의 정도
⑤ 지진 발생 지역에 대한 분석, 발생률이 가장 높은 곳은 대륙

1 이 글의 내용 전개 방식에 대한 설명으로 가장 적절한 것은 무엇인가요?

① 지진 예측과 날씨 예측의 공통점과 차이점을 제시하고, 이를 통해 지진 예측의 중요성을 강조하고 있다.

② 지진이 자주 발생하는 지역의 특징을 분석하여, 지진을 예측하고 예방할 수 있는 방안을 제시하고 있다.

③ 몇 가지 사례를 바탕으로 지진 예측의 어려움을 밝히고, 지진에 대처하는 최선의 방법을 제시하고 있다.

④ 많은 인명 피해를 입힌 지진들 간의 공통점을 제시하고, 지진으로 인한 피해를 줄이기 위한 방법을 설명하고 있다.

⑤ 지진의 발생 과정을 단계적으로 설명하고, 이를 바탕으로 지진이 다른 자연재해에 비해 위험한 이유를 구체적으로 밝히고 있다.

2 이 글에 대한 이해로 적절하지 <u>않은</u> 것은 무엇인가요?

① 2015년 네팔 대지진은 예측이 어려워 정부가 늦게 대응하는 바람에 피해가 더 커졌다고 볼 수 있다.

② 지진 예측이 어려운 가장 근본적인 이유는 관찰이 어려운 땅속 깊은 곳에서 지진이 발생하기 때문이다.

③ 일기 예보처럼 지진 예보가 일상적으로 이루어져서 지진에 대비할 수 있을 것이라고 기대하는 사람들도 있었다.

④ 1975년 중국 랴오닝성에서 발생한 지진은 정확한 예측 덕분에 사전에 대처하여 인명 피해를 줄일 수 있었다.

⑤ 전조 현상이 없는 지진은 전조 현상이 있는 지진에 비해서 예측이 더 어려운데, 1976년에 발생한 중국 허베이성 지진이 이에 해당한다.

3 ㉠의 이유로 가장 적절한 것은 무엇인가요?

① 지진이 발생하는 지역이 점점 늘어나고 있어서

② 지진 예측이 장기, 중기, 단기로 나뉘어 있어서

③ 지진이 인간 사회에 끼치는 피해를 알기 어려워서

④ 현재의 기술만으로는 지진 발생을 정확히 예측하기 어려워서

⑤ 전조 현상이 없는 지진보다 전조 현상이 있는 지진이 훨씬 많아서

4 문맥상 ⓐ~ⓔ의 의미로 가장 적절한 것은 무엇인가요?

① ⓐ: 엉겨서 뭉쳐 딱딱하게 굳었고

② ⓑ: 미리 마련하여 갖추지

③ ⓒ: 어떤 일이 일어나지 못하게 막기

④ ⓓ: 어떠한 판단을 근거로 삼아 다른 판단을 이끌어 내지

⑤ ⓔ: 느끼어 알게 되면

로렌츠가 본 인간의 공격성

인류의 미래

Q 글쓴이가 인간이 만물의 영장이라고 불릴 만한 존재인지 의문을 갖게 된 이유는 무엇인가요?

인간은 만물의 영장이라고 불릴 만큼 뛰어난 지력과 이성을 가진 존재이다. 하지만 오늘날, 인간이 그러한 명칭에 어울리는 존재인지 의문이 들 정도로 대량 살상이 세계 도처에서 빈번하게 발생하고 있다. 지구상에 존재하는 여러 동물들 중에서 유독 인간만이 자신의 종족에게 위협적인 존재가 되고 있는 이 현실을 어떻게 설명할 수 있을까?

이 점과 관련하여 동물학자 로렌츠의 진단과 처방은 주목할 만하다. 조건화된 환경의 영향을 중시하는 스키너와 같은 행동주의자와는 달리, 그는 동물 행동의 가장 중요한 특성들은 타고나는 것이라고 보았다. 인간을 진화의 과정을 거친 동물의 하나로 본 그는, 공격성은 동물의 가장 기본적인 본능 중 하나이기에, 인간에게도 자신의 종족을 향해 공격적인 행동을 하는 생득적*인 충동이 있다고 보았다. 진화 과정에서 가장 단합된 형태로 공격성을 띤 종족이 생존에 유리했으므로, 이것이 인간이 호전성*에 대해 열광하게 된 이유라고 설명한다.

로렌츠의 관찰에 따르면 치명적인 발톱이나 이빨을 가진 동물들이 같은 종의 구성원을 죽이는 경우는 드물다. 이는 중무장한 동물의 경우 그들의 자체 생존을 위해서는 자기 종에 대한 공격을 제어할 억제 메커니즘*이 필요했고, 그것이 진화 과정에 반영되었기 때문이라고 로렌츠는 설명한다. 그에 비해서 인간을 비롯한 신체적으로 미약한 힘을 지닌 동물들은, 자신의 힘만으로 자기 종을 죽인다는 것이 매우 어려운 일이었기 때문에, 이들의 경우 억제 메커니즘에 대한 진화론적인 요구가 없었다는 것이다. 그런데 기술이 발달함에 따라 인간은 살상 능력을 지니게 되었고, 억제 메커니즘을 지니지 못한 인간에게 내재된 공격성이 자기 종을 향하게 된 것이다.

그렇다면 ㉠인간에 내재된 공격성을 제거하면 되지 않을까? 이 점에 대해서 로렌츠는 회의적이다. 우선 인간의 공격적인 본능은 긍정적인 측면과 부정적인 측면을 모두 포함해서 오늘날 인류를 있게 한 중요한 요소 중 하나이기에 이를 제거한다는 것이 인류에게 어떤 영향을 끼칠지 알 수 없으며, 또 공격성을 최대한 억제시킨다고 해도 공격성의 본능은 여전히 배출구를 찾으려고 할 것이기 때문이다. 그렇다면 인류에게 희망은 없어 보인다.

그럼에도 불구하고, 로렌츠는 인류의 미래에 대해 낙관적인 태도를 가진다. 그는 이성이 인간의 공격성 자체를 제거할 수는 없으나, 공격성의 본능을 바람직한 방향으로 유도할 수는 있다는 입장을 보인다. 그 첫번째 방안은 자신에 대해 자각하는 것인데, 이는 우리가 인간의 공격성의 본질을 이해하면 할수록 우리는 그 방향을 수정하는 이성적 단계를 밟을 수 있다는 것이다. 그 다음으로는 타고난 공격성의 배출구를 더 바람직한 방향으로 바꾸는 것이 필요하다고 강조한다. 이는 증오심을 불러일으키지 않는 경쟁을 허용함으로써 호전성에 대한 열광을 충족시킬 기회를 마련해 주자는 것이다. 아울러 그는 공격성의 대상이 될 만한 개인들이나 다른 집단과의 우정을 증진시키는 노력이 필요하며, 젊은 세대들이 몸 바쳐 봉사할 가치가 있는 진정한 대의명분*을 찾을 수 있도록 도와주어야 한다고 말한다. 이러한 처방을 통해 로렌츠는 인간의 공격성이 초래할 끔찍한 비극을 막을 수 있으리라는 희망을 보여 주고 있다.

* 생득적: 태어날 때부터 가지고 난 것.
* 호전성: 싸우기를 좋아하는 경향이나 태도.
* 메커니즘: 사물의 작용 원리나 구조.
* 대의명분: 사람으로서 마땅히 지키고 행하여야 할 도리나 본분.

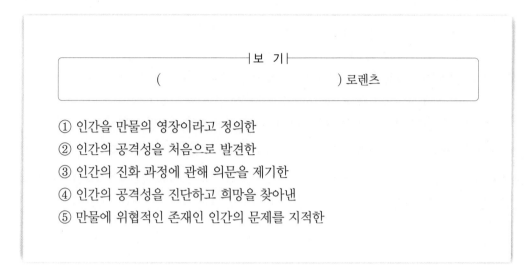

0 〈보기〉는 이 글의 '로렌츠'를 소개하는 광고 문구입니다. (   )에 들어갈 말로 가장 적절한 것은
무엇인가요?

┤보 기├

(   ) 로렌츠

① 인간을 만물의 영장이라고 정의한
② 인간의 공격성을 처음으로 발견한
③ 인간의 진화 과정에 관해 의문을 제기한
④ 인간의 공격성을 진단하고 희망을 찾아낸
⑤ 만물에 위협적인 존재인 인간의 문제를 지적한

1 이 글에서 답을 찾을 수 있는 물음으로 적절하지 **않은** 것을 고르세요.

- 인간을 만물의 영장이라고 부르는 이유는 무엇일까? .... ① ☐
- 로렌츠는 왜 인간이 공격성을 가지고 있다고 생각하였는가? .... ② ☐
- 로렌츠는 동물의 가장 기본적인 본능을 무엇이라고 보았는가? .... ③ ☐
- 로렌츠에 따르면 인간이 호전성에 열광하는 이유는 무엇인가? .... ④ ☐
- 인간이 다른 동물들처럼 억제 메커니즘을 획득한 원인은 무엇인가? ...... ⑤ ☐

2 ㉠에 나타난 로렌츠의 생각을 뒷받침할 수 있는 사례로 가장 적절한 것은 무엇인가요?

① 같은 부모에게서 양육받은 형제자매도 취향이나 성격, 지적 수준 등에 큰 차이를 보인다.

② 인간은 나이가 들어가면서 갈등 상황을 피하려고 하기 때문에 학창 시절에 비해 불필요한 다툼이 줄어들게 된다.

③ 습관적으로 타인을 공격하는 사람은 진화론적으로 볼 때는 문제가 있지만, 심리 및 약물치료를 통해 나아질 수 있다.

④ 자신이 저지른 범죄 행위로 인해 교화를 위한 보호 관찰을 받고 있던 사람이 다시 범죄를저지르는 재범 비율은 상당히 높다.

⑤ 가족과 떨어져 지내서 심리적으로 불안한 아동의 경우 가정이 회복되어 본래 가족들과지내게 되면 심리적 안정을 쉽게 되찾을 수 있다.

3 이 글에 드러난 인간에 대한 로렌츠의 견해로 적절하지 <u>않은</u> 것은 무엇인가요?

① 인간은 진화의 과정을 거친 동물의 하나이다.
② 인간의 공격성은 본능이 아니라 후천적인 것이다.
③ 기술 발달은 인간의 종족 살육이라는 결과를 낳았다.
④ 인간의 공격성은 인간의 역사에 중요한 영향을 끼쳤다.
⑤ 이성을 활용해 인간의 본능적 공격성을 제거하는 일은 쉽지 않다.

4 이 글을 읽고, 〈보기〉의 밑줄 친 질문에 대답한다고 할 때, 가장 적절한 것은 무엇인가요?

┤보 기├

　로렌츠는 인간의 공격성을 긍정적인 방향으로 유도할 수 있다고 믿었기에 인류의 미래를 낙관할 수 있었다. <u>그렇다면 공격성을 긍정적으로 해소하고 인간이 더불어 잘 지낼 수 있는 방법은 무엇일까?</u>

① 인간 본성에 대해 연구하고 자기성찰을 할 때에만 개인의 공격성이 바람직한 방향으로 바뀔 수 있는 것 같아.
② 다른 지역이나 다른 문화권에 사는 사람들과의 만남을 통해 모든 인간이 비슷한 성향을 가지고 있다는 것을 이해하게 되면 공격성이 해소될 것 같아.
③ 반려동물을 키우면서 인간의 삶이 동물과 멀리 떨어진 곳에 존재하는 것이 아니라는 것을 이해하고, 동물과 유대를 쌓으면 공격성이 약해질 것 같아.
④ 인간 현실을 잘 담은 연극이나 영화를 정기적으로 관람하면 인간 사회를 객관적으로 바라볼 수 있는 시각이 생겨서, 궁극적으로는 인간에 대한 희망을 품을 수 있을 것 같아.
⑤ 서로 경쟁하는 학생들이 팀을 이루어 다른 팀과 스포츠 경기를 하게 하면 상대를 공격하던 행동이 팀의 승리로 이어질 수 있으니 공격성이 성취감으로 바뀌는 경험을 할 수 있는 것 같아.

이론을 구체적 사례에 적용하여 이해하는 문제의 경우, 이론의 핵심어가 무엇인지 정확히 파악하고 그것이 사례 속에 드러나 있는지 하나씩 연결하여 살펴볼 것!

예술의 미래

Q 속도에 주목한 미래파 미술과 대조를 이루는 과거 미술의 특징은 무엇인가요?

미래파 미술

미래파는 20세기 초반 유럽에서 파급된 예술 운동을 일컫는다. 1909년 2월, 이탈리아 작가인 필리포 톰마소 마리네티는 프랑스 신문에 "우리는 고고학자, 골동품 수집가들로부터 이 땅을 자유롭게 만들어 주기를 원한다. 이 때문에 오늘 미래파를 창립한다."라는 내용의 '미래파 선언문'을 발표하였다. 그는 또한 "우리는 이 나라를 무덤처럼 뒤덮고 있는 박물관들로부터 풀어 주려고 한다."라고 밝히고, 박물관과 도서관을 파괴할 것이며 도덕주의와 모든 공리주의적 비겁함에 대항해서 싸우겠다고 주장하였다. 이것이 미래파의 시작이었다. 미래파는 기존의 예술을 과거주의로 여겨 비판하고 부정하였으며 현대의 물질문명에 어울리는 새롭고 역동적인 아름다움을 추구했다. 미래파 예술 운동은 예술의 다양한 분야에 영향을 끼쳤는데, 특히 미술 분야에 미친 영향이 크다.

미래파 미술은 기계 문명을 작품에 끌어들이고 기계가 지닌 차가운 아름다움을 조형 예술의 주제로 삼았다. 특히 기계 문명의 본질적 속성에 해당하는 '속도'에 주목한 것이 미래파 미술의 중요한 특징 중 하나이다. 정적인 자연이나 인간을 주로 묘사하던 과거의 미술을 부정하고 속도감 있게 움직이는 사물을 묘사했는데, 쉽게 말해 움직이는 '대상'보다 대상의 '움직임'에 더 주목했다고 이해할 수 있다. 미래파 화가들은 작품 속에 운동, 즉 속도감을 표현하기 위해 회화에 시간 요소를 도입하였고 속도를 시각화하기 위해 노력했다.

미래파 미술의 선두 주자라 할 수 있는 움베르토 보초니의 「공간에 있어서 연속성의 독특한 형태」는 속도감을 조각으로 잘 실현한 작품이다. 뛰어가는 사람의 움직임을 정지 화면으로 표현했는데, 언뜻 보면 만화에 나오는 로봇 같은 느낌을 주지만, 자세히 살펴보면 머리, 어깨, 다리에서 뒤쪽으로 불꽃이 튀어 나가는 듯한 모습을 볼 수 있다. 페르낭 레제의 「건설자들」은 기계 문명을 상징하는 소재가 다양하게 활용된 작품이다. 이 작품은 기계 문명의 역동성과 명확성에 이끌려 산업화가 주는 희망에 열광하는

움베르토 보초니, 「공간에 있어서 연속성의 독특한 형태」

새로운 인간상을 표현했는데, 그림 속 노동자들은 고된 노동에 지치기보다는 희망에 찬 모습이다. 철근과 콘크리트 냄새가 물씬 풍기는 대도시 빌딩 숲을 인류의 진보로 바라본 당시의 경향이 반영되기도 했다.

대부분의 미래파 지식인들은 지속적인 발전보다는 혁명을, 과거와 현재의 타협보다는 투쟁과 파괴를 선호했다. 이러한 신념이 극한에 이르자 미래파 지식인 중 상당수는 개인이 국가가 명시한 국민의 통합된 뜻에 따라야 하고, 국가를 상징하는 카리스마적인 지도자에게 완전히 복종해야 하며, 군사적 가치관을 찬양하고, 자유주의적 민주주의 등의 가치관을 낮게 평가한 무솔리니의 파시즘*을 추종하기에 이르렀다. 그들 중 일부는 이탈리아의 독재자 무솔리니를 모더니즘의 '성자'

페르낭 레제, 「건설자들」

로 표현하는가 하면, 작품을 통해 전쟁과 죽음을 찬양하였다. 이처럼 미래파는 새로운 시대에 걸맞은 혁명적이고 건설적인 생각의 장을 만들었다는 점에서 긍정적인 면을 가지지만 전쟁을 옹호하고 결국에는 파시즘과 결탁했다는 비판에서 자유롭지 못하게 되었다.

* 파시즘: 제1차 세계 대전 때 나타난 극단적인 전체주의적·배타적인 정치 이념이나 지배 체계. 폭력적인 방법에 의한 독재를 주장하며 지배자에 대한 절대 복종을 강요한다.

0 다음은 이 글의 '미래파'를 주제어로 하는 백과사전의 한 부분입니다. (   )에 들어갈 적절한 말을 순서대로 쓰세요.

> **[미래파]**
> • 기원: 20세기 초반 유럽에서 시작됨.
> • 특징: ① 여러 예술 분야 중 (   ) 분야에 끼친 영향이 큼.
>   ② (   ) 문명을 작품에 끌어들이고 예술의 주제로 삼음.
> • 한계: (   )을 옹호하고 파시즘과 결탁했다는 비판을 받음.

1 **이 글의 내용과 일치하지 <u>않는</u> 것은 무엇인가요?**

① 미래파는 옛 문명의 전통과 미적 기준에 대해 비판적이다.

② 미래파는 과거 문명의 부정적 측면을 긍정적으로 표현하였다.

③ 박물관이나 도서관은 미래파의 입장에서는 파괴해야 할 대상이다.

④ 미래파는 현대 물질문명에 어울리는 새로운 아름다움을 추구하였다.

⑤ 미래파는 도덕주의나 공리주의적 비겁함에 대항해 싸우고자 하였다.

2 **〈보기〉를 바탕으로 이 글을 이해한 내용으로 가장 적절한 것은 무엇인가요?**

───────────────| 보 기 |───────────────

　　미래파의 창시자인 필리포 톰마소 마리네티는 낡은 것을 한 번에 없앨 수 있는 혁명적 해
법으로써의 전쟁을 찬미했고, 그 가치를 따르는 모든 폭력적인 것들을 옹호했다. 『세상의 유
일한 위생법, 전쟁』(1915)이란 제목의 시집을 내기도 했던 그는 실제로 무솔리니의 파시스트
당 당원이었고, 당연하게도 제1차 세계 대전을 지지했다.

① 미래파는 폭력을 옹호하는 입장에 있었기에 급격한 변화보다는 강력한 국가에 의한 지속
적인 발전을 선호하였다.

② 미래파의 창시자가 파시스트당 당원이었다는 사실을 통해 미래파가 기계 문명의 발달에
얼마나 큰 영향을 끼쳤는지 알 수 있다.

③ 전쟁이 인간 사회에 미칠 부정적 영향을 고려하지 않은 미래파는 산업화 사회에서 작품
활동을 활발히 할 수 없다는 한계가 있었다.

④ 무솔리니의 파시즘을 옹호하고 제1차 세계 대전을 지지하면서 대중적으로 설 자리를 잃
게 된 미래파는 그러한 상황에서 벗어나기 위해 과거와 현재의 조화를 꾀하기도 했다.

⑤ 미래파는 과거 청산이 전쟁과 같은 혁명을 통해서 가능하다고 믿었기에 전쟁을 위한 폭
력적인 이념과 독재자의 통치, 파시즘에 대한 찬양으로 이어졌다고 볼 수 있다.

3 다음 중 미래파 미술에 대한 설명으로 적절한 것을 모두 골라 바르게 묶은 것은 무엇인가요?

> ⓐ 작품의 소재인 대상 자체에 주목하였다.
> ⓑ 기계가 가진 차가운 속성을 예술의 주제로 삼았다.
> ⓒ 움직임이 없는 모든 대상을 부정적으로 인식하였다.
> ⓓ 움직이는 대상의 속도감을 시각적으로 표현하고자 했다.
> ⓔ 기계 문명을 상징하는 소재를 작품에 다양하게 활용하였다.

① ⓐ, ⓑ, ⓓ
② ⓐ, ⓓ, ⓔ
③ ⓑ, ⓒ, ⓓ
④ ⓑ, ⓓ, ⓔ
⑤ ⓒ, ⓓ, ⓔ

4 〈보기〉는 미래파 화가인 자코모 발라의 작품입니다. 이 글을 바탕으로 〈보기〉를 이해한 내용으로 가장 적절한 것은 무엇인가요?

| 보 기 |

미래파 미술의 특징이 2, 3문단에 자세히 나와 있어. 〈보기〉의 그림은 어떤 특징과 관련되는지 살펴봐.

자코모 발라, 「끈에 묶인 개의 역동성」

① 기계 문명의 역동성과 명확성을 표현하려 한 미래파 미술의 전형을 보여 주고 있어.

② 오래된 모든 것을 부정적으로 파악한 미래파의 극단적인 작품 경향이 잘 드러나 있어.

③ 빠르게 움직이는 개의 모습을 시각적으로 표현했다는 점에서 대상의 움직임에 주목한 미래파의 특징이 잘 나타나 있어.

④ 산업화, 기계화 시대에 인간뿐만 아니라 동물들도 바쁘게 살아가는 것이 바람직하다는 미래파의 신념을 표현하고 있어.

⑤ 기계화된 사회 속에서 바쁘게 살아가는 현대인들의 삶의 모습을 역동적인 개의 움직임에 빗대어 표현한 작품으로, 미래파의 한계를 잘 보여 주고 있어.

Q 다음은 생각을 읽을 수 있는 지문 구조도를 퍼즐로 나타낸 것입니다. 앞에서 읽은 글의 내용을 떠올리며 생각읽기 1~6에 해당하는 퍼즐을 선으로 연결해 보세요.

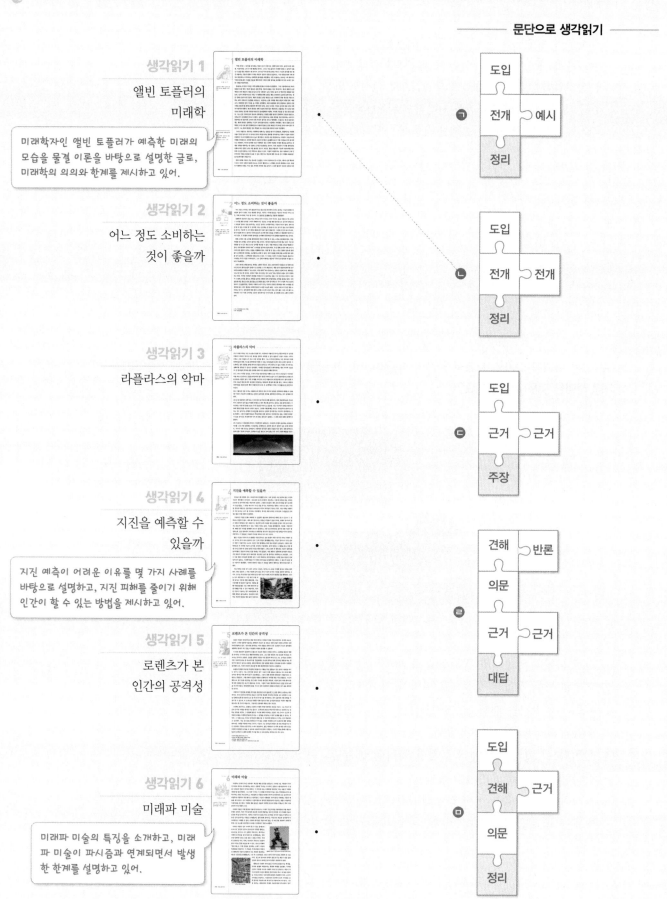

문단으로 생각읽기

생각읽기 1

앨빈 토플러의 미래학

미래학자인 앨빈 토플러가 예측한 미래의 모습을 물결 이론을 바탕으로 설명한 글로, 미래학의 의의와 한계를 제시하고 있어.

ㄱ
도입
전개 ─ 예시
정리

생각읽기 2

어느 정도 소비하는 것이 좋을까

ㄴ
도입
전개 ─ 전개
정리

생각읽기 3

라플라스의 악마

ㄷ
도입
근거 ─ 근거
주장

생각읽기 4

지진을 예측할 수 있을까

지진 예측이 어려운 이유를 몇 가지 사례를 바탕으로 설명하고, 지진 피해를 줄이기 위해 인간이 할 수 있는 방법을 제시하고 있어.

ㄹ
견해 ─ 반론
의문
근거 ─ 근거
대답

생각읽기 5

로렌츠가 본 인간의 공격성

생각읽기 6

미래파 미술

미래파 미술의 특징을 소개하고, 미래파 미술이 파시즘과 연계되면서 발생한 한계를 설명하고 있어.

ㅁ
도입
견해 ─ 근거
의문
정리

1 토플러의 〔　　〕에서는 물결 이론에 따라 사회의 변화 양상을 설명하고, 정보화 사회의 발전이 인간과 사회에 어떤 영향을 미치는지를 분석하고 전망하였다.

2 현재 소비와 미래 소비는 상충 관계에 있기 때문에 평생을 고려한 가장 합리적인 〔　〕란 현재와 미래 모두 같은 양을 소비하는 것이다.

3 〔　　　〕의 움직임과 위치는 많은 부분 과학적으로 입증되었지만 여전히 의문점이 남아 있으며, 인간이 라플라스의 악마가 되어 우주의 모든 것을 예측하는 것은 아직 불가능하다.

4 땅속 깊은 곳에서 발생하는 〔　〕을 정확히 예측하기는 어렵기 때문에 이로 인한 피해를 줄이기 위해서는 사전 대비를 하는 것이 최선이다.

5 〔　　〕는 인간은 본능적으로 공격성을 가진 동물이지만 공격성의 방향을 바람직한 방향으로 바꿀 수 있기 때문에 인류의 미래를 낙관적으로 바라본다.

6 〔　　〕 미술은 현대의 물질문명, 기계 문명에 맞는 새로운 아름다움을 추구하였다는 의의가 있으나, 전쟁을 옹호하고 파시즘과 결탁했다는 비판을 받고 있다.

우리는 어떻게 미래를 준비할까?

"미래는 준비하는 자의 몫이다"

사람들은 미래에 혹시 닥칠지 모를 고통이나 후회를 피하고 현재의 즐거움이나 행복을 유지하고 싶어 합니다. 그런데 미래는 어떤 누구도 먼저 경험할 수 없기에 고통스러울지 아니면 행복할지를 그 누구도 알 수 없습니다. 그래서 오래전부터 인류는 미래를 알기 위해 예측하고 연구해 왔습니다.

과거의 미래였던 현재에서 볼 때 과거에 이루어진 미래 예측 중에는 틀린 것도 있고 정확히 들어맞는 것도 있습니다. 그러나 분명한 것은 과거에 존재했던 예측들이 지금의 우리를 있게 했다는 점입니다. 과거의 예측이 현재 삶의 기반이 되었듯이, 현재 우리가 미래를 두고 하는 고민과 예측들도 앞으로 우리가 살아갈 미래의 모습을 만들어 가는 기반이 될 것입니다.

> 미래는 현재 우리가 무엇을 하는가에 달려 있다.
> – 마하트마 간디

정답과 해설 V

생각 읽기가 독해다!

생각독해 V

생각독해 V
정답과
해설

생각읽기 **1 손짓과 표정으로 말하다**

0 ②   **1** ④   **2** ②   **3** ④   **4** ④

Q 수화는 어떻게 표현되고, 어떻게 이해되는 체계인가요?

수화는 음성 언어와 달리 손 운동 등으로 표현된 후 시각으로 이해되는 체계입니다.

이 글은 청각 장애인들이 의사소통 시 사용하는 수화에 관해 설명하고 있습니다. 수화는 수지 신호와 비수지 신호를 활용하여 의미를 표현하고, 상대방은 이를 시각적으로 이해한다는 특징이 있습니다. 즉, 수화는 시각적 신호와 의미의 대응 관계를 바탕으로 의사소통이 이루어지는 언어 체계인 것입니다.

■ 문단으로 생각읽기

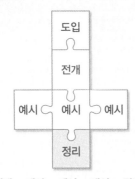

[도입 – 전개 – 예시 – 예시 – 예시 – 정리]의 생각 구조

— **화제 소개**

청각 장애가 있는 사람들이 사용하는 의미 전달 체계인 수화를 소개함. (1문단)

— **대상 설명**

수화가 수지 신호와 비수지 신호를 함께 활용한다는 점을 음성 언어와 비교하여 설명함. (2문단)

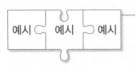

— **사례 제시**

실제로 수지 신호와 비수지 신호를 활용하여 의미를 전달하는 방법을 예를 들어 설명함. (3~5문단)

— **마무리**

수화가 수지 신호와 비수지 신호를 함께 활용하고 시각적 신호와 의미의 대응 관계를 바탕으로 한 언어 체계임을 강조함. (6문단)

0 이 글은 음성 언어와 달리, 손 운동 등으로 표현된 후 시각으로 이해되는 수화의 특징을 중점적으로 설명하고 있으므로 '음성 언어와 구별되는 수화의 특징'은 표제로 적절합니다. 그리고 이를 설명하기 위해 수화의 표현법 중 수지 신호와 비수지 신호를 실제로 활용하는 사례를 구체적으로 제시하고 있으므로 '수지 신호와 비수지 신호의 활용 사례를 중심으로'는 부제로 적절합니다.

출제 의도 표제는 글의 전체 내용을 압축하여 나타낼 수 있는 것이어야 하고, 부제는 이를 좀 더 구체화한 것이라고 보면 됩니다. 글쓴이가 중점적으로 다루고 있는 내용을 찾으면 해결할 수 있는 문제입니다.

오답 피하기 ① 이 글에서 수화와 음성 언어를 비교하고 그 차이를 대조한 내용은 다루고 있지만, 이는 일부분에 해당하며 핵심적인 내용이 아니므로 표제로 적절하지 않습니다. 그리고 각 문법 요소들의 공통점과 차이점을 구체적으로 다루지 않았으므로 부제로도 적절하지 않습니다.

③ 이 글에서 현행 수화 방식의 문제점이나 이에 대한 개선 방안은 다루고 있지 않았으므로 표제로 적절하지 않습니다. 그리고 1문단에서 음성 언어에 비해 수화가 문법적 요소를 나타내는 형태소가 발달하지 않았다는 제약은 언급하고 있으나, 음성 언어에 비해 제약이 많은 수화의 한계점을 언급하지 않았으므로 부제로 적절하지 않습니다.

④ 이 글에서 청각 장애인의 의사소통 방법인 수화를 전반적으로 다루었으므로 표제로 적절합니다. 그러나 청각 장애인이 의사소통에서 곤란을 겪는 실제 사례를 구체적으로 다루지는 않았으므로 부제로 적절하지 않습니다.

⑤ 이 글에서 수화를 활용한 의사소통의 원리를 다루었으므로 표제로 적절합니다. 그러나 수지 신호가 비수지 신호에 비해 많이 사용되는 이유를 언급하지는 않았으므로 부제로 적절하지 않습니다.

1 이 글에서는 일반적으로 사용하는 음성 언어와 수화의 차이를 설명하고 있지만, 수화를 일반적인 음성 언어 상황에 활용하는 방법에 대해서는 설명하고 있지 않습니다.

오답 피하기 ① 2문단에서 수지 신호는 손을 사용하는 것이고, 비수지 신호는 손 이외의 얼굴, 눈썹의 움직임, 입 모양 등을 사용하는 것이라고 그 의미를 설명하고 있습니다.

② 1문단에서 수화는 음성 언어에 비해 조사, 어미 등과 같은 문법적 관계를 나타내는 형태소가 발달하지 않아서 주로 어순이나 수화의 맥락 등에 따라 그 문장 성분이 무엇인지 결정된다고 하면서 수화에서 어순이나 수화의 맥락이 중요한 이유를 설명하고 있습니다.

③ 2문단에서 수화에서 비수지 신호는 발화자의 감정을 강조하는 역할뿐만 아니라 문장 종결 등의 문법적인 역할까지 수행한다고 하면서 비수지 신호의 중요성에 대해 설명하고 있습니다.

⑤ 2문단에서 감정을 표현하는 수단으로 음성 언어에서는 비언어적 요소가, 수화에서는 비수지 신호가 활용될 수 있는데, 음성 언어의 비언어적 요소가 발화자의 감정을 강조하는 보조적인 역할만 하는

데 비해 수화의 비수지 신호는 문장 종결 등의 문법적인 역할까지 수행한다는 차이가 있다고 설명하고 있습니다.

2 1문단에 따르면 수화는 음성 언어에 비해 문법적 관계를 나타내는 형태소가 발달하지 않았다고 하였습니다.

> 오답 피하기 ① 1문단에서 수화는 손 운동 등으로 표현된 후 시각으로 이해되는 체계라는 점을 확인할 수 있습니다.
> ③ 4, 5문단에서 일반적인 수화 상황에서는 '{이해}', '{결정}'처럼 문장을 원래보다 축약하여 표현하는 특성이 있다는 점을 확인할 수 있습니다.
> ④ 3~5문단에서 의사소통 시 수지 신호 또는 비수지 신호 각각으로 의미를 전달할 수 있을 뿐만 아니라, 수지 신호와 비수지 신호를 모두 활용하여 의미를 전달할 수 있다는 것을 확인할 수 있습니다.
> ⑤ 1문단에서 {예쁘다}는 '{예쁘다} {꽃}'에서는 관형어, '{꽃}, {예쁘다}'에서는 서술어가 된다는 설명을 통해, 수화에서는 동일한 단어라도 어순에 따라 문장 성분이 달라진다는 것을 확인할 수 있습니다.

3 이 글에 따르면 〈보기〉의 ㉠은 손을 사용했으므로 수화의 수지 신호이고, ㉡은 얼굴, 눈 모양, 입 모양을 사용했으므로 비수지 신호에 해당합니다. 이 글에 따르면 수지 신호만으로 의미를 전달할 때보다 수지 신호에 비수지 신호가 동반되어 활용되면 수화자의 감정이나 느낌을 더욱 강조하는 기능을 한다고 하였습니다. 따라서 ㉠과 ㉡을 함께 사용함으로써 의료인들에게 감사의 마음을 표현하려는 수화자의 감정을 더욱 강조할 수 있다는 점을 알 수 있습니다.

> 오답 피하기 ① 2문단에 따르면 손을 사용하는 것은 수지 신호, 손 이외의 얼굴, 눈썹의 움직임, 입 모양 등을 사용하는 것은 비수지 신호이므로, 〈보기〉의 ㉠은 '덕분입니다'를 의미하는 수화의 수지 신호에 해당합니다.
> ② 2문단에 따르면, 비수지 신호는 음성 언어 상황에 사용되는 비언어적 요소와 같이 의사소통 상황에서 보조적 역할을 하므로, 〈보기〉에서 수화로 '덕분입니다'를 표현하기 위한 ㉠의 보조적 역할을 하는 것은 비수지 신호인 ㉡입니다.
> ③ 1문단에 따르면 수화는 손가락의 모양 등을 달리하여 의미를 전달하므로, 〈보기〉에서 ㉠의 손가락 모양을 다르게 할 경우 '덕분입니다'라는 원래 의미를 제대로 전달할 수 없게 됩니다.
> ⑤ 2문단과 3문단에 따르면, 비수지 신호는 수지 신호에 동반되어 활용되면서 의사소통 상황에서 보조적 역할을 합니다. ㉡만으로는 '덕분입니다'라는 의미를 표현할 수 없으므로, ㉡은 수화의 비수지 신호에 해당합니다.

4 ⑨'동반'의 사전적 의미는 '어떤 사물이나 현상이 함께 생김.'이고, ④의 '맞지 아니하고 서로 어긋남.'은 '상충'의 사전적 의미이므로 적절하지 않습니다.

---

0 ① **1** ① **2** ② **3** ④ **4** ④

Q 리버먼은 '공감'에 관한 기존의 이론을 어떻게 정리하였나요?

'이론－이론'과 '모의 이론'을 통합하여 사람은 '모의 이론'의 '거울 체계'와 '이론－이론'의 '심리화 체계'를 모두 가지고 있다고 주장하였습니다.

이 글은 다른 사람의 심정을 이해하는 '공감'에 관한 다양한 이론들을 설명하고 있습니다. 공감에 관해 설명하는 이론인 '이론－이론'과 '모의 이론'에 대해 제시하고, 이 두 이론이 서로의 문제점을 지적하고 있음을 언급한 뒤, 이러한 두 이론을 통합하려는 노력으로 매튜 리버먼의 견해를 소개하고 있습니다.

■ 문단으로 생각읽기

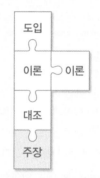

[도입 － 이론 － 이론 － 대조 － 주장]의 생각 구조

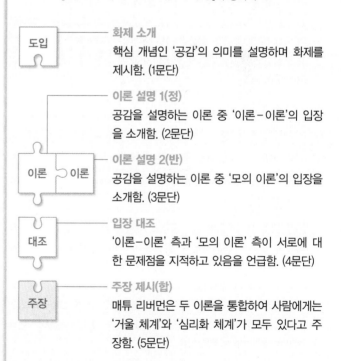

도입	**화제 소개** 핵심 개념인 '공감'의 의미를 설명하며 화제를 제시함. (1문단)
이론 ⊃ 이론	**이론 설명 1(정)** 공감을 설명하는 이론 중 '이론－이론'의 입장을 소개함. (2문단) **이론 설명 2(반)** 공감을 설명하는 이론 중 '모의 이론'의 입장을 소개함. (3문단)
대조	**입장 대조** '이론－이론' 측과 '모의 이론' 측이 서로에 대한 문제점을 지적하고 있음을 언급함. (4문단)
주장	**주장 제시(합)** 매튜 리버먼은 두 이론을 통합하여 사람에게는 '거울 체계'와 '심리화 체계'가 모두 있다고 주장함. (5문단)

생각읽기가 수능이다

독해실전 **1** ①
수능실전 **1** ①

0 이 글은 '공감'을 설명하는 이론 중 '이론-이론'과 '모의 이론'을 소개한 후, 이를 통합하려는 매튜 리버먼의 견해를 소개하고 있습니다. 따라서 이 글의 핵심 화제는 '공감을 설명하는 대표적인 이론들'이 가장 적절합니다.

> **출제 의도** '제목'의 사전적 정의는 '작품이나 강연, 보고 따위에서, 그것을 대표하거나 내용을 보이기 위하여 붙이는 이름'입니다. 이 글을 대표할 수 있는 내용이 무엇인지를 판단해야 합니다.

1 1문단에서 공감으로 인해 사람은 소외감을 극복할 수 있고, 서로 협력할 수 있다는 점을 확인할 수 있습니다. 따라서 ①의 '학생의 이해'에 대한 '판단'은 '적절함'이 되는 것이 맞습니다.

> **오답 피하기** ② 1문단에 따르면 공감은 다른 사람의 심정을 이해하는 것을 의미하고, 이는 인간 생활의 중요한 요소 중 하나로 꼽힌다는 것을 확인할 수 있습니다. 따라서 '학생의 이해'에 대한 '판단'은 '적절함'이 되어야 합니다.
> ③ 4문단에 따르면 '모의 이론' 측에서는 '이론-이론'에서 언급한 마음의 작동 방식에 대한 개념적 이론이 실제로 존재하지 않는다고 지적하였습니다. 따라서 '모의 이론'과 '이론-이론'의 주장을 반대로 파악한 '학생의 이해'에 대해 '판단'은 '부적절함'이 되어야 합니다.
> ④ 5문단에 따르면 리버먼은, 사람은 '모의 이론'의 '거울 체계'와 '이론-이론'의 '심리화 체계'를 모두 가지고 있다고 주장하였습니다. 따라서 '학생의 이해'에 대한 '판단'은 '부적절함'이 되어야 합니다.
> ⑤ 5문단에 따르면 리버먼은 낮은 수준에서 타인의 행위를 이해하기 위해 '무엇'에 관한 질문을 하는 순간에는 '거울 체계'가 작동한다고 주장하였습니다. 따라서 '학생의 이해'에 대한 '판단'은 '적절함'이 되어야 합니다.

2 2~4문단에서는 '공감'이라는 특정 대상을 설명하는 두 가지 이론, 즉 '이론-이론'과 '모의 이론'을 대조하여 설명하고 있습니다. 그리고 5문단에서는 이러한 두 이론을 절충하여 통합하려는 매튜 리버먼의 '두 체계 이론'을 새롭게 소개하고 있습니다.

> **오답 피하기** ① 이 글에서는 '공감'의 개념을 정의한 후, 소외감을 극복할 수 있고 서로 협력할 수 있으며 이타적인 행위까지 할 수 있게 한다는 등의 공감의 영향과 역할을 제시하고 있지만, 그것을 다른 대상과 비교하고 있지 않습니다.
> ③ 이 글에서는 '공감'과 관련된 다양한 이론을 소개하고 있습니다. 그러나 이러한 이론이 발달하는 과정을 설명하고 있지 않으며, 향후 전망을 예측하고 있지도 않습니다.
> ④ 이 글에서는 '공감'이 사람들에게 미치는 영향을 분석하고, 이와 관련된 사례를 제시하고 있습니다. 그러나 '공감'과 관련된 이론들을 소개할 뿐이지, 특정 이론의 도입이 필요하다는 것을 부각하고 있지는 않습니다.
> ⑤ 이 글에서는 '이론-이론' 측과 '모의 이론' 측이 서로의 문제점을 지적하고 있음을 제시하고 있지만, '공감'과 관련된 기존 통념의 문

제점을 비판하고 있지 않습니다. 그리고 이에 대한 해결책을 제시하는 다양한 이론가들의 견해를 설명하고 있지도 않습니다.

3 3문단에 따르면, '모의 이론'에서는 타인의 상황에 자신을 투사한 후, 그 상황에서 자신의 마음 상태를 상상함으로써 타인의 마음을 이해할 수 있다고 봅니다. 따라서 '모의 이론'에 따르면 〈보기〉의 상황에서 '갑'은 '을'이 어떤 마음이었을지를 상상으로 재현해 봄으로써 '을'의 마음을 이해할 수 있다고 볼 것입니다. '갑'이 '을'의 상황에 자신을 투사하더라도 '을'의 고통과 마음을 제대로 이해하기 어렵다고 본 ④의 설명은 '모의 이론'을 비판하는 '이론-이론'의 입장과 관련이 있습니다.

> **오답 피하기** ① '이론-이론'에 따르면, 자신의 경험을 통해 얻은 개념적 이론에 근거하여 타인의 고통에 공감합니다. 따라서 '이론-이론'에서는 〈보기〉의 '갑'이 과거에 '을'과 마찬가지로 우산을 챙겨 오지 못해서 비를 맞고 고통스러워했던 경험이 있기 때문에, 이를 바탕으로 '을'에 공감할 수 있다고 볼 것입니다.
> ② '모의 이론'에 따르면, 자신이 타인과 동일한 상황에 처했다고 상상해 보고 그 상황에서 자신이라면 어떤 마음이었을지를 상상으로 재현해 봄으로써 타인을 이해합니다. 따라서 '모의 이론'에서는 〈보기〉의 '갑'이 비를 맞고 있는 '을'과 동일한 상황에 처했다면 그때의 고통과 마음 상태가 어떤지를 상상으로 재현해 볼 수 있고, 이로써 '을'의 심리를 이해하고 공감할 수 있다고 볼 것입니다.
> ③ '이론-이론'에 따르면, 넘어졌던 경험을 통해 '자신이 다쳤다는 사건의 발생 → 통증을 느낀다는 마음 → 소리를 지른다는 표현'이라는 세 가지 요소 사이에 인과적 법칙이 있다는 개념적 이론에 근거하여 타인의 고통을 이해합니다. 따라서 '이론-이론'에서는 〈보기〉의 '갑'이 과거의 경험을 통해 '비를 맞음 → 체온 저하로 고통을 느낌 → 몸을 떪'이라는 세 가지 요소 사이에 인과적 법칙이 있다는 개념적 이론을 가지게 됩니다. 그리고 이를 바탕으로 '을'의 고통을 추론할 수 있고, 이에 공감하게 된다고 볼 것입니다.
> ⑤ '모의 이론'에 따르면, 타인과 동일한 상황에서는 타인의 마음과 모의실험을 한 자신의 마음이 유사하다고 봅니다. 따라서 '모의 이론'에서는 〈보기〉의 '을'이 비를 맞고 몸을 떠는 상황과 동일한 상황에서 '갑'이 모의실험을 통해 자신의 마음과 고통스러워하는 '을'의 마음이 서로 유사하다고 보게 될 것입니다.

4 ㉠의 '다르다'는 문맥상 '비교가 되는 두 대상이 서로 같지 아니하다.'라는 의미로 쓰였습니다. 반면 ④ '고장 난 문을 수리한 것을 보니 기술자는 역시 다르다.'의 '다르다'는 문맥상 '보통의 것보다 두드러진 데가 있다.'라는 의미이므로 ㉠의 의미와는 거리가 있습니다.

> **오답 피하기** ①, ②, ③, ⑤ '다르다'의 여러 가지 의미 중 문맥상 '비교가 되는 두 대상이 서로 같지 아니하다.'라는 의미로 쓰였으므로, ㉠의 의미와 유사합니다.

생각읽기 3 사진가가 갖추어야 할 네 가지 눈

0 ⑤	1 ⑤	2 ①	3 ③	4 ②

Q 사진에 담을 적절한 대상을 선택하기 위해 사진가가 갖추어야 할 네 가지의 눈은 무엇인가요?

사진가는 '관찰의 눈, 존재의 눈, 시간의 눈, 소통의 눈'을 갖추어야 합니다.

이 글은 사진가가 갖추어야 할 '사진가의 눈'에 대해 설명하고 있습니다. 사진은 다른 회화 장르보다 현실을 사실적으로 보여 준다는 특징이 있고, 현실의 모습 중 사진가가 카메라 렌즈를 통해 선택한 대상만을 사진으로 담아 표현하므로 예술 장르로 볼 수 있다는 점을 설명하고 있습니다. 그리고 사진에서는 무엇보다 '사진가의 눈'이 중요하다고 하면서 사진가는 관찰의 눈, 존재의 눈, 시간의 눈, 소통의 눈을 갖추어야 함을 강조하고 있습니다.

■ 문단으로 생각읽기

[도입 – 의문 – 해결 – 주장]의 생각 구조

화제 소개
다른 회화 장르와는 구분되는 사진만의 특징을 설명함. (1문단)

의문 제기
사진이 예술 장르에 포함될 수 있을지에 대해 꾸준히 제기된 의문을 제시함. (2문단)

의문 해결
사진은 현실의 여러 이미지 중 사진가의 눈을 통해 선택된 것만을 보여 주므로 예술이 될 수 있음을 설명함. (3문단)

주장 제시
사진가가 갖추어야 할 '사진가의 눈'에는 '관찰의 눈, 존재의 눈, 시간의 눈, 소통의 눈'이 있음을 제시함. (4문단)

0 이 글에서 사진 이미지는 세상의 다양한 이미지 중에서 사진가의 눈을 통해 선택된 것이므로 사진이 다른 회화 작품처럼 예술이 될 수 있음을 언급한 뒤, 그렇기 때문에 '사진가의 눈'이 중요하다고 하면서 사진가는 관찰의 눈, 존재의 눈, 시간의 눈, 소통의 눈을 갖추어야 한다고 설명하고 있습니다. 따라서 이 글의 중심 내용으로는 '사진의 예술성과 사진가가 갖추어야 할 '눈'의 의미'가 가장 적절합니다.

출제 의도 중심 내용이란 글 전체에서 가장 주목하고 있는 내용 요소를 의미합니다. 글에 언급되었다고 해서 모두 중심 내용이 될 수 있는 것은 아닙니다. 글 전체를 통해 글쓴이가 핵심적으로 전달하고자 한 내용이 무엇인지 파악해야 합니다.

1 이 글에 따르면 사진은 기계적 장치인 카메라를 활용하고, 현실을 사실적으로 보여 주는 예술 장르인 것은 맞습니다. 그러나 3문단에서 카메라는 렌즈 앞에 존재하는 것만을 프레임 안에 담기 때문에 사진은 현실을 있는 그대로 보여 주지는 않는다고 하였으므로 '학생 5'의 반응은 적절하지 않습니다.

오답 피하기 ① 3문단에서 카메라는 전체 상황 중에서 카메라의 렌즈에 보이는 것만을 프레임 안에 담고, 사진가는 이를 사진으로 만들어 내는 것이라고 하였으므로 '학생 1'의 반응은 적절합니다.
② 1문단에서 사진은 어느 화가의 회화 작품보다도 더욱 높은 해상력을 가지고 있다고 하였으므로 '학생 2'의 반응은 적절합니다.
③ 1문단에서 사진은 화가가 붓을 들고 물감으로 종이를 메워 나가는 회화나 정과 망치 등을 활용하는 조각과는 다른 방식으로 작품을 만들어 낸다고 하였으므로 '학생 3'의 반응은 적절합니다.
④ 2문단에서 사진은 다른 예술 장르와는 달리, 작가인 사진가가 결과물에 영향을 미칠 수 없다는 이유 때문에 사진은 예술에 포함될 수 없다는 지적을 받아 왔다고 하였으므로 '학생 4'의 반응은 적절합니다.

2 4문단에 따르면 '관찰의 눈'은 사진가가 대상에 대해 끊임없이 관심을 가지고 관찰하는 것과 관련이 있습니다(ㄱ). 또한 사진에는 물리적인 시간과 영원성이라는 두 가지 시간이 존재하는데, '시간의 눈'은 사진가가 흐르는 시간 속에서 특정 순간을 선택하여 대상을 사진에 담아내고 영원성을 지니게 되는 것과 관련이 있습니다(ㄷ).

오답 피하기 ㄴ. 4문단에 따르면, 시각 언어인 사진을 통해 대상의 구체적인 상태나 상황을 재현하여 대상이 무엇인지를 인지하게 하는 것은 '존재의 눈'이 아니라 '소통의 눈'과 관련이 있습니다.
ㄹ. 4문단에 따르면, 변화하는 대상의 존재 의미를 깨닫고, 이를 사진을 통해 부각하는 것은 '소통의 눈'이 아니라 '존재의 눈'과 관련이 있습니다.

3 이 글에 따르면 사진을 예술로 볼 수 있는 이유는 세상의 여

러 가지 이미지 중에서 '사진가의 눈'을 통해서 '선택'된 일부만을 사진에 담고, 이로써 감상자에게 의미를 전달하여 감상자와 사진가가 '소통'할 수 있기 때문입니다. 따라서 〈보기〉의 ㉠~㉢에 들어갈 말은 차례대로 '사진가의 눈 – 선택 – 감상자와 소통할'이 가장 적절합니다.

4 문맥상 ⓑ의 '포착하다'는 '어떤 기회나 정세를 알아차리다.'라는 의미인데, ②의 '획득하다'는 '얻어 내거나 얻어 가지다.'라는 의미이므로 ⓑ와 바꿔 쓰기에 적절하지 않습니다.

오답 피하기 ① 문맥상 ⓐ의 '메우다'는 '비어 있는 곳을 채우다.'라는 의미이므로, ⓐ를 '채워'로 바꿔 쓰는 것은 자연스럽습니다.
③ ⓒ의 '포함되다'는 '어떤 사물이나 현상 가운데 함께 들어가거나 함께 넣어지다.'라는 의미이므로 ⓒ를 '들어갈'로 바꿔 쓰는 것은 자연스럽습니다.
④ ⓓ의 '선정하다'는 '여럿 가운데서 어떤 것을 뽑아 정하다.'라는 의미이므로 ⓓ를 '여럿 중에서 가려내거나 뽑다.'의 뜻인 '골라'로 바꿔 쓰는 것은 자연스럽습니다.
⑤ 문맥상 ⓔ의 '담다'는 '어떤 내용이나 사상을 그림, 글, 말, 표정 따위 속에 포함하거나 반영하다.'라는 의미이므로, ⓔ를 '반영한'으로 바꿔 쓰는 것은 자연스럽습니다.

0 ⑤	1 ④	2 ③	3 ④	4 ⑤

Q 일반적으로 계약이 성립하려면 어떻게 해야 하나요?

계약은 일반적으로 계약 당사자들 간의 청약과 승낙이 합치해야만 성립합니다.

이 글은 일상생활에서 거래 당사자들끼리 진행하는 '계약'에 대해 설명하고 있습니다. 일반적으로 계약은 청약과 승낙이 합치해야만 성립하는데, 이 계약에서의 승낙의 의사 표시의 시간, 특수한 계약 형태로서의 의사 실현이나 교차 청약에 의한 계약의 성립, 계약 불이행 시의 손해 배상의 상황 발생 등 계약 시 고려해야 할 여러 가지 요소가 있다는 점을 제시하고 있습니다.

▪ 문단으로 생각읽기

[도입 – 전개 – 전개 – 전개 – 정리]의 생각 구조

 화제 소개
계약의 의미를 제시하고, 계약과 관련된 용어의 개념을 정의함. (1문단)

 **대상 설명 1**
일반적인 계약 형태로, 청약과 승낙의 합치에 의한 계약의 성립을 소개하고, 이 계약에서 중요한 승낙의 의사 표시의 시간 등을 설명함. (2문단)

대상 설명 2 및 사례 제시
특수한 계약 형태로, '의사 실현'과 '교차 청약'에 의한 계약의 성립을 소개하고, 각 계약에 해당하는 사례를 제시함. (3~4문단)

 문제 상황 제시
계약 성립 과정에서 발생할 수 있는 계약 불이행의 상황과 손해 배상 사례 등을 설명함. (5문단)

0 이 글은 '계약'에 대해 다루고 있습니다. 거래 당사자인 청약자와 승낙자가 계약을 통해 공식적으로 의사소통을 하게 된다고 보고, 일반적으로 청약과 승낙이 합치해야만 계약이 성립되는 형태와 특수하게 의사 실현이나 교차 청약에 의해 의사 표시가 이루어져 계약이 성립되는 형태를 설명하고 있습니다. 따라서 이 글의 제목은 '거래 당사자 간의 소통 방식에 따른 계약 성립 형태'가 가장 적절합니다.

> **출제 의도** 적절한 제목을 찾아내려면 이 글의 중심 화제를 파악하는 것이 필요합니다. 즉, 세부적으로 '무엇'에 대해 쓴 글인지를 확인해 봄으로써 글 전체의 내용을 아우르는 글의 제목을 미루어 짐작할 수 있습니다.

1 2문단에서 '승낙의 의사 표시가 청약자에게 발송된 시점'에 계약이 성립한다고 보는 것은 '실시간 의사소통에 의해 계약이 이루어질 때'가 아니라, '실시간 의사소통이 불가능한 사람들 간의 계약'과 관련이 있을 확인할 수 있습니다.

> **오답 피하기** ① 1문단에서 일반적으로 청약과 승낙이 합치해야만 계약이 성립한다는 점을 확인할 수 있습니다.
> ② 1문단에서 청약과 승낙이 합치해야만 하는 일반적인 계약 성립과 달리, 특수하게 의사 실현이나 교차 청약에 의해 계약이 성립하기도 한다는 점을 확인할 수 있습니다.
> ③ 2문단에서 청약을 받은 사람이 청약 내용의 변경을 요구한다면 이는 새로운 청약을 한 것으로 간주된다는 점을 확인할 수 있습니다.
> ⑤ 5문단에는 계약이 성립되는 과정에서 청약자가 매매 대상이 화재 등으로 소실되었다는 사실을 알았고, 승낙자는 매매 대상이 소실됐다는 사실을 몰랐던 상황이 언급되어 있습니다. 이 경우 승낙자가 계약이 유효하다고 믿음으로써 입게 된 손해를 청약자가 배상해 주어야 한다는 점을 확인할 수 있습니다.

2 3~5문단에서는 계약이 성립될 수 있는 사례들을 구체적으로 제시하고 있으며(ㄱ), 1문단에서는 계약과 관련된 용어인 '청약', '승낙' 등의 개념을 정의하고 있습니다(ㄴ). 그리고 2~4문단에서는 청약과 승낙의 합치에 의해 성립되는 계약에 있어서 실시간으로 의사소통이 불가능한 사람들 간의 계약과 승낙 기간 내에 승낙의 의사 표시가 도달하지 못한 경우의 계약, 그리고 특수한 경우로 의사 실현에 의한 계약과 교차 청약에 의한 계약 등 계약의 여러 가지 형태를 구분하여 제시한 후, 각 계약의 특징을 설명하고 있습니다(ㄷ).

> **오답 피하기** ㄹ. 이 글은 '계약'을 활용할 때의 장단점을 제시하고 있지 않고, 그 의의 역시 밝히고 있지 않습니다.

3 [A]에 따르면 〈보기〉의 '갑'이 A 회사의 인터넷 사이트를 통해 '을' 호텔을 예약했을 때, '을' 호텔 측이 아닌 A 회사에서 '갑'에게 예약 확정 이메일을 발송한 것은 일종의 거래상의 관습으로 볼 수 있습니다. 이 경우 '을' 호텔 측이 '갑'에게 별도로 승낙의 의사 표시를 통지하지 않더라도, '갑'이 A 회사로부터 이메일을 받은 것만으로도 계약이 성립하는 것으로 볼 수 있습니다.

> **오답 피하기** ① [A]에 따르면, 〈보기〉의 '을' 호텔 측은 '갑'과의 계약이 성립됐다고 볼 것이므로, '갑'을 위해 예약상의 객실 사용 당일인 20○○년 10월 1일에 스위트룸을 객실로 준비해 둘 것입니다.
> ② [A]에 따르면, 〈보기〉의 '을' 호텔 측은 거래상의 관습에 의해 예약 대행업체인 A 회사를 통해 '갑'과의 계약이 성립됐다고 볼 것입니다. 따라서 '을' 호텔 측은 '갑'에게 별도로 승낙의 의사 표시를 하지 않더라도 계약은 성립되는 것으로 여길 것입니다.
> ③ [A]에 따르면, 〈보기〉의 '갑'이 A 회사의 인터넷 사이트를 통해 '을' 호텔을 예약했을 때, '을' 호텔 측이 아닌 A 회사에서 '갑'에게 예약 확정 이메일을 발송한 것은 일종의 거래상의 관습으로 볼 수 있습니다. 따라서 이로써 계약이 성립되는 것으로 볼 것입니다.
> ⑤ [A]에 따르면, 〈보기〉의 '갑'이 A 회사의 인터넷 사이트를 통해 직접 예약을 진행한 것, A 회사가 '갑'에게 '예약 확정 이메일'을 발송한 것은 승낙의 의사 표시로 인정되는 사실에 해당합니다. 이는 [A]의 '의사 실현에 의한 계약의 성립'이 이루어진 상황에 해당하므로 적절합니다.

4 ⓜ'이행되다'는 계약이 실행된다는 문맥에서 사용되어 '실제로 행해지다.'라는 의미를 지닙니다. ⑤의 문장에서 쓰인 '이행되다'는 '다른 상태로 옮아가게 되다.'라는 뜻을 지니므로 ⓜ을 활용한 문장으로 적절하지 않습니다.

> **오답 피하기** ① '합치하다'는 '의견이나 주장 따위가 서로 맞아 일치하다.'라는 뜻이므로 문장에서 적절하게 활용되었습니다.
> ② '간주되다'는 '상태, 모양, 성질 따위가 그와 같다고 여겨지다.'라는 뜻이므로 문장에서 적절하게 활용되었습니다.
> ③ '소실되다'는 '불에 타서 사라지다.'라는 뜻이므로 문장에서 적절하게 활용되었습니다.
> ④ '배상하다'는 '남의 권리를 침해한 사람이 그 손해를 물어 주다.'라는 뜻이므로 문장에서 적절하게 활용되었습니다.

생각읽기 5 애덤 스미스의 '동감' 이론

0 ③　　**1** ⑤　　**2** ①　　**3** ②　　**4** ④

Q 애덤 스미스의 관점에서 볼 때, 관찰자가 행위자에게 '동감'하기 위해서는 어떻게 해야 하나요?

관찰자가 상상에 의한 역지사지를 통해 행위자와 감정 일치를 이룸으로써 동감하게 됩니다.

이 글은 도덕 감정의 핵심을 '동감' 능력이라고 보는 애덤 스미스의 주장을 소개하고 있습니다. 그는 공평한 관찰자가 행위자의 상황과 처지를 상상해 봄으로써 행위자에게 동감할 수 있다고 보았습니다. 이때 공평한 관찰자의 동감을 얻지 못할 경우 그것이 이타적인 행동일지라도 도덕적으로 승인받지 못한다는 점을 설명하고 있습니다.

■ 문단으로 생각읽기

[도입 – 전개 – 전개 – 전제 – 주장]의 생각 구조

화제 소개
사회 질서의 원리를 설명하는 18세기 영국의 대표적인 두 가지 흐름과 그중 후자('동감' 능력)에 주목한 애덤 스미스의 관점을 소개함. (1문단)

대상 설명 1
애덤 스미스가 말하는 '동감'의 의미를 제시하고, '공평한 관찰자'의 행위를 설명함. (2문단)

대상 설명 2
한 개인이 자신을 판단할 때에도 동감의 원리가 적용됨을 설명함. (3문단)

관점 제시
애덤 스미스의 관점에서 도덕적으로 승인받을 수 있는 행위의 조건을 설명함. (4문단)

개념 비교 및 주장
애덤 스미스가 제안한 '자혜'와 '정의'의 개념을 대조하여 애덤 스미스의 주장을 제시함. (5문단)

0 이 글은 사회 질서의 원리를 찾으려는 18세기 영국의 두 가지 흐름을 제시하고, 그중 후자(도덕 감정의 핵심인 '동감' 능력)의 흐름에 주목한 애덤 스미스가 '동감'을 어떻게 설명하였는지를 서술하고 있습니다. 그러나 애덤 스미스가 등장하기 이전에는 '동감'에 대해 어떻게 설명하였는지는 언급되지 않았으므로, 이 글을 통해 해결할 수 없는 질문입니다.

출제 의도 글을 읽고 해결할 수 있는 질문을 찾는 문제는 글의 세부 내용을 이해하고 있는지를 확인하기 위한 것입니다. 질문의 답이 되는 내용이 글에서 다룬 것인지 아닌지를 확인해 보세요.

오답 피하기 ① 2문단에서 애덤 스미스는 '동감'을 '관찰자가 상상에 의한 역지사지를 통해 행위자와 감정 일치를 이루는 것'이라고 정의했음을 밝히고 있습니다.
② 3문단에서 한 개인에게는 '이기적 충동에 지배되는 행위자로서의 자기'와 '상상에 의해 관찰자의 입장을 취하며 반성하는 자기'가 있다고 하였습니다.
④ 1문단에서 18세기 영국의 대표적인 흐름 두 가지, 즉 개인의 이성에서 사회 질서의 원리를 찾는 것과 개인에 내재하는 선천적인 도덕 감정에 주목하는 것을 소개하고 있습니다.
⑤ 5문단에서 애덤 스미스는 '정의에 대한 침범'은 엄격히 규제해야 한다고 주장하였음을 밝히고 있습니다.

1 2문단에서 관찰자는 행위자가 직면한 상황과 처지를 보며 자신이라면 어떤 감정을 느끼고 어떤 행위를 할 것인가를 상상해 보고, 그 행위자의 감정 및 행위와 비교하여 관찰자 자신의 감정이 일치하면 동감하게 된다고 하였습니다. 따라서 행위자에 대한 관찰자의 감정이 행위자의 감정보다 더 클 때 동감의 감정이 촉발된다는 설명은 적절하지 않습니다.

오답 피하기 ① 1문단에 따르면, 애덤 스미스는 개인에 내재하는 선천적인 도덕 감정에 주목하였는데 그 도덕 감정의 핵심을 '동감' 능력이라고 한 내용에서 확인할 수 있습니다.
② 1문단에서 도덕 감정의 핵심인 '동감' 능력은 모든 인간이 가지고 있는 것이라고 하였습니다.
③ 2문단에서 '동감'은 관찰자가 상상에 의한 역지사지를 통해 행위자와 감정 일치를 이루는 것으로서 타인에게 적용되는 것임을 알 수 있는데, 3문단에서 동감의 원리는 한 개인이 자신의 감정 및 행위를 판단할 때에도 적용될 수 있다고 하였습니다.
④ 4문단에서 행위자의 특정 행위가 이타적인 것은 물론 이기적인 것이라 할지라도 공평한 관찰자의 동감을 얻을 수 있다면 도덕적인 것으로 승인받을 수 있다고 하였으므로, 동감의 원리는 이타적 행위뿐만 아니라 이기적 행위에도 작용한다고 할 수 있습니다.

2 2문단에서 관찰자는 자신의 이해관계에 따라 한쪽으로 치우치지 않는 '공평한 관찰자'임을 제시하고 있습니다. 그러나 행위자의 특정 행위를 판단할 때 행위자가 타인과 이해관계가 얽히지 않아야 한다는 조건은 제시되지 않았습니다.

오답피하기 ② 2문단에서 〈보기〉의 ㉯와 같이 행위자의 상황과 처지를 보는 주체는 '공평한 관찰자'이고, 이 공평한 관찰자는 상상에 의한 역지사지를 통해 행위자와 감정 일치를 이룬다는 점을 확인할 수 있으므로 적절한 이해입니다.

③ 2문단에서 〈보기〉의 ㉰에서 공평한 관찰자는 '자신이라면 행위자의 상황과 처지에서 어떤 감정을 느끼고 어떤 행위를 할 것인가?'를 상상해 보게 된다는 점을 확인할 수 있으므로 적절한 이해입니다.

④ 〈보기〉의 ㉱는 '공평한 관찰자의 동감을 얻지 못한 것'에 해당하는 결과입니다. 4문단에 따르면 ㉱는 행위자의 특정 행위가 이타적이든 이기적이든 간에 공평한 관찰자에게 동감을 얻지 못한다면 '적정성이 없는 것'으로 판정되고, '도덕적인 것으로 승인받지 못한 것'이 되므로 적절한 이해입니다.

⑤ 〈보기〉의 ㉲는 '공평한 관찰자에게 동감을 얻은 것'에 해당하는 결과입니다. 4문단에 따르면 ㉲는 행위자의 행위가 이타적이든 이기적이든 간에 공평한 관찰자에게 동감을 얻는다면 '적정성이 있는 것'으로 판정되고, '도덕적인 것으로 승인받은 것'이 되므로 적절한 이해입니다.

3 5문단에 따르면, ㉠'자혜'는 공평한 관찰자의 동감을 얻을 수 있는 범위까지 이타적 행위가 확대되는 것을 의미합니다 (ㄱ). 그리고 ㉠은 타인에 대한 적극적인 시혜이므로 ㉠을 행하지 않더라도 타인의 보복 감정을 유발하지 않는 반면, ㉡'정의'는 지켜지지 않으면 타인의 생명, 신체, 재산, 명예 등을 침해할 수 있으므로 타인에게 보복 감정을 초래할 수 있습니다(ㄷ).

오답피하기 ㄴ. 5문단에 따르면, ㉡은 공평한 관찰자의 동감을 얻을 수 있는 범위까지 이기적 행위가 확대되는 것이 아니라 '억제'되는 것입니다.

ㄹ. 5문단에 따르면, 수익자는 있지만 피해자가 존재하지 않는 것은 ㉡이 아닌 ㉠의 특성에 해당합니다.

4 문맥상 ⓐ는 '보다'의 여러 가지 의미 중 '상대편의 형편 따위를 헤아리다.'라는 의미로 쓰였습니다. 반면 ④의 '보다'는 '어떤 수준에 비하여 한층 더'의 뜻을 나타내는 부사이므로 ⓐ와는 동음이의어의 관계에 있습니다.

오답피하기 ① 문맥상 '눈으로 대상을 즐기거나 감상하다.'의 의미로 쓰였으므로 ⓐ의 다의어에 해당합니다.

② 문맥상 '상대편의 형편 따위를 헤아리다.'의 의미로 쓰였으므로 ⓐ의 동의어에 해당합니다.

③ 문맥상 '대상의 내용이나 상태를 알기 위하여 살피다.'의 의미로 쓰였으므로 ⓐ의 다의어에 해당합니다.

⑤ 문맥상 '책이나 신문 따위를 읽다.'의 의미로 쓰였으므로 ⓐ의 다의어에 해당합니다.

0 ⑤   1 ④   2 ②   3 ③   4 ⑤

Q '양방향 소통이 가능한 가상 존재'는 어떻게 인간과 의사소통을 하나요?

양방향 소통이 가능한 가상 존재는 언어적 소통과 비언어적 소통을 활용하여 인간과 의사소통 및 감정 교류를 하게 됩니다.

이 글은 인공 지능 기술 등의 발전으로 등장하게 된 양방향 소통이 가능한 가상 존재에 대해 설명하고 있습니다. 양방향 소통이 가능한 가상 존재는 언어적 소통과 비언어적 소통을 활용하여 인간과 언어적 소통은 물론이고, 감정 교류와 같은 정서적 소통까지 가능한 존재라는 점을 제시하고 있습니다.

■ 문단으로 생각읽기

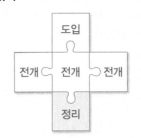

[도입 – 전개 – 전개 – 전개 – 정리]의 생각 구조

도입 ── 화제 소개
CG 기술, 인공 지능 기술 등의 발전을 기반으로 가상 존재가 등장했음을 제시함. (1문단)

대상 설명 1
유튜브, SNS 등의 상용화에 따라 양방향 소통이 가능한 가상 존재가 주목받게 되었음을 설명함. (2문단)

대상 설명 2
인공 지능 기술의 발전으로 언어적 소통 및 비언어적 소통이 가능해졌음을 설명함. (3문단)

대상 설명 3
양방향 소통이 가능한 가상 존재가 언어적 소통 부분과 비언어적 소통 부분에서 구현되는 양상을 구체적으로 설명함. (4문단)

정리 ── 마무리
양방향 소통이 가능한 가상 존재는 인간과 언어적·정서적 소통이 가능하다는 점을 정리하여 설명함. (5문단)

0 이 글은 인공 지능 및 실시간 기술 등이 발전함에 따라 양방향 소통이 가능한 가상 존재가 등장하였으며, 이로써 인간과 언어적 소통 및 정서적 소통이 가능해졌다고 설명하고 있습니다. 따라서 이 글은 기술 발전에 따른 가상 존재와 인간의 양방향 의사소통이 가능하게 된 과정을 설명하고 있습니다.

출제 의도 글의 중심 내용과 내용의 전개 방식을 묻고 있는 문제입니다. 화제가 어떤 방식으로 서술되고 있는지를 살펴봐야 합니다

오답 피하기 ① 양방향 의사소통을 가능하게 한 기술은 제시되었지만, 양방향 의사소통이 어려운 기술적 문제점은 제시하지 않았습니다.
② 양방향 가상 존재의 언어적 소통과 비언어적 소통이 실현되는 방법을 제시하고 있지만, 그 방법의 장단점을 제시하고 있지는 않습니다.
③ 컴퓨터 그래픽 기술로 아바타라는 가상 존재가 탄생하였고 그 이후 다양한 기술들로 인해 양방향 소통이 가능해졌다고 소개하고 있지만, 컴퓨터 그래픽 기술 이후에 양방향 소통을 가능하게 한 기술들을 발달 순서대로 제시하고 있지는 않습니다.
④ 양방향 소통이 가능한 가상 존재가 인간과 정서적 소통까지 가능해졌음을 밝히고 있지만, 양방향 소통이 가능한 가상 존재가 사회 발전에 미친 영향을 제시하고 있지는 않습니다.

1 (라)는 양방향 가상 존재가 언어적 소통 부분과 비언어적 소통 부분에서 어떻게 구현되는지 그 양상에 대해 설명하고 있으므로, '언어적 소통과 비언어적 소통의 공통점과 차이점'은 (라)의 중심 내용으로 적절하지 않습니다.

2 이 글에 따르면 인간과 언어적 소통 및 비언어적 소통이 모두 가능한 가상 존재는 '양방향 소통이 가능한 가상 존재'입니다. 이것은 이미 개발되었고, 인공 지능 기술 등의 발전으로 성능이 향상되고 있으므로 ②는 적절하지 않습니다.

오답 피하기 ① (가)에서 아바타는 CG 기술의 발달로 탄생한, 인간과 유사한 모습을 지닌 가상 존재라는 것을 확인할 수 있습니다.
③ (나)에서 양방향 소통이 가능한 가상 존재는 실시간 렌더링 기술과 실시간 모션 캡처를 통해 더욱 생생하고 사실적인 캐릭터를 구현할 수 있게 되었음을 확인할 수 있습니다.
④ (마)에서 인간은 가상 존재의 즉각적이고 생생한 반응을 보며 인간과 인간 사이에서 의사소통을 하는 것처럼 느낀다는 것을 확인할 수 있습니다.
⑤ (라)에서 인공 지능 스피커에 음성 인식 엔진인 NEST 기술을 활용하여 인간의 비정형적인 음성의 인식률을 높이려는 연구가 진행 중이라 했습니다. 이는 인간과의 의사소통을 원활하게 하기 위해 인공 지능 스피커가 인간의 음성을 제대로 인식하게 하려는 것입니다.

3 (라)에서 양방향 소통이 가능한 가상 존재는 사용자의 행동을 시각적 부분과 청각적 부분으로 나누어 인식하는데, 언어적 소통과 관련된 것은 청각적 부분이고 비언어적 소통과 관련된 것은 시각적 부분이라고 하였습니다. 그런데 (마)에서 양방향 소통이 가능한 가상 존재는 인간과 언어적으로 소통하는 것뿐만 아니라 비언어적 영역에 해당하는 감정 교류의 역할까지 수행한다고 하였습니다. 이로 보아 A가 B의 감정 상태를 파악할 때 B의 시각적 부분보다 청각적 부분을 먼저 인식한다는 것은 적절하지 않습니다.

오답 피하기 ① (라)에서 비언어적 소통 부분, 즉 사용자의 시선 및 행동 정보를 컴퓨터 비전을 통해 수집한다고 하였습니다. 따라서 〈보기〉의 의사소통에서 A가 B의 시선, 행동 정보를 얻을 때는 C를 활용하여 관찰한다고 이해한 것은 적절합니다.
② (라)에서 인공 지능 스피커가 사용자의 목소리를 인식하고 언어를 통해 사용자와 소통한다고 하였습니다. 따라서 〈보기〉에서 A는 음성 인식 기술이 적용되어 있는 D를 통해 B의 목소리를 인식하고, B의 음성 (2)를 이해한 후 다시 D를 통해 음성 (1)을 B에게 전달하는 의사소통 방식을 활용하므로 적절합니다.
④ (라)에 따르면 〈보기〉에서 B는 A에게 음성 (2)를 전달하고, A는 B에게 음성 (1)을 전달합니다. 이렇게 A와 B가 각각 음성을 주고받으며 언어적 소통이 이루어지는 것이므로 적절합니다.
⑤ (라)에 따르면 A는 C를 통해 B를 관찰하고 B의 상태를 판단합니다. 그런데 B가 A를 바라보지 않고 있다면 A는 비언어적 정보를 정확히 파악할 수 없게 되어 결국 A와 B 사이의 감정 교류가 원활하게 이루어지지 않게 될 것이므로 적절합니다.

4 이 글에 따르면, '가상 존재'는 ㉮(컴퓨터 그래픽스)의 발전에 따라 등장하였고 동영상 플랫폼인 유튜브, 실시간 의사소통 플랫폼인 SNS 등이 상용화되면서 ㉯(양방향 소통이 가능한 가상 존재)가 주목받게 되었습니다. 가상 존재 중 ㉯는 사실적인 캐릭터이면서, 인간과 언어적인 의사소통은 물론이고 ㉰(감정 교류 = 정서적 교감)까지 가능한 존재라는 특징이 있음을 알 수 있습니다.

오답 피하기 ㉮ '빅 데이터의 처리 기술'은 가상 존재가 등장하게 된 배경과는 관련이 없습니다.
㉯ '동영상 플랫폼'인 유튜브나 SNS가 상용화되어 '양방향 소통이 가능한 가상 존재'가 주목받게 된 것입니다.
㉰ 인간과 가상 존재가 '물리적 상호 작용'을 하는 것은 아닙니다.

생각의 구조화 MIND MAP

생각읽기1 ㉢	생각읽기2 ㉠	생각읽기3 ㉺
생각읽기4 ㉣	생각읽기5 ㉤	생각읽기6 ㉡
1 수화	2 공감	3 사진가, 눈
4 계약	5 동감	6 양방향, 가상

생각읽기

1 비의 균형, 황금비

0 ④	1 ③	2 ④	3 ③	4 ③

Q 고대 그리스인들의 조각품이나 건축물에서 황금비가 적용된 것들이 많은 이유는 무엇인가요?

고대 그리스인들은 조화와 균형을 중시했는데, 황금비에는 조화로움과 균형미가 내재되어 있기 때문입니다.

이 글은 황금비의 개념과 특성, 유래 등을 설명하고 있습니다. 이 글에서는 황금 사각형 실험을 제시하여 황금비에 대한 인간의 선호가 본능에 가까운 것이라고 밝히고, 안정감과 균형감을 주는 황금비가 적용된 파르테논 신전의 사례를 활용해 독자의 이해를 돕고 있습니다. 덧붙여 황금비의 개념이 등장하게 된 과정도 설명하고 있습니다.

■ 문단으로 생각읽기

[도입 – 부연 – 전개 – 전개 – 정리]의 생각 구조

화제 및 실험 소개
황금비의 개념을 소개하고, 황금 사각형 실험의 과정과 결과를 제시함. (1, 2문단)

대상 설명
파르테논 신전을 예로 들어 황금비의 특징과 황금비에 대한 인간의 선호를 언급하고, 황금비라 불리는 개념이 처음으로 등장한 유클리드의 이론을 소개함. (3, 4문단)

과정 제시 및 마무리
황금비 열풍이 불게 된 계기와 다양한 분야에서 황금비를 찾으려는 노력을 제시하며 마무리함. (5문단)

0 이 글에서 '황금 사각형'은 황금비를 설명하기 위해 제시한 것이므로, 글의 내용을 요약할 때 '황금 사각형'이라는 말은 필요할 수도 있으나 '사각형의 종류'라는 말은 포함할 필요가 없습니다.

출제 의도 황금비의 개념과 특징을 알고 이를 바탕으로 글의 내용을 제대로 요약할 수 있는지 확인하는 문제입니다.

1 고대 그리스 수학자인 유클리드의 책에 오늘날 황금비라 불리는 개념이 처음으로 등장한 것은 맞지만, 유클리드가 책을 낼 당시만 해도 '황금비'라는 용어는 사용되지 않았습니다.

2 [A]의 실험에서 다수의 사람들이 사각형 '마'를 선택한 이유는 보기에 좋고, 편안함을 느꼈기 때문입니다. 황금 사각형으로 불리는 '마'는 가로와 세로의 비율이 황금비를 이루고 있어 사람들은 이를 보고 안정감을 느꼈을 것입니다.

오답 피하기 ① 사람들은 보기 좋고 편안함을 준다는 이유로 사각형 마를 선택했음을 알 수 있지만, 시대에 따라 사람들이 선호하는 도형이 달랐는지는 이 글에서 확인할 수 없습니다.
② [A]의 실험만으로 사람들이 더 편안하게 느끼는 다각형의 종류를 파악할 수는 없습니다.
③ [A]의 실험은 독일에서 진행된 것이나, 이를 토대로 황금비와 관련한 연구가 독일에서 가장 활발했다고 판단할 수는 없습니다.
⑤ 균형감과 안정감을 통해 편안함을 느낄 수 있으므로 어떤 사각형이 가장 균형감 있게 느껴지냐고 물었어도 실험의 결과는 크게 달라지지 않았을 것입니다.

3 〈보기〉는 황금비에 대한 사람들의 오해를 지적하는 내용입니다. 오랫동안 많은 사람들이 파르테논 신전에는 황금비가 적용되어 있다고 믿어 왔으나 사실 파르테논 신전에는 황금비가 없다는 것을 실제로 측정한 결과를 근거로 들어 밝히고 있습니다. 그런데 파르테논 신전의 비율이 황금비와 다르다고 해서 황금비의 개념을 새롭게 규정하자는 것은 적절하지 않습니다. 이는 파르테논 신전의 아름다움을 황금비에 국한해 설명하려는 것에 불과하기 때문입니다.

4 ㉠ '원형'은 '같거나 비슷한 여러 개가 만들어져 나온 본바탕'이라는 뜻입니다. 이러한 의미를 고려할 때 문맥상 ㉠과 가장 가까운 뜻으로 쓰인 것은 ③입니다.

오답 피하기 ①은 '둥근 모양', ②, ⑤는 '본디의 꼴', ④는 '활용하는 단어에서 활용형의 기본이 되는 형태'를 뜻하는 말입니다.

생각읽기 2 태풍이 느려지는 이유

0 ㉮ 열대성 저기압 ㉯ 균형   **1** ②   **2** ①
3 ④   **4** ⑤

Q 허리케인과 태풍의 공통점과 차이점은 무엇인가요?
둘 다 열대성 저기압에 해당하지만, 발생하는 지역에 차이가 있습니다.

이 글은 지구 온난화로 최근 수십 년 동안 열대성 저기압인 태풍의 이동 속도가 느려진 현상을 설명하고 있습니다. 태풍의 이동 속도 감소는 인간에게 큰 피해를 끼칠 수 있으며, 태풍은 지구의 에너지 균형 유지에도 필요하므로, 태풍의 이동 속도를 느리게 만든 원인인 지구 온난화를 막기 위해 노력해야 한다고 주장하고 있습니다.

▤ 문단으로 생각읽기

[도입 – 전개 – 전개 – 정리]의 생각 구조

도입 — 화제 설명
태양 복사 에너지와 지구 복사 에너지의 차이 때문에 극지방과 적도 지방 사이에 에너지 불균형이 존재함을 밝힘. (1문단)

전개 ⌐ 전개 — 문제 상황
태풍이 지구 에너지 불균형을 해소하는 데 기여하고 있음을 설명하고, 최근 수십 년 동안 태풍의 이동 속도가 느려진 현상을 언급함. (2문단)

— 원인 제시
태풍의 이동 속도를 느리게 만든 원인으로 지구 온난화를 제시함. (3문단)

 정리 — 예측 및 당부
지구 온난화가 지속될 경우 발생하는 태풍 피해 상황과 이를 막기 위한 노력을 당부하며 글을 마무리함. (4문단)

생각읽기가 수능이다

독해실전   **1** ㉢ – ㉠ – ㉣
수능실전   **1** ①

---

0 태풍은 '열대성 저기압'의 하나로 북태평양 남서쪽에서 발생하여 우리나라에 영향을 끼칩니다. 태풍은 에너지 과잉인 적도 지방의 공기를 극지방으로 이동시켜 주어 지구 에너지의 '균형'을 유지하는 매우 중요한 역할을 합니다.

> **출제 의도** 중심 화제인 태풍에 대한 내용을 제대로 이해하고 있는지 확인하는 문제입니다. '처음-중간-끝'의 구성 단계에 따라 태풍의 개념·기능·현재에 해당하는 내용을 찾아 정리할 수 있어야 합니다.

1 1문단에는 지구의 에너지 불균형이 대기와 해수의 순환을 유발한다는 내용이 제시되어 있습니다. 그러나 해수의 순환이 대기의 순환에 어떤 영향을 끼치는지에 관한 내용은 드러나 있지 않습니다.

> **오답 피하기** ①, ⑤ 2문단에 따르면 대기의 순환(태풍)을 통해 지구의 에너지 불균형이 해소되며 지구의 에너지 평형이 이루어짐을 알 수 있습니다.
> ③ 3문단에서 에너지 과잉인 적도 지방과 에너지가 부족한 극지방 사이의 에너지 격차로 인해 태풍이 발생해 이동하면서 대기의 순환이 일어남을 확인할 수 있습니다.
> ④ 3문단에서 열(태양열)을 적게 받으면 공기 밀도가 높아져 고기압이 형성되고 열을 많이 받으면 공기 밀도가 낮아져 저기압이 형성된다고 하였습니다.

2 ㄱ. 2문단에 따르면 열대성 저기압 중 한국 등 동아시아 지역에 영향을 주는 태풍의 이동 속도의 감소 폭은 다른 지역보다 높은 30%에 달하는 것으로 나타났습니다.
ㄴ. 태풍의 이동 속도가 느려진 이유는 지구 온난화 때문이라는 내용이 3문단에 제시되어 있습니다.
ㄷ. 4문단에 따르면 태풍의 이동 속도가 느려지면 태풍이 특정 지역에 머무는 시간이 길어지게 되므로 집중 호우를 유발하여 인간에게 더 큰 피해를 끼치는 결과를 초래한다고 했습니다.

3 ⓓ '격차'는 '서로 다른 정도'를 뜻합니다. ④의 '둘 이상의 대상을 각각 등급이나 수준 따위의 차이를 두어서 구별함'은 '차별'의 사전적 의미입니다.

4 오랜 시간 동안 태풍의 이동 속도가 감소하고 있으며, 이러한 현상이 나타난 까닭으로 글쓴이는 지구 온난화를 지적하고 있습니다. 지구 온난화를 일으키는 것은 결국 인간이며, 이 글을 읽은 독자는 무심코 행하는 우리의 잘못된 행동들이 얼마나 큰 문제를 야기할 수 있는지 알 수 있을 것입니다. 그리고 4문단에서 드러난 글쓴이의 당부를 이해한다면 ⑤와 같은 반응을 보일 것입니다.

3 국가는 왜 동맹을 맺을까

0 ①   **1** ②   **2** ③   **3** ⑤   **4** ⑤

Q 국가 간 동맹이 결성, 유지되기 위해 가장 중요한 조건은 무엇인가요?

국가가 동맹을 통해서 확보되는 이익이 있어야 합니다.

이 글은 국가들이 동맹을 맺는 이유와 동맹의 종류를 밝히고 각각의 동맹이 어떤 특징을 갖고 있는지 설명하고 있습니다. 그리고 현실주의자들과 구성주의자들이 동맹을 어떻게 이해하는지 두 관점을 비교하며 동맹 관계에 대한 이해를 심화하고 있습니다.

■ 문단으로 생각읽기

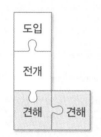

```
도입
전개
견해  견해
```

[도입 – 전개 – 견해 – 견해]의 생각 구조

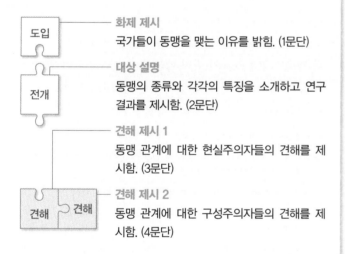

도입 ── **화제 제시**
국가들이 동맹을 맺는 이유를 밝힘. (1문단)

전개 ── **대상 설명**
동맹의 종류와 각각의 특징을 소개하고 연구 결과를 제시함. (2문단)

── **견해 제시 1**
동맹 관계에 대한 현실주의자들의 견해를 제시함. (3문단)

견해 견해 ── **견해 제시 2**
동맹 관계에 대한 구성주의자들의 견해를 제시함. (4문단)

0 2문단으로 보아, 방위 조약은 동맹의 종류 중 가장 강제성이 높고 동맹국과의 자율성이 가장 낮으며 동맹국들 간의 관계가 매우 가까워 동맹 관계가 유지되는 기간이 가장 깁니다. 반면에 협상은 관계의 강제성이 낮고 동맹국과의 자율성이 가장 높으며 동맹국들 간의 관계가 멀어 동맹 유지 기간이 가장 짧습니다. 이를 참고할 때, '방위 조약 > 중립 조약 > 협상'으로 배열하는 기준은 '동맹의 평균 수명, 동맹 관계의 가까운 정도'임을 알 수 있습니다.

출제 의도 동맹의 세 가지 종류가 가지는 특징을 각각 구분하여 이해하고 있는지 확인하는 문제입니다.

1 ㄱ. 2문단에서 동맹의 종류를 그 형태에 따라 세 가지로 나누어 제시하고 있습니다.
ㄷ. 1문단에서 국가는 동맹을 통해 이익이 확보될 때 동맹을 맺는다며 국가 간 동맹 결성의 이유를 밝히고 있습니다.
ㄹ. 동맹 관계의 자율성이 낮을수록 동맹 지속 기간이 길다는 것은 2문단의 마지막 문장에서 확인할 수 있습니다.

오답 피하기 ㄴ. 방위 조약의 특징은 2문단을 통해 확인할 수 있으나 방위 조약의 기원은 나와 있지 않습니다.
ㅁ. 중립 조약은 동맹의 특성을 고려할 때 방위 조약과 협상의 중간 정도에 해당합니다. 개별 국가들은 필요에 따라 동맹의 종류를 선택하고 동맹 관계의 지속 여부를 결정할 뿐 중립 조약의 수명을 연장하는 것이 개별 국가나 국제 사회에 어떤 도움을 주는지는 이 글만 읽고서는 알 수 없습니다.

2 서명한 국가들 중 어느 한 국가가 침략을 당한 경우 공동 방어를 해야 하는 동맹은 방위 조약뿐입니다. 중립 조약을 맺은 경우에는 서명국들 중 한 국가가 제3국으로부터 침략을 당해도 서로 중립을 지키자고 약속한 것입니다.

3 ㉠ '현실주의자들'은 국가가 국제 사회의 중요한 행위 주체이며 각 나라는 힘의 논리로부터 스스로를 지켜야 한다고 보았습니다. 즉 현실주의자들은 개별 국가의 힘과 능력에 대해 신뢰하는 입장이므로, ㉠이 개별 국가의 힘과 능력에 대해 비관적이라고 ㉡이 비판하고 있다는 것은 적절하지 않습니다.

4 ⓐ '보다'는 '생각하거나 평가하다.'라는 뜻입니다. '생각하다'를 넣어서 의미가 통하는지를 판단해 보면, 문맥상 ⓐ와 의미가 유사한 것은 ⑤입니다.

오답 피하기 ① '어떤 일을 당하거나 겪거나 얻어 가지다.'의 뜻입니다.
② '어떤 결과나 관계를 맺기에 이르다.'의 뜻입니다.
③ '고려의 대상이나 판단의 기초로 삼다.'의 뜻입니다.
④ '무엇을 바라거나 의지하다.'의 뜻입니다.

4 동물들의 삼투 조절

0 ②　　**1** ②　　**2** ⑤　　**3** ③　　**4** ②

Q 동물들이 삼투 조절을 하는 이유는 무엇인가요?

삼투 조절을 통해 체액의 농도를 일정하게 유지하여 생리적 장치들을 제대로 작동시키기 위해서입니다.

이 글은 삼투 현상의 개념과 원리를 제시하고, 동물들이 삼투 현상에 어떻게 대응하며 살아가는지에 따라 삼투 순응형 동물과 삼투 조절형 동물을 분류하여 각각의 특징을 설명하고 있습니다. 삼투 현상은 우리 일상에서도 흔하게 확인할 수 있는 과학 원리로, 동물들도 몸의 균형을 유지하고 건강하게 생존하기 위해 매우 중요한 과정입니다.

▪ 문단으로 생각읽기

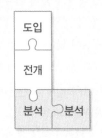

[도입 – 전개 – 분석 – 분석]의 생각 구조

도입 —— **개념 설명**
삼투 현상의 개념과 원리를 설명함. (1문단)

전개 —— **사례 및 이유 제시**
우리 주변에서 쉽게 찾아볼 수 있는 삼투 현상의 사례들을 소개하고 동물들이 삼투 조절을 하는 이유를 밝힘. (2문단)

분석　분석 —— **대상 분류 및 분석**
삼투 현상에 어떻게 대응하는지에 따라 삼투 순응형 동물과 삼투 조절형 동물로 분류하고, 각각의 특징을 설명함. (3, 4문단)

생각읽기가 수능이다

독해실전　**1** ①

수능실전　**1** ①

---

0 이 글과 〈보기〉의 정보에 따르면, 넙치는 해수 동물이며 삼투 조절형 동물임을 알 수 있습니다. 3문단에서 해수 동물이면서 삼투 조절형 동물은 아가미의 상피 세포에 있는 염분 분비 세포를 작동시켜 과도해진 염분을 밖으로 내보낸다고 했으므로, ②의 이해는 적절하지 않습니다.

출제 의도 파악한 정보를 통해 사례를 이해할 수 있는지를 묻고 있습니다. 주어진 정보를 바탕으로 삼투 조절 방식을 바르게 비교할 수 있어야 합니다.

1 2문단에서 일상 속에서 발견할 수 있는 삼투 현상의 사례를 제시하고 있습니다(㉮). 그리고 1문단에서 삼투 현상이 일어나는 일반적인 과정을 설명하고 있습니다(㉯).

2 3, 4문단에 의하면 해수에 사는 동물들은 삼투 현상에 의해 수분이 쉽게 손실되기 때문에 수분을 보충하기 위해 바닷물을 계속 마십니다. 반면 담수 동물들은 아가미를 통해 수분이 지속적으로 유입되기 때문에 물을 거의 마시지 않고 다량의 오줌을 배출하여 체내 균형을 유지합니다. 그러므로 몸 안의 수분 증가를 막기 위해 오줌을 배출하는 것은 해수 동물이 아닌 담수 동물이므로 ⑤의 설명은 적절하지 않습니다.

3 3문단의 내용을 참고할 때, 삼투 순응형 동물의 경우 체액과 해수의 염분 농도가 같기 때문에, 삼투압이 거의 일어나지 않거나, 삼투압을 아예 없애 버린 형태로 진화했음을 알 수 있습니다. 그러므로 적절한 진술은 ③입니다.

오답 피하기 ① 삼투 순응형 동물은 모두 해수 동물이지만, 모든 해수 동물이 삼투 순응형 동물인 것은 아닙니다. 해수에 사는 동물 중에는 삼투 조절형 동물도 있습니다.
② 3문단의 첫째 문장에서 알 수 있듯이 ㉠과 ㉡을 분류하는 기준은 '삼투 현상에 대하여 수분 균형을 어떻게 유지하는가'입니다.
④ 서식지 염도와 체액의 염도가 비슷한 것은 ㉠입니다.
⑤ 삼투 조절형 동물 중 해수에 사는 동물들은 염분 분비 세포를 통해 염분을 몸 밖으로 배출합니다.

4 ㉰는 기체인 수증기가 액체인 물로 변하는 현상인 '응결'에 해당합니다.

5 균형 잡힌 삶이란

생각읽기 5

0 ④ **1** ① **2** ⑤ **3** ② **4** ①

Q 동양에서 모든 사람에게 똑같은 양을 나누지 않더라도 중용을 지킨 것으로 인정하는 이유는 무엇인가요?

동양에서 실천의 측면에서 보는 '중'은 상황에 따라 달리 나누는 것과 관련되기 때문입니다.

이 글은 유교 철학 개론서의 제목이자 동양 철학에서 가치 있게 여기는 덕의 하나인 '중용'을 그 용어에 내포된 의미를 바탕으로 설명하고 있습니다. 그리고 관대함과 엄격함을 동시에 갖고 있으며, 공정성에 기반을 둔 균형 잡힌 삶으로 나타나는 중용을 바르게 이해하고 일상에서 실천하기 위한 노력이 필요함을 밝히고 있습니다.

■ 문단으로 생각읽기

[도입 - 전개 - 전개 - 정리]의 생각 구조

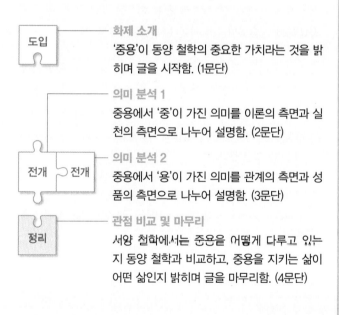

도입 — 화제 소개
'중용'이 동양 철학의 중요한 가치라는 것을 밝히며 글을 시작함. (1문단)

전개 ⊃ 전개 — 의미 분석 1
중용에서 '중'이 가진 의미를 이론의 측면과 실천의 측면으로 나누어 설명함. (2문단)

의미 분석 2
중용에서 '용'이 가진 의미를 관계의 측면과 성품의 측면으로 나누어 설명함. (3문단)

정리 — 관점 비교 및 마무리
서양 철학에서는 중용을 어떻게 다루고 있는지 동양 철학과 비교하고, 중용을 지키는 삶이 어떤 삶인지 밝히며 글을 마무리함. (4문단)

0 1문단에서 중용이 동양 철학에서 중요하게 다루어지는 가치라는 점은 제시되어 있으나 우리 조상들이 이것을 어떤 방식으로 실천했는지는 언급하지 않았습니다.

출제 의도 글에서 중요하게 다루고 있는 중심 화제를 제대로 파악했는지 확인하는 문제입니다.

1 이 글은 동양 철학의 중용을 '중'과 '용'으로 나누어 각각의 의미와 가치를 설명하고 있습니다. 그리고 이를 토대로 중용의 본질을 밝히고 있으므로 ①이 적절합니다.

2 3문단에서 중용에서의 '용'은 평범성과 일상성을 뜻하며, 특별하고 자극적인 성격을 가진 것을 대상으로 삼지 않는다고 하였습니다. 그러므로 현대 사회에서 논쟁의 대상이 되는 사안들은 동양 철학의 중용의 측면에서 다루어지지 않을 것임을 알 수 있습니다.

오답 피하기 ① 2문단에서, ② 1문단에서, ③ 4문단에서, ④ 3문단에서 그 내용을 확인할 수 있습니다.

3 4문단에 따르면 아리스토텔레스는 윤리적 삶과 중용이 연관되어 있음을 강조한 서양의 사상가입니다. 그러나 아리스토텔레스가 말하는 '메소테스'는 교육과 수련을 통해 극단으로 흐르지 않는 탁월한 품성을 기르는 데에 초점을 두었다는 점에서 동양 철학의 '중용'과는 차이를 보입니다. 그러므로 아리스토텔레스가 제시한 중용의 품성을 기르는 방법과 동양 철학의 방법이 똑같다는 지연이의 말은 적절하지 않습니다.

오답 피하기 ① 4문단을 통해 서양에서도 중용의 가치를 인정했음을 알 수 있습니다.
③, ④ 2문단에 따르면 획일적인 분배가 아니라 균형의 의미를 살리면서 상황에 따라 달리 나누는 것도 중용의 가치 안에서 옳은 행위임을 알 수 있습니다.
⑤ 5문단에 따르면 관대하면서도 엄격함을 유지하는 것이 중용입니다. 그러므로 때로는 인색하게 굴고, 낭비하는 것도 중용을 지킨 삶으로 인정받을 수 있습니다.

4 ⓐ '규정'은 '내용이나 성격, 의미 따위를 밝혀 정함. 또는 그 정하여 놓은 것'을 의미합니다. 그런데 ①의 문장은 '규정'이 아니라 문맥상 '규칙이나 규정에 의하여 일정한 한도를 정하거나 정한 한도를 넘지 못하게 막음.'의 의미인 '규제'를 사용하는 것이 적절합니다.

생각읽기 6 인체의 균형 잡기, 전정 기관

0 ㉮ 균형 ㉯ 소리   **1** ②   **2** ⑤   **3** ②
4 ③

Q 인간이 걷거나 뛸 때 균형을 잡기 위해 뇌에서 복잡한 계산을 할 필요가 없는 이유는 무엇인가요?

인간에게는 무게 중심의 변화를 인지하고 몸의 변화를 수정하여 인체의 균형을 유지할 수 있게 하는 전정 기관이 있기 때문입니다.

이 글은 인간이 무게 중심의 변화를 인지하고 몸의 변화를 수정해 인체의 균형을 유지할 수 있게 하는 전정 기관에 대해 설명하고 있습니다. 전정 기관의 위치와 평형 감각을 담당하는 구형낭과 난형낭, 위치를 감지하는 세반고리관의 각각의 구조와 특징을 설명하고 전정 기관에 이상이 생기면 나타나는 문제점을 사례를 들어 언급하고 있습니다.

문단으로 생각읽기

도입

전개 ─ 전개 ─ 전개

[도입 – 전개 – 전개 – 전개]의 생각 구조

— **화제 소개**
인간에게는 균형을 유지하는 전정 기관이 존재함을 로봇과의 대조를 통해 언급함. (1문단)

— **대상 설명**
전정 기관의 위치와 기능, 구조, 작동 원리 등을 설명하고 전정 기관에 문제가 생기면 발생하는 상황을 언급함. (2, 3문단)

— **대상 설명**
균형을 유지하는 전정 기관이 인간에게 착각을 불러일으키는 경우가 있음을 예를 들어 설명함. (4문단)

0 2문단에 의하면 전정 기관은 몸의 균형을 유지하도록 돕는 데 반해, 달팽이관은 소리를 듣고 인식하는 청각 기관입니다. 그러므로 ㉮에는 '균형', ㉯에는 '소리'가 들어가는 것이 적절합니다.

출제 의도 귀의 가장 안쪽 내이에 위치한 달팽이관과 전정 기관의 역할을 비교하는 문제입니다. 비슷해 보이지만, 다른 역할을 하는 두 기관의 기능 차이를 중심으로 내용을 파악하도록 합니다.

1 3문단에 따르면 감각모와 이석은 구형낭과 난형낭 내부의 평형반이라는 기관 안에 있습니다. 그러므로 감각모와 이석이 달팽이관 내부에 있다는 ②의 설명은 적절하지 않습니다.

2 4문단에 따르면 비행 착각은 인간의 감각 기관의 작용 때문에 발생하는 자연스러운 현상이므로 아무리 충분히 훈련을 했더라도 비행기 조종 중에 언제든 발생할 수 있습니다. 따라서 사고를 예방하기 위해서는 감각 기관의 착각을 막아 줄 수 있는 기계의 객관적인 수치를 신뢰하는 수밖에 없다고 한 ⑤의 이해가 적절합니다.

3 3문단을 바탕으로 할 때 전정 기관에 문제가 생기면 어지럼증을 느낄 수 있음을 알 수 있습니다. 그러나 이 글에서 어지럼증 치료제에 대해서는 언급하지 않았으므로, 어지럼증 치료에 효과적인 약물의 종류를 정리한 표는 발표 자료로 필요하지 않습니다.

4 문맥을 고려할 때 ㉠'이루어져 있다.'는 '몇 가지 부분이나 요소들이 모여 일정한 전체가 짜여 이루어지다.'라는 뜻을 가진 ③의 '구성되어 있다'와 바꾸어 쓸 수 있습니다.

오답 피하기 ① '구분되다'는 '일정한 기준에 따라 전체가 몇 개로 갈리어 나뉘다.'라는 뜻입니다.
② '분류되다'는 '종류에 따라서 갈라지다.'라는 뜻입니다.
④ '분리되다'는 '서로 나뉘어 떨어지다.'라는 뜻입니다.
⑤ '분별되다'는 '서로 다른 일이나 사물을 구별하여 가르다.'라는 뜻입니다.

생각의 구조화 MIND MAP

생각읽기1 ㉠	생각읽기2 ㉤	생각읽기3 ㉢
생각읽기4 ㉣	생각읽기5 ㉥	생각읽기6 ㉡
1 파르테논	2 감소	3 관계
4 삼투	5 중용	6 전정

생각읽기 1 변화란 무엇인가

0 ⑤　　**1** ⑤　　**2** ③　　**3** ⑤　　**4** ④

Q 아리스토텔레스의 변화론이 지닌 의의는 무엇인가요?

아리스토텔레스는 이전의 철학자들과 달리 새로운 방식으로 변화를 정의하였으며, 이는 근대 자연 과학의 발전에 밑바탕이 되었습니다.

이 글은 고대 그리스 철학자인 아리스토텔레스가 제시한 변화의 개념과 변화론의 의의를 소개하고 있습니다. 아리스토텔레스의 변화론을 소개하기에 앞서 이전의 고대 그리스 철학자들이었던 헤라클레이토스와 파르메니데스의 상반된 변화론을 제시하였고, 이를 바탕으로 아리스토텔레스의 변화에 대한 견해를 구체적으로 설명하며 아리스토텔레스의 변화론이 지닌 의의를 덧붙이고 있습니다.

문단으로 생각읽기

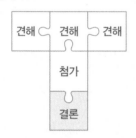

[견해 – 견해 – 견해 – 첨가 – 결론]의 생각 구조

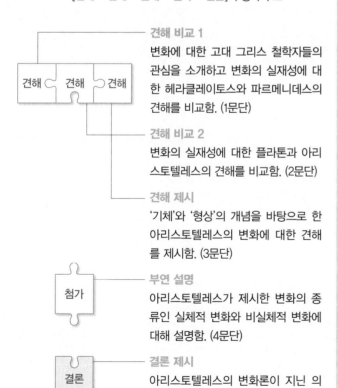

견해 비교 1
변화에 대한 고대 그리스 철학자들의 관심을 소개하고 변화의 실재성에 대한 헤라클레이토스와 파르메니데스의 견해를 비교함. (1문단)

견해 비교 2
변화의 실재성에 대한 플라톤과 아리스토텔레스의 견해를 비교함. (2문단)

견해 제시
'기체'와 '형상'의 개념을 바탕으로 한 아리스토텔레스의 변화에 대한 견해를 제시함. (3문단)

부연 설명
아리스토텔레스가 제시한 변화의 종류인 실체적 변화와 비실체적 변화에 대해 설명함. (4문단)

결론 제시
아리스토텔레스의 변화론이 지닌 의의를 제시함. (5문단)

0 2문단에 따르면, 아리스토텔레스는 변화의 실재에 대한 헤라클레이토스와 파르메니데스의 상반된 견해를 현실 세계에 적용하려고 하였습니다. 즉 아리스토텔레스는 이상 세계가 아닌 현실 세계에 변화하는 것과 변화하지 않는 것을 적용하였음을 알 수 있습니다.

출제 의도 중심 화제를 이해하고 있는지 묻는 문제입니다. 글에 제시된 플라톤과 아리스토텔레스의 견해가 어떻게 다른지 비교해 봄으로써 글의 중심 화제에 대한 이해를 더욱 명확하게 할 수 있습니다.

오답 피하기 ①, ② 2문단에 '플라톤은 모든 것이 항상 변화한다는 헤라클레이토스의 견해를 현실 세계에, 아무것도 변화하지 않는다는 파르메니데스의 견해를 이상 세계에 적용'하였다고 하였으므로 적절한 내용입니다.
③, ④ 2문단에서 아리스토텔레스는 '변화의 실재에 대한 헤라클레이토스와 파르메니데스의 상반된 견해를 어떤 방식으로든 현실 세계에 적용하려고 노력했다.'라고 하였으므로 적절한 내용입니다.

1 1문단에서 파르메니데스는 '세계는 존재하는 것들이 하나로 뭉쳐 있고 빈 공간이 없기 때문에 변화가 가능하지 않다'고 보았습니다. 이로 보아 파르메니데스가 세계를 존재하는 것들과 존재하지 않는 것들이 하나로 뭉쳐 있는 것이라고 인식한 것은 아니므로 ⑤는 적절하지 않습니다.

2 4문단에서 실체적 변화란 실체의 변화 정도가 커서 기체가 무엇인지 분명하지 않은 변화를 가리킨다고 하였습니다. 이를 바탕으로 할 때 ㄴ에서 올챙이가 개구리가 된 것은 실체의 변화 정도가 큰 실체적 변화에 해당합니다. 그런데 실체적 변화는 기체가 정확히 무엇인지 알기 어려우므로 ㄴ이 기체가 무엇인지 분명하게 구별되는 변화라는 설명은 적절하지 않습니다.

오답 피하기 ① ㄱ에서 변화 전의 개구리가 다른 장소에서 이동해 온 것은 장소 변화가 나타난 것입니다. 4문단에서 비실체적 변화에는 장소를 이동하는 장소 변화도 포함된다고 하였습니다. 따라서 ㄱ에서 변화 전의 개구리가 장소를 이동해 온 것은 비실체적 변화라고 볼 수 있으므로 적절합니다.
② 4문단의 '얼굴이 빨개지는 등의 질적 변화'를 보면 ㄱ에서 변화 전의 개구리의 피부색이 변화 후와 같이 바뀐 것은 색깔이라는 형상이 달라진 질적 변화가 나타난 것이라고 볼 수 있으므로 적절합니다.
④ 4문단에서 비실체적 변화에는 작은 풍선이 커지거나 살이 찌거나 빠지는 등의 양적 변화도 포함된다고 하였습니다. ㄷ은 변화 전에 비해 변화 후의 개구리라는 실체의 크기가 양적으로 증가한 양적 변화에 해당합니다. 따라서 비실체적 변화라고 볼 수 있으므로 적절합니다.
⑤ 3문단의 '변화란 현실 세계에서 실체의 밑바탕에 깔린 머리카락이라는 기체 위에서 검은색의 형상이 흰색의 형상으로 대체되는 현상과 같은 것이라고 보았다.'와 4문단에 제시된 아리스토텔레스의

견해에 따르면, 모든 변화는 기체가 유지된다는 것을 전제로 한다고 하였습니다. 즉 실체적 변화든, 비실체적 변화든 기체가 유지된다는 공통점이 있다는 것입니다. 이를 바탕으로 할 때 ㄱ, ㄴ, ㄷ은 모두 실체의 밑바탕에 깔려 있는 기체 위에 나타난 변화라는 공통점이 있다는 것을 알 수 있으므로 적절합니다.

3 〈보기〉에서 탈레스는 '물'을 만물의 근원인 '아르케'라고 보았다고 하였으므로 아르케를 주장한 그리스 철학자라 볼 수 있습니다. 그런데 아르케를 주장한 그리스 철학자들은 절대적인 무에서의 생성과 절대적인 무로의 소멸을 인정하지 않았다고 하였으므로, 탈레스도 이에 해당함을 알 수 있습니다. 한편, 4문단에서 아리스토텔레스는 파르메니데스와 마찬가지로 무에서의 생성이나 무로의 소멸을 인정하지 않는다고 하였습니다. 따라서 아리스토텔레스와 탈레스 모두 절대적인 무에서의 생성과 무로의 소멸을 인정하지 않았음을 알 수 있습니다.

오답 피하기 ① 탈레스는 '물'을 통해 변화를 설명하고 있습니다.
② 탈레스와 아리스토텔레스 모두 현실에서 경험적으로 나타나는 변화를 인정하고 있습니다. 현실에서 경험적으로 나타나는 변화를 인정하지 않은 사람은 파르메니데스입니다.
③ 파르메니데스와 탈레스 모두 만물의 근원적 요소 그 자체는 변화할 수 없다고 생각하였습니다.
④ 파르메니데스는 탈레스와 달리 '물'을 다양한 형태의 사물을 구성하는 요소로 생각하지 않았습니다. 파르메니데스는 존재하는 것들이 하나로 뭉쳐 있는 것이 세계라고 생각하였습니다.

4 ㉠은 문맥상 '생각 따위를 전개하거나 발전시키다.'의 의미이므로 이와 유사한 의미를 지닌 것은 '생각을 마음껏 펼쳤다.'의 '펼치다'입니다.

오답 피하기 ① '접히거나 개킨 것 따위를 넓찍하게 펴다.'를 의미합니다.
② '펴서 드러내다.'를 의미합니다.
③ '보고 듣거나 감상할 수 있도록 사람들 앞에 주의를 끌 만한 상태로 나타내다.'를 의미합니다.
⑤ '꿈, 계획 따위를 이루기 위해 행동하다.'를 의미합니다.

---

2 조선에서 온 편지

| 0 ③ | 1 ⑤ | 2 ⑤ | 3 ② | 4 ② |

Q 언간이란 무엇을 의미하나요?
언간은 조선 시대 때 쓰인 옛 한글 편지를 의미합니다.

이 글은 조선 시대에 쓰인 한글 편지인 '언간'의 특징을 설명하고 있습니다. 이 글에서는 언간의 일부를 사례로 제시하고, 언간의 특징을 구어적인 성격의 측면과 화자와 청자의 관계 측면에서 분석하였습니다. 또한 오늘날의 편지와 형식은 같지만, 관용적인 표현이 사용되었다는 점과 표기의 효율성을 추구하기 위해 생긴 재점을 이용한 표기와 생략 표기를 사용했다는 점을 구체적인 예를 들어 설명하고 있습니다.

■ **문단으로 생각읽기**

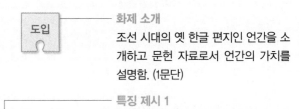

[도입 – 전개 – 전개 – 전개]의 생각 구조

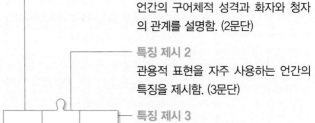

화제 소개
조선 시대의 옛 한글 편지인 언간을 소개하고 문헌 자료로서 언간의 가치를 설명함. (1문단)

특징 제시 1
언간의 구어체적 성격과 화자와 청자의 관계를 설명함. (2문단)

특징 제시 2
관용적 표현을 자주 사용하는 언간의 특징을 제시함. (3문단)

특징 제시 3
재점을 이용한 표기와 생략 표기 등 표기의 효율성을 추구하는 언간의 특징을 제시함. (4문단)

0 1문단에서 언간은 조선 시대에 쓰인 옛 한글 편지를 의미한다고 하였습니다. 이러한 정의를 바탕으로 볼 때, 한자를 사용한 것은 언간에 포함되지 않습니다.

출제 의도 글에서 중요하게 다루고 있는 핵심 화제에 대해 묻는 문제로, 핵심 화제와 관련된 정보를 잘 파악했는지 묻고 있습니다.

오답 피하기 ① 1문단에서 언간은 당시 사람들의 생활상을 엿볼 수 있는 귀중한 문헌 자료라고 하였습니다.

② 1문단에서 사대부들은 주로 한문을 사용하였기 때문에 사대부들 간에 주고받은 언간은 찾아보기 어렵다고 하였습니다.

④ 2문단에서 언간은 특정 청자와의 대화 상황을 전제하므로 어느 자료보다 구어적 성격이 강하다고 하였습니다.

⑤ 1문단의 '조선 시대에 조성된 양반 집안의 묘를 이장하는 과정에서 한글 편지가 발견'되었다는 내용을 통해 언간이 무덤에 매장되어 있다가 무덤을 옮기는 과정에서 발견되기도 함을 알 수 있습니다.

1 2문단에 따르면, [A]에서 청자를 부르는 호칭인 대명사 '자내'를 사용한 것을 통해, 일반적으로 사람들이 생각하는 것과 달리 실제로는 조선 시대에 부부간의 관계가 서로 대등했다는 것을 알 수 있다고 하였습니다. 따라서 '자내'라는 청자를 부르는 호칭을 통해 화자와 수평적 관계를 엿볼 수 있다는 진술은 적절합니다.

오답 피하기 ① [A]는 아내가 사별한 남편에게 쓴 언간이지, 남편이 아내에게 쓴 언간이 아닙니다.

② [A]에서는 구어적 성격이 강한 조사 '한테'의 옛 형태인 '흔듸'가 사용되었다는 것을 확인할 수 있습니다.

③ [A]의 '자네 여의고 아무래도 내 살 수가 없으니 빨리 자네한테 가고자 하니 날 데려 가소'는 남편의 죽음을 슬퍼하는 아내의 애절한 마음을 표현한 것입니다. 아내가 남편을 따라 죽겠다는 뜻을 담은 유서라고 보는 것은 적절하지 않습니다.

④ [A]에서 발견되는 어미 '-소'는 듣는 이가 대등하거나(친구) 아랫사람인 경우, 그 사람을 대우하여 이르는 표현이지, 청자를 대우하지 않고 낮추는 표현은 아닙니다.

2 편지가 갖추어야 할 형식적인 요소는 '받는 사람, 첫인사, 본문, 끝인사, 날짜 및 보내는 사람'입니다. 3문단에서 언간도 오늘날 편지에서 사용되는 모든 형식적 요소를 다 갖추고 있었다고 하였으므로, 〈보기〉의 편지를 언간으로 바꿀 때에도 이러한 요소들을 모두 갖추어야 합니다. 따라서 '날짜 및 보내는 사람'에 해당하는 ⓕ를 생략하는 것은 적절하지 않습니다.

오답 피하기 ① 3문단에서 웃어른에게 쓰는 언간에서는 웃어른에게 글을 올린다는 의미의 '샹셔'를 사용했고, 주로 그 앞에 '뎐'을 붙인다고 하였습니다.

② 3문단에서 웃어른에게 쓴 언간의 첫인사에서 상대의 안부를 물을 때, '몸과 마음의 형편'을 의미하는 '기체후(氣體候)'를 사용하며,

'일향(一向) 만강(滿腔)'도 함께 사용한다고 하였습니다.

③ 4문단에 따르면, 언간에서는 표기의 효율성을 고려하여 '오늘날 '바빠'의 의미에 해당하는 '밧바'를 '밧'으로, '잠깐'의 의미에 해당하는 '잠깐'을 '잠'으로 썼다고 하였습니다.

④ 4문단에 따르면, 언간에서는 언간의 끝인사 부분에 사용된 관용적 표현인 '이만 적습나이다(이만 적겠습니다)'에서 어미 '-나이다'를 생략하여 '이만 적습'으로 쓰기도 하였습니다.

3 〈보기〉의 밑줄 친 부분은 글쓴이의 감정을 강조하는 효과를 낳는 것이므로, 글쓴이의 감정을 나타내는 것과 관련이 없는 언간의 표현을 찾으면 됩니다. ②의 '총 〃 그만 그치압(총총 그만 그치옵니다)'에서 '총총'은 편지에서 끝맺음을 나타내는 상투적인 말일뿐 글쓴이의 주관적인 감정 표현과는 관련이 없습니다.

오답 피하기 ① '황송'은 '황송하다'의 어근으로 '분에 넘쳐 고맙고도 송구함.'을 표현하는 말이므로, 이를 반복하면 글쓴이의 감정을 강조하는 효과가 있습니다.

③ '부듸'는 오늘날의 '부디'의 옛 형태로, '부디'는 '남에게 청하거나 부탁할 때 바라는 마음이 간절함을 나타내는 말'이므로, 이를 반복하면 글쓴이의 주관적 감정을 강조하게 됩니다.

④ '더옥'은 오늘날의 '더욱'의 옛 형태로, '정도나 수준 따위가 한층 심하거나 높게.'라는 의미이므로, 이를 반복하여 뒤에 제시된 '근심'이라는 글쓴이의 주관적 감정을 강조하게 됩니다.

⑤ '보고쟈'는 오늘날의 '보고자'의 옛 형태로, 이를 반복하여 '너희'를 간절히 보고 싶어 하는 글쓴이의 주관적 감정을 강조하게 됩니다.

4 4문단에 따르면, 언간은 직접 손으로 쓴 편지이기 때문에 같은 단어를 반복할 때에는 재점을 사용하고, 단어의 일부를 생략하기도 하며, 끝인사 부분에서 관용적 표현을 사용하는 경우 어미를 생략하기도 하였습니다. 이렇게 재점을 사용하거나 단어의 일부를 생략하는 것은 편지를 좀 더 편리하고 효율적으로 쓰기 위한 것임을 알 수 있습니다.

오답 피하기 ① 언간은 손으로 쓴 편지이지 인쇄물이 아닙니다.

③, ⑤ 단어의 일부를 생략하면 표기의 정확성이 떨어질 뿐만 아니라, 글을 이해하는 데에도 어려움이 생깁니다.

④ 수신인에게 친근한 마음을 드러내는 것과 생략 표기는 아무런 관련이 없습니다.

3 변성 작용과 변성암

0 ③　　**1** ①　　**2** ⑤　　**3** ⑤

Q 암석의 변성 작용을 일으키는 요인과 변성암이 지질학 연구에서 중요한 이유는 무엇인가요?

암석의 변성 작용을 일으키는 주요 요인은 온도와 압력이고, 변성암이 지질학 연구에서 중요한 이유는 변성암에 지각에서 일어났던 모든 일들이 보존되어 있기 때문입니다.

이 글은 변성 작용에 영향을 주는 여러 요인들 중에서 온도와 압력을 중심으로 변성 작용과 변성암에 대해 설명하고 있습니다. 암석에 온도와 압력이 가해지면 변성 작용이 일어나 암석을 구성하고 있는 광물에 많은 변화가 생겨 변성암이 형성됨을 설명하고, 지각에서 일어났던 일들이 보존되어 있는 변성암의 지질학적 가치를 제시하고 있습니다.

■ 문단으로 생각읽기

[도입 – 전개 – 전개 – 주장]의 생각 구조

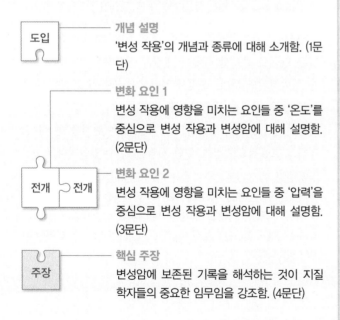

도입 — 개념 설명
'변성 작용'의 개념과 종류에 대해 소개함. (1문단)

전개 — 변화 요인 1
변성 작용에 영향을 미치는 요인들 중 '온도'를 중심으로 변성 작용과 변성암에 대해 설명함. (2문단)

전개 — 변화 요인 2
변성 작용에 영향을 미치는 요인들 중 '압력'을 중심으로 변성 작용과 변성암에 대해 설명함. (3문단)

주장 — 핵심 주장
변성암에 보존된 기록을 해석하는 것이 지질학자들의 중요한 임무임을 강조함. (4문단)

0 (가)에서는 글의 핵심 화제인 '변성 작용'과 그 종류를 제시함으로써 설명하고자 하는 화제를 소개하고 있습니다. (나)와 (다)에서는 '변성 작용'에 영향을 미치는 두 가지 요인인 온도와 압력을 중심으로 '변성 작용'과 '변성암'에 대해 각각 설명하고 있고, (라)에서는 글을 마무리하며 지각에서 일어났던 모든 일을 보존하고 있는 변성암의 특징에 대해 언급하고 있습니다.

출제 의도 글의 구조를 파악하는 문제입니다. 글의 의미 구조도를 그릴 수 있으려면 글의 전체 흐름을 파악하고, 각 문단 간의 관계를 분석해 낼 수 있어야 합니다.

1 이 글에서는 변성 작용과 변성암에 대해 설명하면서 변성 작용, 저변성 작용과 고변성 작용, 균일 응력, 차등 응력 등의 용어들의 개념을 설명하고 있습니다(ㄱ). 한편, 유추는 하나의 현상과 다른 한 개 이상의 현상들이 기본 속성이나 관계, 구조, 기능 등에서 유사하다는 점을 들어 다른 요소들에 있어서도 이 글에서는 유사할 것이라 추리하는 방법인데, 이 글에서는 빵이 만들어지는 과정을 바탕으로 온도가 변성 작용에 영향을 주는 과정을 설명하며 유추의 방법을 활용하고 있습니다(ㄴ). 그리고 암석이 지구 내부로 들어가는 정도에 따라 변성 작용이 달라진다는 것을 알기 쉽게 설명하기 위해 점판암과 편암, 편마암의 예를 제시하고 있습니다(ㄷ).

2 (다)에 따르면 차등 응력 조건에서 광물들은 층의 방향이 최대 응력 방향과 수직을 이루는 방향으로 배열된다고 했으므로, 차등 응력 조건하에서 광물들이 최대 응력 방향과 동일한 방향으로 배열된다는 것은 적절하지 않습니다.

오답 피하기 ① (나)에서 암석이 가열되면 그 속에 있는 광물들 중 일부는 재결정화되고 또 다른 광물들은 서로 반응하여 새로운 광물들을 생성하게 된다고 했습니다.
② (라)에서 변성암은 고체 상태일 때 변화가 일어난다고 했습니다.
③ (나)에서 섭입이나 대륙 충돌 등의 지각 운동이 일어나면 암석이 지구 내부로 이동하게 된다고 했습니다.
④ (다)에서 균일 응력은 모든 방향에서 일정한 힘이 가해지는 압력이라고 했습니다.

3 (다)에 따르면, 저변성 작용을 받은 암석은 매우 미세한 입자들로 구성되어 있어 새로 형성된 광물 입자들은 현미경을 사용해야만 관찰할 수 있습니다. 반면에 고변성 작용을 받게 되면 입자들이 커져서 각 광물 입자들을 육안으로 관찰할 수 있게 됩니다. 따라서 저변성 작용을 받아 형성된 점판암의 조직은 고변성 작용을 받아 형성된 편마암의 조직보다

육안으로 관찰하기가 어려울 것입니다.

오답 피하기 ① (가), (나)를 통해 암석이 가열되면, 즉 변성 작용을 겪게 되면 암석을 구성하는 주요 광물에 변화가 생겨 재결정화되거나 새로운 광물이 생기게 된다는 것을 알 수 있습니다. 이를 바탕으로 할 때 변성 작용을 겪지 않은 퇴적암 셰일과 저변성 작용을 겪은 점판암을 구성하는 주요 광물이 다른 것은 변성 작용과 관련이 있다고 할 수 있습니다.

② 석영은 퇴적암인 셰일과 변성암인 편마암에 모두 포함되어 있는 광물이므로 석영의 존재 여부만으로는 두 암석을 구별하기가 어렵습니다.

③ (라)에서 변성암에는 지각에서 일어난 모든 일들이 보존되어 있다고 했으므로, 셰일이 변성 작용에 의해 편암이나 편마암이 되는 과정 중 지각에서 일어난 일들도 암석에 흔적으로 남아 있게 된다고 볼 수 있습니다.

④ (가)에서 약 100~500℃ 온도와 비교적 낮은 압력에서 일어나는 변성 작용을 '저변성 작용'이라 하고, 약 500℃ 이상의 높은 온도와 비교적 높은 압력에서 일어나는 변성 작용을 '고변성 작용'이라 했습니다. 또한 (나)에 따르면 점판암은 저변성 작용에 의해 형성된 암석이고 편암은 고변성 작용을 받아 형성된 암석이므로, 편암이 점판암보다 더 높은 온도와 더 큰 압력을 받아 형성된 암석이라고 할 수 있습니다.

Q '유튜브 저널리즘'에 대해 우려하는 문제점 두 가지는 무엇인가요?
유튜브 저널리즘의 문제점으로 뉴스 소비의 편향성 문제와 가짜 뉴스 문제가 있습니다.

이 글은 최근에 새롭게 부상하고 있는 '유튜브 저널리즘'의 개념, 등장 배경, 우려되는 문제점, 그리고 앞으로의 전망 등을 설명하고 있습니다. 유튜브 저널리즘은 누구나 영상을 제작할 수 있는 개방성을 지닌 유튜브라는 새로운 매체의 등장으로 나타난 언론의 변화를 보여 줍니다. 유튜브 저널리즘으로 인해 우려되는 문제점도 있지만, 다양한 여론 형성이 가능하다는 순기능 역시 존재하므로 앞으로 유튜브 저널리즘이 어떤 방향으로 변화해 갈지는 유튜브 이용자들의 손에 달려 있다고 강조하고 있습니다.

▣ 문단으로 생각읽기

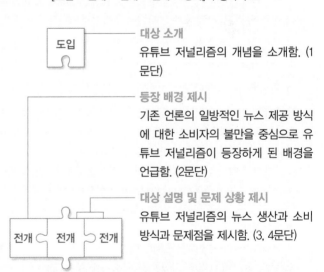

[도입 – 전개 – 전개 – 전개 – 정리]의 생각 구조

도입 ─── 대상 소개
유튜브 저널리즘의 개념을 소개함. (1문단)

─── 등장 배경 제시
기존 언론의 일방적인 뉴스 제공 방식에 대한 소비자의 불만을 중심으로 유튜브 저널리즘이 등장하게 된 배경을 언급함. (2문단)

─── 대상 설명 및 문제 상황 제시
유튜브 저널리즘의 뉴스 생산과 소비 방식과 문제점을 제시함. (3, 4문단)

전개　전개　전개

정리 ─── 마무리
유튜브 저널리즘에는 순기능도 존재하므로 그 앞날은 유튜브 이용자들의 손에 달려 있음을 강조함. (5문단)

0 이 글에서 유튜브 저널리즘의 순기능과 우려되는 문제점을 설명하고 있지만, '유튜브' 자체의 순기능과 역기능은 설명하고 있지 않습니다.

출제 의도 글의 세부 정보를 확인하는 문제로, 글에 제시된 내용인지 아닌지를 명확히 구분할 수 있어야 합니다.

1 2문단에 따르면 여러 가지 문제로 인한 기존 언론들에 대한 신뢰도 하락은 ㉠이 등장하게 된 배경 중 하나에 해당합니다. 그리고 3문단에 따르면 시사 유튜버의 등장을 포함한 ㉠으로 인해 기존 언론들의 영향력은 축소되었습니다. 그러나 기존 언론들이 자신들의 낮아진 신뢰도와 영향력을 회복하기 위해 ㉠을 대안으로 선택했다는 내용은 이 글에 나오지 않았습니다.

오답 피하기 ①, ⑤ 시사 유튜버의 등장은 기존의 뉴스 이외의 다른 뉴스가 생산되는 것을 의미하므로, 뉴스를 소비하는 대중의 입장에서는 선택 폭이 넓어지고, 선택 가능한 뉴스의 양이 늘어난 것입니다.
② 2문단에 따르면 편집권을 발휘하여 생산한 기존 언론의 뉴스는, 자신들의 주관적 입장에 따라 뉴스를 소비하고자 하는 욕망을 가진 사람들에게 불만이 될 수 있습니다. 이러한 불만을 가진 사람들에게 ㉠은 새로운 뉴스 소비 방법이 됩니다.
④ 사람들이 원하는 때에 스스로 원하는 뉴스를 찾아 시청하는 것은 뉴스 시청에 자율성이 증대된 것을 의미합니다.

2 시사 유튜버들이 생산한 뉴스를 기존 언론의 뉴스보다 더 신뢰하는 사람들은 기존 뉴스 생산 및 소비 환경에 불만을 가지고 있었던 사람들로, 이들은 뉴스 소비에 적극적인 면을 가지고 있다고 볼 수 있습니다. 따라서 이들은 수동적인 '관객으로서의 동기'보다 '생산자로서의 동기'가 더 강하다고 판단할 수 있습니다.

오답 피하기 ① 시사 유튜버 중 자신의 정치·사회적인 견해에 대한 확신이 강한 사람들은 자신이 중요하다고 생각하는 의제를 널리 알리고자 하는 동기가 강하다고 판단할 수 있습니다.
② 유튜브가 활성화되기 전 전통적인 미디어 환경에서의 뉴스 콘텐츠 생산 및 소비 구조에서는 소비자들이 '생산자로서의 동기'를 가졌다고 하더라도, 이를 실현할 방법이 없었으므로 불만을 가졌을 것이라고 판단할 수 있습니다.
③ 유튜브가 나오기 전의 전통적인 미디어 환경에서 사람들은 '관객으로서의 동기'를 더 많이 가졌을 것이라고 판단할 수 있습니다.
④ 4문단에서 자신의 이익 추구를 위해 가짜 뉴스를 생산할 위험성을 설명했으므로, 만일 어떤 유튜버가 가짜 뉴스를 생산했다면 그는 '공감 형성의 동기'보다 자신의 이익을 추구하려 했다고 판단할 수 있습니다.

3 ㉡은 특정한 관점에서 생산된 뉴스만 소비함으로써 발생하는 문제를 의미합니다. ③의 C씨가 해당 사건에 대한 확신

을 가지게 된 것은, 유튜브의 콘텐츠 배열 알고리즘에 따라 추천된 콘텐츠로 인해, 사건에 대한 편향된 관점이 강화된 것으로 판단할 수 있습니다.

오답 피하기 ① 인터넷 사용 윤리를 어긴 사례라고 할 수 있습니다.
② 유튜브 콘텐츠가 과하게 많아짐으로 인해 발생한 부정적 영향을 보여 주는 사례라고 할 수 있습니다.
④ 다양한 목소리를 전달하여 여론의 다양성을 구현하는 유튜브의 순기능을 보여 주는 사례라고 할 수 있습니다.
⑤ 이득을 취하기 위해 유튜브를 불법적으로 이용한 사례라고 할 수 있습니다.

4 이 글에서 글쓴이는 유튜브 저널리즘이 무엇인지 소개하고, 그것의 현재 양상과 앞으로의 전망 등에 대해 설명하고 있습니다. 그리고 이를 통해 유튜브 저널리즘이 어떤 방향으로 나아가게 될 것인지는 유튜브 이용자들에게 달려 있으므로, 유튜브 저널리즘이 순기능을 할 수 있는 방향으로 이용자들이 유튜브 뉴스 콘텐츠를 생산하고 소비해야 할 필요가 있음을 말하고 있습니다.

생각읽기 5 기술의 발달이 불러온 삶의 변화

0 ⑤   **1** ④   **2** ③   **3** ③   **4** ⑤

Q 아리스토텔레스가 구분한 인간 삶의 유형 두 가지는 무엇인가요?

아리스토텔레스는 인간의 삶을 '사색적 삶'과 '활동적 삶'으로 구분하였습니다.

이 글은 기술의 발달이 사회 변화에 미친 영향을 '사색적 삶'과 '활동적 삶'으로 나누어 시대별로 살펴보고 있습니다. 글쓴이는 현재 역사적으로 기술이 가장 발달한 시대에 살고 있으나 사색적 삶은 설 자리를 잃고 활동적 삶만이 폭주하고 있음을 우려하고 있습니다.

■ 문단으로 생각읽기

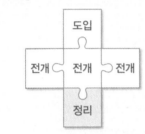

[도입 – 전개 – 전개 – 전개 – 정리]의 생각 구조

도입 ── **의문과 대답**
기술 발달에 따른 인간의 삶의 변화에 대한 물음을 제시하고 근대 이전까지의 삶의 모습을 언급함. (1문단)

전개 전개 전개 ── **전개 과정 – 16~17세기**
과학 혁명과 청교도 윤리의 등장으로 활동적 삶과 사색적 삶이 대등한 위상을 갖게 됨. (2문단)

── **전개 과정 – 18~19세기**
산업 혁명을 계기로 활동적 삶이 사색적 삶보다 더 중요하게 됨. (3문단)

── **전개 과정 – 현대**
자본주의 시장 메커니즘으로 인해 활동적 삶이 지나치게 강조되자 이에 대한 비판이 제기됨. (4문단)

정리 ── **결론 제시**
기술의 발달이 인간의 삶을 여유롭고 의미 있게 해 주지는 못함. (5문단)

생각읽기가 수능이다

독해실전 **1** 산소

수능실전 **1** 냉동 건조

---

0 글쓴이는 글의 맨 처음 부분에서 질문을 하고, 글의 마지막 부분에서 기술의 발달이 인간의 삶을 더욱 바쁘고 의미 없는 방향으로 나아가게 하고 있다는 결론을 내리고 있습니다. 그리고 이에 대한 근거로 역사적으로 볼 때 기술의 발달이 사색적 삶을 점차 축소시키고 사람들로 하여금 활동적 삶만을 추구하게 만들고 있다는 사실을 들고 있습니다.

출제 의도 글쓴이의 주장과 근거를 파악하는 문제로 글쓴이가 기술의 발달에 따른 인간의 삶의 변화를 어떻게 보고 있는지를 정리할 수 있어야 합니다.

1 3문단에 언급되어 있듯이 '시간–동작' 연구를 통해 가장 효율적인 작업 동선을 모색했던 테일러의 과학적 관리론은 20세기 초 생산 활동을 합리적으로 조직하는 중요한 원리로 자리 잡았는데, 이로 인해 두뇌에 의한 노동과 근육에 의한 노동이 분리되어 인간의 육체노동이 기계화되는 결과를 가져왔습니다.

오답 피하기 ① 1문단에서 아리스토텔레스는 사색적 삶의 영역이 생계를 위한 활동적 삶의 영역보다 상위에 있다고 보았습니다.
② 2문단에서 16, 17세기 과학 혁명으로 실험 정신과 경험적 지식이 중시되면서 사색적 삶의 영역에 속한 과학적 탐구와 활동적 삶의 영역에 속한 기술 사이의 거리가 좁혀졌고, 이를 통해 활동적 삶과 사색적 삶은 대등한 위상을 갖게 되었다고 하였습니다.
③ 2문단에서 청교도 윤리의 등장은 생산 활동과 부의 축적에 대한 부정적 인식을 없애는 계기가 되었다고 하였습니다.
⑤ 3문단에서 20세기 초 공학, 경영학 등의 실용 학문과 산업체 연구소들은 기술을 과학에 활용하기 위해서가 아니라 과학을 기술 개발에 활용하기 위해 출현했다고 하였습니다.

2 ㉠은 활동적 삶을 지나치게 강조하는 현실에 대한 반작용으로 등장했습니다. 즉 성찰에 의한 사색적 삶의 중요성을 역설하기 위해 나온 목소리입니다. 사색적 삶은 여유롭게 삶의 의미를 되새기는 것과 관계가 깊으므로 ㉠의 내용과 가깝다고 할 수 있습니다.

오답 피하기 ① 기계 기술과 산업 현장에 대해 긍정적으로 평가하고 있으므로, 이는 활동적 삶을 중시하는 내용입니다.
② 일하는 삶을 중시하는 것이므로, 이는 활동적 삶을 중시하는 내용입니다.
④ 나태가 사람을 녹슬게 한다는 생각과 노동함으로써 지치는 것을 긍정적으로 평가하고 있으므로, 활동적 삶을 중시하는 내용입니다.
⑤ 인간을 사색하지 못하는 기계라고 여기는 것이므로, 이는 활동적 삶을 중시하는 내용입니다.

3 〈보기〉에 따르면, 20세기 후반 이후 '후근대 사회'의 가장 큰 특징은 '성과 사회'가 되었다는 것입니다. 그런데 근대 사회인 규율 사회가 후근대 사회인 성과 사회가 되었다고

해서 '더욱 생산적으로 되어야 한다'는 자본주의 시스템의 근본적인 요구가 달라진 것은 아닙니다. 다만 규율 사회에서는 이 요구가 외적 강제에 의한 타자 착취를 통해 관철되었다면 성과 사회에서는 내적 유혹에 의한 자기 착취를 통해 관철되었을 뿐입니다. 즉 요구를 관철하는 방식만 달라진 것입니다.

오답 피하기 ① 3문단에 따르면 근대 사회에서는 기계 속도에 기초하여 노동 규율을 확립했는데, 〈보기〉의 내용을 참고할 때 이런 노동 규율은 생산성을 높이기 위해 타자를 착취하는 규율 사회의 외적 강제에 해당합니다.
② 5문단에서 자신의 능력을 극한으로 끌어올리기 위해 스스로를 끝없이 몰아세우는 현대인의 모습은 〈보기〉의 '내적 유혹에 의한 자기 착취'로 볼 수 있습니다. 성공을 향한 내적 욕망이 자신의 능력을 계속 끌어올려야 한다는 스스로의 자기 착취를 가져와 결국 피로라는 만성 질환을 앓게 하는 것입니다.
④ 기술 발달이 삶을 여유롭고 의미 있게 만든다는 견해는 현대 사회에 대한 긍정적 인식을 담고 있지만, 현대 사회가 피로 사회라는 견해는 현대 사회에 대한 부정적 인식을 담고 있습니다.
⑤ 5문단에서 현대인은 더욱 다양해진 욕구와 성취 욕망을 충족하기 위해 스스로를 소진하고 있다고 하였고 〈보기〉에서도 내적 유혹에 의해 자기 착취를 한다고 하였습니다. 이로 보아 스스로를 착취하는 현대인의 행동은 성공을 향한 내적 유혹에 기인하는 것이라고 볼 수 있습니다.

4 '포섭(包攝)'은 '상대편을 자기편으로 감싸 끌어들임.'의 의미로, 이 말에는 '너그러움'이라는 의미가 포함되어 있지 않습니다. '남을 너그럽게 감싸 주거나 받아들임.'의 의미를 지닌 단어는 '포용(包容)'입니다.

| 0 ③ | 1 ⑤ | 2 ④ | 3 ② | 4 ③ |

Q 전시장을 찾은 사람들이 「브릴로 상자」를 보고 혼란스러움을 느낀 이유는 무엇인가요?

전시장을 찾은 사람들이 혼란을 느낀 이유는 그들이 예술 작품에 대한 전통적인 관점에서 작품을 바라보았기 때문입니다.

1960년대 이후 미국에서 일어난 팝 아트라는 예술적 흐름을 주도한 앤디 워홀의 작품 세계와 그 의의를 설명한 글입니다. 특히 예술에 대한 전통적인 관점과 대조하여 앤디 워홀의 예술관을 제시하고, 추상 표현주의와 대조하여 팝 아트의 개념 및 특징을 설명하고 있습니다. 그리고 예술 개념의 변화를 가져왔다는 점에서 앤디 워홀에 대한 긍적적 평가를 제시하며 글을 마무리하고 있습니다.

■ **문단으로 생각읽기**

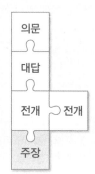

[의문 – 대답 – 전개 – 전개 – 주장]의 생각 구조

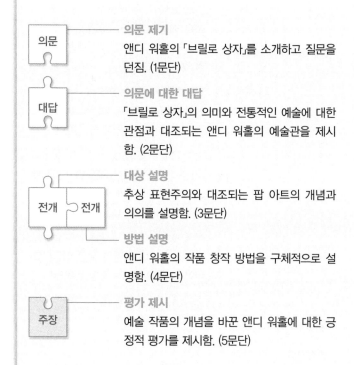

의문 — 의문 제기
앤디 워홀의 「브릴로 상자」를 소개하고 질문을 던짐. (1문단)

대답 — 의문에 대한 대답
「브릴로 상자」의 의미와 전통적인 예술에 대한 관점과 대조되는 앤디 워홀의 예술관을 제시함. (2문단)

전개 · 전개 — 대상 설명
추상 표현주의와 대조되는 팝 아트의 개념과 의의를 설명함. (3문단)

— 방법 설명
앤디 워홀의 작품 창작 방법을 구체적으로 설명함. (4문단)

주장 — 평가 제시
예술 작품의 개념을 바꾼 앤디 워홀에 대한 긍정적 평가를 제시함. (5문단)

0 2문단에 따르면 ㉠에 대한 일차적인 대답은 "무엇은 예술이고 무엇은 예술이 아닌가?'라는 질문을 하기 위해서'라고 할 수 있습니다. 그리고 이 질문은 예술과 예술이 아닌 것의 경계가 있는지 묻는 것이며, 예술의 본질이 무엇인지를 묻는 것입니다. 그래서 이러한 문제 제기는 전통적인 예술에 대한 관점, 즉 예술에 대한 기존 관념에 대한 문제 제기라고 이해할 수 있습니다. 5문단에 따르면 더 나아가 앤디 워홀은 「브릴로 상자」를 통해, 대중과 멀어지지 않는 방식으로 예술의 의미에 대한 새로운 시각을 제시한 것으로 볼 수 있습니다.

출제 의도 질문에 대한 대답을 찾는 문제로, 중심 내용을 파악할 수 있는지를 확인하는 문제입니다.

오답 피하기 ①, ② 앤디 워홀은 예술 작품과 예술 작품이 아닌 것에 대한 경계를 허물고자 하였고, 「브릴로 상자」를 통해 둘 사이에 구분이 되지 않음을 보여 주려고 한 것입니다. 디자인의 우수성 등을 보여 주기 위한 의도는 없었습니다.
④ 상업적인 제품들이 미적 감흥을 줄 수 없다고 생각하는 것은 「브릴로 상자」와 관련이 없는 것으로, 예술에 대한 전통적인 관점에 해당하는 것입니다.
⑤ 「브릴로 상자」에는 실제 상품과 구별되지 않을 정도로 정교한 기법으로 제작된 상자들도 섞여 있지만, 정교한 창작 기법을 과시하는 것은 ㉠과 관련이 없습니다.

1 5문단에서 예술에 대한 기존의 관념을 부정하고 도전하여, 새로운 예술을 추구했던 앤디 워홀의 예술이 지닌 의의를 밝히고 있습니다. 특히 앤디 워홀이 순수 예술과 대중 예술 사이의 경계, 예술 작품과 상품 사이의 경계를 허물고자 시도한 것은, 그가 추구하고자 한 변화라고 볼 수 있습니다.

2 2문단에서 앤디 워홀이 '일상적 사물을 포함한 모든 것들이 예술 작품이 될 수 있으며, 누구나 쉽게 즐길 수 있는 예술이 진정한 예술이라고 생각했다.'라는 것을 알 수 있습니다. 따라서 예술 작품은 소재에 제약이 없으며, 대중에게 친숙하고 대중들이 쉽게 공감할 수 있는 것(대중과 함께 호흡할 수 있는 것)이어야 한다는 ④가 적절합니다.

오답 피하기 ① 앤디 워홀의 관점과 관련이 없는 내용입니다.
② 심미적 감동을 이끌어 내는 것은 감상자에게 미적인 감흥을 불러일으킨다는 의미로, 이는 2문단의 예술 작품을 바라보는 전통적인 관점에 해당합니다.
③ 추상 표현주의에서 예술 작품을 바라보는 관점으로, 3문단에서 확인할 수 있습니다.
⑤ 전통적인 관점에 해당하는 내용으로, 2문단의 '예술 작품은 작가가 예술혼을 담아'와 '이러한 관점에서는 ~ 위대한 작품과 그렇지 않은 작품으로 구별된다.'에서 확인할 수 있습니다.

3 3, 4문단에 따르면 팝 아트는 기존 예술과 달리 대중문화의 이미지를 사용했고, 팝 아트를 대표하는 작가인 앤디 워홀이 사용한 실크 스크린 기법 역시 기존 예술과는 달랐습니다. 그러나 이로 인해서 팝 아트가 대중에게 외면을 받았다는 설명은 제시되어 있지 않습니다. 오히려 추상 표현주의가 추상적인 표현 기법으로 인해 대중과 괴리된 것, 즉 대중에게 외면받았다고 이해하는 것이 적절합니다.

오답 피하기 ① 3문단에 따르면, 팝 아트는 엘리트 중심의 예술 창작·수용·향유 방식을 부정한 대중 지향적 예술입니다.
③ 4문단에 따르면, 팝 아트는 대중 매체에 실린 대상의 이미지를 대량으로 복제함으로써 대량 생산된 상품을 획일적으로 소비하는 현대 사회의 단면을 보여 주었다고 했습니다.
④, ⑤ 3문단에 따르면, 팝 아트는 대중과 괴리된 추상 표현주의에 반발하여 나타났고 대중문화와 순수 예술의 경계를 허물고자 하였습니다.

4 앤디 워홀은 대중 예술을 비판한 것이 아니라, 오히려 대중 예술을 긍정하여 자신의 작품에 대중문화의 이미지들을 차용하였으며, 순수 예술과 대중 예술 사이의 경계를 허물고자 했습니다. 〈보기〉의 작품 역시 이와 같은 맥락에서 창작되었으며, 앤디 워홀이 대중 예술을 비판적으로 인식했다고 판단할 수 있는 근거는 이 글에 제시되어 있지 않습니다.

오답 피하기 ① 〈보기〉의 작품에 사용된 이미지가 잡지에 실린 것으로, 4문단에 따르면 앤디 워홀은 이 이미지를 그대로 차용하였을 뿐 직접 그리거나 사진으로 찍지 않았습니다.
② 4문단에 따르면 작품에 사용된 이미지들은 그 자체만으로도 상업적이고 소비 지향적인 대중문화의 특성을 보여 줍니다.
④ 대중적인 스타인 마릴린 먼로를 소재로 삼았다는 점에서 대중과 멀어지지 않는 방식을 사용했다고 판단할 수 있으며(5문단), 4문단에 따르면 마릴린 먼로라는 스타는 대중 매체가 만들어 낸 허구적인 환상에 해당하고, 이 작품은 이러한 환상이 지배하는 현대 사회의 현실을 드러낸 것으로 판단할 수 있습니다.
⑤ 〈보기〉의 '다른 작품 창작에서 자신이 주로 사용했던 기법'은 실크 스크린 기법을 의미하며, 4문단에 따르면 실크 스크린 기법은 비교적 간단한 과정으로 대량의 인쇄물을 만들 수 있습니다.

생각의 구조화 MIND MAP

생각읽기1 ㉠	생각읽기2 ㉢	생각읽기3 ㉣
생각읽기4 ㉡	생각읽기5 ㉤	생각읽기6 ㉢

1 변화   2 언간   3 변성암
4 편향성   5 사색적, 활동적   6 팝 아트

생각읽기 1 미라의 나이는 어떻게 알 수 있을까

0 ⑤ **1** ③ **2** ② **3** ⑤ **4** ②

Q '가속기 질량 분석기'로 무게를 측정하기 위해 이용되는 분자의 성질은 무엇인가요?

각 분자의 무게는 각자의 고유한 값을 갖고 있다는 성질을 이용하여 무게를 측정합니다.

이 글은 미라와 같은 유물의 나이를 알아내는 데 활용되는 방사성 탄소 연대 측정법의 원리에 대해 설명하고 있습니다. 유물의 나이는 방사성 동위 원소인 희귀 탄소의 반감기를 이용해 알아낼 수 있는데, '가속기 질량 분석기'의 등장으로 아주 적은 시료로도 정확한 연대 측정이 가능하게 되었습니다.

■ 문단으로 생각읽기

[의문 – 해결 – 분석 – 예시 – 정리]의 생각 구조

의문 —— 의문 제기
무게를 측정하는 저울로 어떻게 과거를 들여다볼 수 있는지 의문을 제기함. (1문단)

해결 —— 의문에 대한 대답
'가속기 질량 분석기'를 통해 희귀 탄소의 양을 측정해 유물의 나이를 알아냄. (2문단)

분석 예시 —— 원리 분석
동식물이 죽으면 일반 탄소와 달리, 희귀 탄소는 붕괴돼 새로운 원소로 바뀌게 됨. (3문단)

—— 사례 제시
희귀 탄소의 반감기를 이용하면 미라와 같은 유물의 나이를 파악할 수 있음. (4문단)

정리 —— 마무리
가속기 질량 분석기의 등장 이후 소량의 탄소 시료로도 정확한 연대 측정이 가능해짐. (5문단)

생각읽기가 수능이다	
독해실전	**1** ②
수능실전	**1** ①

0 이 글에서 가속기 질량 분석기라는 특수한 저울의 등장으로 아주 적은 시료로도 유물의 정확한 연대 측정이 가능해졌음을 설명하고 있습니다. 그런데 이 글은 가속기 질량 분석기의 장점은 제시하고 있지만, 가속기 질량 분석기로 연대를 측정할 때의 한계는 설명하고 있지 않습니다.

[출제 의도] 글에서 소개한 핵심 개념에 대해 이해하고 있는지 묻는 문제로 중심 화제와 이를 뒷받침하는 내용을 파악할 수 있어야 합니다.

1 마지막 문단에서 1970년대 후반에 등장한 가속기 질량 분석기를 사용하여 이전 필요량의 약 1,000분의 1인 소량의 시료로 유물의 정확한 연대 측정이 가능하게 되었다고 설명하고 있습니다.

[오답 피하기] ① 3문단에서 방사성 동위 원소인 희귀 탄소는 동식물이 호흡을 하지 못하게 되면 붕괴되어 다시 질소로 돌아가게 됨을 설명하고 있으나, 이것이 가속기 질량 분석기를 통해 이루어지는 것은 아닙니다.
② 2문단에서 가속기 질량 분석기라는 저울은 각 분자의 무게가 각자의 고유한 값을 갖고 있다는 성질을 이용해 무게를 잴 수 있음을 설명하고 있습니다. 이 저울이 방사성 동위 원소인 희귀 탄소의 질량만을 측정하도록 고안되었다는 정보는 이 글에서 찾아볼 수 없습니다.
④ 가속기 질량 분석기가 시료 속 불순물의 양을 줄일 수 있는 것은 아닙니다.
⑤ 가속기 질량 분석기는 분자의 무게가 각자의 고유한 값을 갖고 있다는 성질을 이용해 무게를 재는 특수한 저울이지, 원자핵에서 방출되는 방사선의 양을 조절하는 장치가 아닙니다.

2 〈보기〉의 선생님의 설명에 따르면, 측정 시료는 대부분 연대 측정에 필요한 원소 외의 다른 원소들도 포함하고 있고, 불순물인 원소들이 포함된 시료로 측정하게 되면 정확한 연대 측정을 할 수 없습니다. 이를 통해 가속기 질량 분석기에 측정 시료를 곧바로 넣기 전에 우선되는 작업(측정 시료에서 연대 측정에 필요한 원소를 뽑아내는 과정)이 이루어져야 한다는 점을 추측할 수 있습니다.

[오답 피하기] ① 3문단에서 동식물이 호흡을 하기 때문에 탄소가 산소와 결합해서 이산화 탄소가 되더라도 체내에서 일반 탄소와 희귀 탄소의 비율이 일정하게 나타난다는 점을 알 수 있습니다. 그러나 측정 시료에 산소를 주입하여 순수한 탄소를 얻는 일을 추가해야 하는지의 여부는 이 글과 〈보기〉를 통해 이끌어 낼 수 없는 내용입니다.
③ 이 글의 마지막 문단에서 이미 가속기 질량 분석기를 사용하여 유물의 정확한 연대 측정이 가능함을 설명하고 있습니다.
④ 유물 속에 담긴 역사적 의미는 이 글과 〈보기〉 모두와 관련이 없는 내용입니다.
⑤ 〈보기〉에서 측정 시료를 곧바로 가속기 질량 분석기에 넣어 무게를 측정해서는 안 된다고 하였습니다.

3 3문단에서 일반적으로 동식물이 호흡을 하지 못하게 되면 희귀 탄소(㉠)는 붕괴되어 새로운 원소인 질소로 바뀌게 되고, 일반 탄소(㉡)는 거의 변함이 없다고 설명하고 있습니다.

오답피하기 ① 일반 탄소(㉡)의 무게를 잴 수 없다는 내용은 이 글에 제시되어 있지 않습니다. 2문단에 따르면 일반 탄소는 양성자 6개와 중성자 6개로 이루어져 있다고 했으므로 질량을 가지고 있다고 볼 수 있습니다.
② 3문단을 통해 동식물이 죽어서 호흡을 하지 못하게 되면 동식물의 체내에서 ㉠과 ㉡의 비율이 달라짐을 알 수 있습니다.
③ ㉡이 산소와 결합하지 않는다는 내용은 적절하지 않습니다. 3문단에서 지구상에 살아 있는 식물이나 동물은 대기를 호흡하기 때문에 체내에서 일반 탄소와 희귀 탄소의 비율이 일정하게 나타나며, 탄소와 산소가 결합해서 이산화 탄소가 되더라도 그 비율은 변하지 않는다고 설명하고 있으므로 ㉠과 ㉡ 모두 산소와 결합할 수 있음을 짐작할 수 있습니다.
④ ㉠이 붕괴되어 다시 질소로 돌아가는 것은 동식물이 호흡을 하지 못하게 될 때입니다. 또한 ㉡은 질소와 반응하여 생성되는 것이 아닙니다. 2문단에서 중성 대기 중 질소가 방사선과 반응하여 생성된 것이 ㉠임을 밝히고 있습니다.

4 4문단에서 희귀 탄소의 양을 측정한 다음, 일반 탄소에 대한 희귀 탄소의 비율이 1조 분의 1이라는 기준 비율보다 얼마나 줄어들었는지를 따져서 미라와 같은 유물의 나이를 측정할 수 있음을 설명하고 있습니다. 또 반감기(5,730년)를 1번 거쳐 희귀 탄소가 반으로 줄어들게 되면, 일반 탄소에 대한 희귀 탄소의 비율이 기준 비율의 1/2이 되어 2조 분의 1이 된다고 하였습니다. 따라서 반감기를 3번 거쳐(5,730년 ×3번=17,190년) 희귀 탄소가 반의 반의 반으로 줄어들게 되면, 일반 탄소에 대한 희귀 탄소의 비율이 기준 비율의 1/8[1/2 → 1/2의 반(=1/4) → 1/4의 반(=1/8)]이 되어 8조 분의 1이 됩니다. 따라서 〈보기〉에서 일반 탄소에 대한 희귀 탄소의 농도 비율을 고려하면, 반감기를 3번 거친 것을 알 수 있습니다.

---

0 ④	1 ③	2 ④	3 ①	4 ⑤

Q 시저 암호에서 수로 된 비밀 메시지는 어떻게 해독할 수 있나요?

비밀 메시지로 된 수에서 이동하는 자릿수만큼 뺀 후, 그 결괏값에 대응하는 원문 알파벳을 찾습니다.

이 글은 시저 암호를 중심으로 암호화하는 방법과 이를 해독하는 방법에 대해 설명하고 있습니다. 먼저 암호학에서 다루는 용어와 개념을 정의하고, 이후 시저 암호를 예로 들어 암호화와 복호화 방법을 설명하고 있습니다.

■ **문단으로 생각읽기**

[도입 – 전개 – 전개 – 전개 – 정리]의 생각 구조

 **화제 소개**
도입 — 암호학에서 사용되는 용어와 개념을 정의함. (1문단)

대상 소개 1
가장 오래된 암호화 방법 중 하나인 시저 암호의 유래 및 암호문을 만드는 방법을 설명함. (2문단)

원리 설명
 시저 암호에서 암호 원판을 사용하는 원리, 암호 시스템에서의 암호화 알고리즘과 키(key)를 설명함. (3문단)

대상 소개 2
시저 암호에서 한 단계 발전된 것으로 문자를 수로 대체하는 알고리즘이 적용된 시저 암호를 소개함. (4문단)

방법 제시
 정리 — 문자를 수로 대체하는 알고리즘이 적용된 시저 암호의 암호 해독 방법을 제시하며 마무리함. (5문단)

0 문자를 수로 대체하는 알고리즘이 적용된 시저 암호는 '원문 알파벳'을 '0, 1, 2……' 순으로 숫자로 바꾸므로 그 순서대로면 'j'의 문자를 대체하는 수는 9가 됩니다. 이렇게 바꾼 후, 이동하는 자릿수인 3을 더하면 12가 되므로 Ⅰ은 '9', Ⅱ는 '이동시킨 수', Ⅲ은 '12'가 들어가야 합니다.

출제 의도 글의 내용을 이루는 정보들의 관계를 살펴 글의 중심 내용을 파악할 수 있는지 묻는 문제입니다.

1 2문단에 따르면, 알파벳을 3자리만큼 이동하여 대응시키면 [A]와 같은 시저 암호가 만들어집니다. 이때 암호는 a를 D, b를 E, ……와 같이 바꿉니다. 그리고 3문단에서 키(key)는 문자를 이동시키는 자리의 수를 의미한다고 하였으므로 키가 5인 경우에는 알파벳을 5자리만큼 이동하여 원문 a를 F로 바꾸어야 합니다.

오답 피하기 ① 4문단에 따르면 시저 암호에서 한 단계 발전된 것은 문자를 수로 대체하는 알고리즘이 적용된 시저 암호라고 했습니다. [A]는 이것이 아니라 원문 알파벳을 일정한 수만큼 자리를 이동시켜 재배열된 글자로 대체하는 시저 암호입니다.
② 2문단에 따르면, [A]는 사이퍼로, 메시지의 의미를 바꾸는 것이 아니라 각 문자를 다른 문자로 바꾼 것입니다. 따라서 비밀 메시지로 바뀔 때 의미가 암호화된다는 내용은 적절하지 않습니다.
④ 2문단에 따르면, [A]는 알파벳을 일정한 수만큼 자리를 이동시켜 재배열된 글자로 대체하여 암호문을 만들게 되므로, 암호화가 이루어지면 암호문의 알파벳 시작 순서는 달라집니다.
⑤ 3문단에 따르면, 누군가 여러분의 암호 시스템을 알게 되더라도 키를 바꾸면 될 뿐 시스템 전체를 바꿀 필요는 없습니다.

2 3문단에 따르면, 암호 원판의 바깥쪽 원판에는 원문 알파벳을, 안쪽 원판에는 암호문 알파벳을 적어 넣어 이동하는 자리의 수만큼 안쪽 원판을 반시계 방향으로 돌려 원문 알파벳에 암호문 알파벳을 대응시킵니다. 따라서 이동하는 자릿수가 4인 경우, 안쪽 원판을 반시계 방향으로 4번 돌리게 되므로(A → B → C → D → E) 바깥쪽 원판 'a'에 대응하는 안쪽 원판 ㉯의 위치에는 'E'가 오게 됩니다.

오답 피하기 ① 2문단에 따르면 시저 암호는 가장 오래된 사이퍼 중 하나이며, 3문단에서 시저 암호의 빠른 암호화를 위해 암호 원판을 사용한다고 했으므로 암호 원판(㉠)을 '사이퍼'의 도구로 활용할 수 있습니다.
② 3문단에서 암호 원판의 바깥쪽 원판에는 원문 알파벳을 소문자로 적어 넣는다고 설명하고 있습니다.
③ 3문단에서 암호 원판의 안쪽 원판에는 암호문 알파벳을 대문자로 적어 넣는다고 설명하고 있습니다.
⑤ 3문단에 따르면, 암호 원판의 바깥쪽 원판에는 원문 알파벳을, 안쪽 원판에는 암호문 알파벳을 적어 넣어 이동하는 자리의 수만큼 안쪽 원판을 반시계 방향으로 돌려 원문 알파벳에 암호문 알파벳을 대

응시킨다고 하였으므로, 이동하는 자릿수에 따라 원문 알파벳에 대응하는 암호문 알파벳은 달라지게 됩니다.

3 5문단에 따르면 문자를 수로 대체하는 시저 암호의 경우, 암호문을 만들 때 이동하는 자릿수로 3을 더했다면 해독할 때는 3을 빼고 첫 단계에서 원문 알파벳 'a, b, c, …, z'를 수 '0, 1, 2, …, 25'에 대응시키므로 이 값에 대응하는 문자를 파악하는 방식으로 암호 해독을 하게 됩니다. 이를 〈보기〉에 적용해 보면, 〈보기〉에서 이동하는 자릿수가 6이라고 하였으므로 먼저 | 6 | 23 | 18 | 4 | 에서 6을 빼면 | 0 | 17 | 12 | -2 | 가 됩니다. 또 〈보기〉에서 음수가 나온 경우 0에 대응하는 알파벳 'a'에서 차례대로 거꾸로 헤아려 가며 알파벳에 대응시키면 된다고 안내하고 있습니다. 따라서 이런 방식으로 암호 해독을 하면 '0'은 'a', '1'은 'b', …, '12'는 'm', …, '17'은 'r', …, '25'는 'z'가 되고, '-2'는 '0'에 대응하는 'a'에서 거꾸로 헤아려 가면 'y'가 됩니다. 따라서 학생 A가 암호 해독하려는 원문은 | a | r | m | y | 입니다.

오답 피하기 ② 학생 A가 암호를 해독한 결과인 원문의 알파벳 순서는 | a | r | m | y | 입니다. | m | d | y | k | 은 6을 더한 값을 잘못 해독한 결과로 볼 수 있습니다.
③ 5문단에 따르면, 암호 해독을 위해서는 비밀 메시지에서 6을 더하는 과정이 아니라 먼저 6을 빼는 과정이 필요합니다.
④ 암호 해독을 위해 자리를 이동시켜 알파벳을 재배열하는 것은 문자를 수로 대체하는 알고리즘이 적용되지 않은 시저 암호입니다.
⑤ 학생 A는 암호 해독을 위해 시저 암호의 키(key)만 알면 되므로, 키를 해독하는 과정을 추가할 필요는 없습니다.

4 〈보기〉에 따르면, 25를 넘어선 수들을 계속 이어 다시 원의 둘레에 차례대로 빙 둘러놓고, 이때 원의 둘레에 겹쳐서 같은 위치에 놓여 있는 수들을 서로 합동이라고 했습니다. 그래서 26은 0과 같고, 27은 1과 같게 된다고 설명하고 있으므로 28은 2, 29는 3, 30은 4와 서로 합동이 됩니다. 즉 26을 더한 수가 서로 합동이 된다고 할 수 있습니다. 따라서 30의 경우 56과 합동이 된다고 할 수 있습니다.

오답 피하기 ① 0과 자리가 겹치는 26, 52가 서로 합동입니다.
② 1과 자리가 겹치는 27, 53이 서로 합동입니다.
③ 2와 자리가 겹치는 28, 54가 서로 합동입니다.
④ 3과 자리가 겹치는 29, 55가 서로 합동입니다.

0 ①   **1** ③   **2** ④   **3** ⑤   **4** ⑤

Q 체내에서 일어나는 화학 반응의 속도를 높이기 위해 효소는 어떤 작용을 하나요?

효소는 촉매로서 반응물인 기질과 결합하여 활성화 에너지를 낮춤으로써 생체 내에서 화학 반응이 빠르게 일어날 수 있도록 합니다.

이 글은 생물체 내에서 촉매로서 화학 반응을 매개하는 효소가 어떻게 반응 속도를 빠르게 하는지를 설명하고, 효소가 기질과 결합해 반응을 진행하는 원리를 설명하기 위해 제시된 고전적 모델과 코슈란드 모델을 소개하고 있습니다.

■ 문단으로 생각읽기

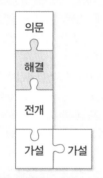

[의문 – 해결 – 전개 – 가설 – 가설]의 생각 구조

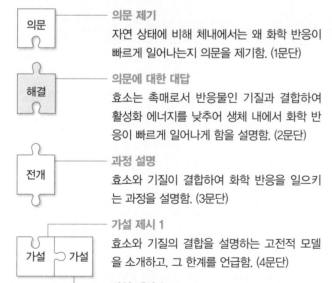

의문 ── **의문 제기**
자연 상태에 비해 체내에서는 왜 화학 반응이 빠르게 일어나는지 의문을 제기함. (1문단)

해결 ── **의문에 대한 대답**
효소는 촉매로서 반응물인 기질과 결합하여 활성화 에너지를 낮추어 생체 내에서 화학 반응이 빠르게 일어나게 함을 설명함. (2문단)

전개 ── **과정 설명**
효소와 기질이 결합하여 화학 반응을 일으키는 과정을 설명함. (3문단)

가설 **가설** ── **가설 제시 1**
효소와 기질의 결합을 설명하는 고전적 모델을 소개하고, 그 한계를 언급함. (4문단)

── **가설 제시 2**
고전적 모델의 한계를 보완하기 위해 제시된 코슈란드 모델을 소개함. (5문단)

0 이 글은 효소가 기질과 결합하는 반응 과정을 서술하고, 효소와 기질의 결합 원리를 설명하는 '고전적 모델'과 '코슈란드 모델'을 소개하고 있습니다.

출제 의도 글이 어떻게 전개되고 있는지 파악하고 이를 통해 중심 내용을 이끌어 낼 수 있는지 확인하는 문제입니다.

1 2문단을 통해 생체 내에서 효소가 촉매로서 반응물인 기질과 결합하여 활성화 에너지를 낮추어 화학 반응이 빠르게 일어날 수 있도록 함을 알 수 있습니다. 그런데 3문단에서 효소는 특정한 기질 분자만을 선택하는 특이성을 보인다고 설명하고 있습니다. 따라서 효소가 여러 종류의 기질과 결합한다는 진술은 적절하지 않습니다.

오답 피하기 ① 2문단에서 효소는 촉매로서 반응물인 기질과 결합하여 활성화 에너지를 낮춤으로써 화학 반응이 빠르게 일어날 수 있도록 한다고 하였으므로, 효소는 생체 내에서 촉매와 같은 역할을 한다고 볼 수 있습니다.
② 2문단에 따르면, 체내에서 일어나는 화학 반응을 물질대사라고 한다고 하였습니다. 그리고 효소는 촉매로서 기질과 결합하여 활성화 에너지를 낮춤으로써 화학 반응이 빠르게 일어날 수 있도록 돕는다고 하였으므로 효소가 물질대사의 속도를 변화시키는 데 개입한다고 볼 수 있습니다.
④ 3문단에서 효소와 기질의 결합은 효소 없이 일어나는 반응의 전이 상태 에너지 크기보다 더 낮은 크기의 값을 가지는 새로운 경로를 만들어 반응 속도를 빠르게 한다고 하였습니다.
⑤ 2문단에서 활성화 에너지는 화학 반응이 일어나기 위해 넘어야 하는 에너지 장벽과 같다고 하였는데, 효소는 촉매로서 반응물인 기질과 결합하여 이 활성화 에너지를 낮춘다고 하였습니다.

2 효소가 기질과 결합하여 '효소 기질 복합체'를 형성하는 것을 설명하는 두 이론이 '고전적 모델'과 '코슈란드 모델'입니다. 그런데 '고전적 모델'은 효소와 기질이 결합하여 복합체를 형성할 때의 반응 속도가 빨라지는 현상 자체를 설명할 수 없다는 한계가 있습니다. 그래서 이를 보완하기 위해 '코슈란드 모델'이 등장한 것입니다. 그런데 '코슈란드 모델'의 단점은 이 글에서 따로 언급하지 않았습니다.

오답 피하기 ① 독자의 호기심을 자극하기 위해 1문단에서 '자연 상태에서는 빠르게 일어나지 않는 화학 반응이 체내에서는 왜 이처럼 빠르게 일어나게 될까?'와 같이 질문 형식을 활용하고 있습니다.
② 2문단에서 효소의 작용에 대한 이해를 돕기 위해 '물질대사', '활성화 에너지'와 같은 과학 용어의 개념을 제시하고 있습니다.
③ 2문단에서 물질대사는 체내에서 일어나는 화학 반응이며, 효소는 촉매로서 반응물인 기질과 결합하여 활성화 에너지를 낮춤으로써 화학 반응이 빠르게 일어날 수 있도록 한다고 언급하며 효소와 활성화 에너지의 관계를 설명하고 있습니다.
⑤ 3문단에서 효소는 특정한 기질 분자만을 선택하는 특이성을 보

인다고 설명하고 있습니다.

3 3문단에서 활성화 에너지는 '반응물을 생성물로 전환하는 반응 경로상에서 전이 상태 이전의 에너지 크기가 가장 낮은 상태일 때와 전이 상태일 때의 에너지 크기의 차'라고 설명하고 있습니다. 이는 〈보기〉의 그래프에서 반응물인 기질(S)이 '효소 기질 복합체(ES)'가 되었을 때의 에너지인 'e^2'와 '효소 기질 복합체(ES)'가 전이 상태가 되었을 때의 에너지인 'e^4'의 차라고 할 수 있습니다. 즉 활성화 에너지는 'e^2'와 'e^1'의 에너지 차에 해당하는 것이 아니라, 'e^4'와 'e^2'의 에너지 차에 해당합니다.

① 3문단에서 '기질(S)이 효소와 결합하기 위해서는 둘 사이에 친화력이 작용해야' 하며, "이 친화력 때문에 '효소 기질 복합체'는 반응 초기에 효소와 기질이 결합할 때보다 에너지 크기가 낮아지게 된다."라고 설명하고 있습니다. 따라서 이를 〈보기〉의 그래프에 적용해 보면, 'r^1'에서 'r^2'로 반응이 진행되면서 효소와 기질 사이의 친화력으로 인해 에너지가 'e^3'에서 'e^2'로 감소하게 된다고 할 수 있습니다.

② 3문단에서 물질대사가 일어나기 위해서는 에너지 크기가 최대 상태인 전이 상태를 거쳐야 한다고 했으며, '효소 기질 복합체(ES)'의 형성은 전이 상태 형성으로 이어진다고 설명하고 있습니다. 이를 종합하여 〈보기〉의 그래프에 적용해 보면, 'r^2'에서 'r^3'으로 반응이 진행되면서 ES는 에너지가 'e^4'인 전이 상태에 도달하게 된다고 할 수 있습니다.

③ 2문단에서 활성화 에너지는 반응물을 생성물로 전환하는, 화학 반응이 일어나기 위해 넘어야 하는 에너지 장벽과 같다고 하였습니다. 또한 3문단에 따르면 '효소 기질 복합체'의 형성은 전이 상태 형성으로 이어지며, 전이 상태가 형성된 후에야 반응이 계속되어 기질이 생성물로 전환되게 됩니다. 따라서 'r^3' 이후부터 반응물, 즉 기질이 생성물로 전환되는 반응이 진행된다고 할 수 있습니다.

④ 3문단에 따르면, 전이 상태가 형성된 후에야 반응이 계속되어 기질이 생성물로 전환되게 됩니다. 그 후 화학 반응이 끝나면 '효소 기질 복합체'는 효소와 생성물로 분리되고, 분리된 효소는 자신과 맞는 기질과 다시 결합하여 촉매 작용을 이어 가게 됩니다. 따라서 〈보기〉의 그래프에서 화학 반응이 끝나는 'r^4' 이후로 효소와 생성물(P)이 분리된다고 할 수 있습니다.

4 4문단에 따르면, ㉠은 자물쇠와 열쇠의 관계와 같이 효소는 기질의 분자 생김새에 따라 특이성을 나타내며 특정 효소는 아귀가 잘 맞는 특정 기질과만 결합하여 촉매 작용을 합니다. 즉 ㉠은 효소 활성 부위의 모양이 변하지 않는다고 본 것입니다. 반면 5문단에 따르면, ㉠과 달리 ㉡은 기질이 효소와 결합하는 과정에서 효소의 활성 부위 구조가 조금씩 변하면서 모양이 달라져 기질과 더욱 단단하게 결합하게 된다고 보았습니다. 즉, ㉡은 결합하는 기질의 생김새에 따라

효소의 활성 부위가 변화한다고 보고 있습니다.

① 5문단의 '부드러운 특성을 지닌 효소의 입체 구조가 촉매 기능이 일어나기 쉽게 변화한다'는 내용을 통해 ㉡은 효소의 활성 부위가 유연성을 띤다고 보았음을 알 수 있습니다. 하지만 4문단을 통해 ㉠은 효소의 활성 부위가 유연성을 띠는 것이 아니라, 효소의 활성 부위가 그것과 꼭 들어맞는 특정 기질과만 결합한다고 보았음을 알 수 있습니다.

② 4문단에서 ㉠은 효소가 반응 초기부터 자신의 활성 부위와 아귀가 잘 맞는 특정 기질과만 결합한다고 설명하고 있습니다. 반면 5문단에서 ㉡은 초기의 기질이 효소와 완벽하게 일치하지 않으며, 기질이 효소와 결합하는 과정에서 효소의 활성 부위 구조가 변화하면서 모양이 달라져 기질과 더욱 단단하게 결합하게 된다고 설명하고 있습니다.

③ 3문단에서 '효소는 특정한 기질 분자만을 선택하는 특이성을 보'인다고 하였습니다. 이를 설명하기 위한 모델로 제시된 것이 ㉠과 ㉡이므로, 두 모델 모두 효소가 자신과 관계없는 분자와도 반응할 수 있다고 보고 있지 않습니다.

④ 4문단에서 ㉠은 효소가 자신과 친화성을 갖는 기질 분자와 만났을 때만 반응한다고 했습니다. 그리고 3문단에서 효소는 기질과 결합하여 '효소 기질 복합체'를 형성한다고 설명하고 있습니다. 즉 '효소 기질 복합체'가 친화성을 가질 때 반응이 진행되는 것이 아니라, '효소 기질 복합체'가 형성되기 전에 효소가 친화성을 갖는 기질 분자와 만나야 결합 반응이 진행된다는 것을 알 수 있습니다.

4 비눗방울이 무지개색으로 보이는 이유

생각읽기

0 ③　　**1** ⑤　　**2** ④　　**3** ②　　**4** ④

Q 비눗방울이 색이 칠해진 것처럼 보이는 이유는 비눗방울의 어떤 구조 때문인가요?

비눗방울은 얇은 막의 구조로 인해, 특정한 색의 빛이 강해져 색이 칠해진 것처럼 보이는 것입니다.

이 글은 빛의 현상 중 '간섭'을 소개하며, 비눗방울에 색채가 생기는 원인에 대해 설명하고 있습니다. 비눗방울은 자체 색소에 의해 색을 띠는 것이 아니라, 얇은 막의 구조로 인해 특정한 색의 빛이 강해져 색이 칠해진 것처럼 보일 뿐입니다. 이처럼 어떤 구조가 만들어 내는 색을 '구조색'이라고 하며, 구조색을 지닌 물체는 보는 각도에 따라 색깔이 바뀌어 독특한 색채를 만들어 냅니다. 오늘날에는 이러한 구조색을 화장품이나 도료, 의복 섬유 등에서 응용하기 위한 산업화 연구가 활발히 진행되고 있습니다.

■ 문단으로 생각읽기

[의문 – 전제 – 분석 – 해결]의 생각 구조

의문 제기
비눗방울은 색소에 의해 색을 띠는 것이 아님에도 왜 색이 칠해진 것처럼 보이는지에 대해 의문을 제기함. (1문단)

전제 제시
비눗방울이 색채를 띠는 원리를 이해하기 위해 알아야 하는 빛의 현상인 '간섭'에 대해 설명함. (2문단)

원리 분석
보는 각도와 막의 두께에 따라 '간섭' 조건이 바뀜으로써 비눗방울에 색채가 만들어짐. (3문단)

의문 해결
비눗방울은 얇은 막의 구조로 인해 구조색을 띠게 된다고 의문에 대한 답을 제시함. (4문단)

---

0 4문단을 통해 구조색을 화장품이나 도료, 의복 섬유 등에서 응용하기 위한 산업화 연구가 진행되고 있음을 알 수 있습니다.

출제 의도 글의 세부 내용을 파악하는 문제로 글의 핵심 내용은 물론 이를 뒷받침하는 내용을 이해하고 있는지 묻고 있습니다.

1 2문단에서 파동을 로프의 움직임을 통해 설명하며, 파동들이 겹치면 마루와 마루가 겹쳐 높이가 두 배가 되는 마루가 생기고, 골과 골이 겹쳐 깊이가 두 배가 되는 골이 생긴다고 언급하고 있습니다. 이런 경우 파동이 더욱 강해지므로, 여러 개의 파동이 겹쳐 마루는 마루끼리, 골은 골끼리 겹치게 되면 파동이 강해지는 간섭이 일어남을 알 수 있습니다.

오답 피하기 ① 2문단에서 '간섭'은 파동이 강해지는 현상만 있는 것이 아니라 파동이 약해지는 현상도 있으며 마루와 골, 골과 마루가 충돌하게 될 경우, 두 파동이 상쇄되어 연결부의 뒤로 로프가 파동을 만들어 내지 않아 파동이 약해지게 될 수도 있다고 설명하고 있습니다. 따라서 여러 개의 파동이 도중에 연결되면 경우에 따라 파동이 강해지는 간섭과 파동이 약해지는 간섭이 모두 일어날 수 있음을 알 수 있습니다.

②, ③ 2문단에서 마루와 골, 골과 마루가 충돌하게 될 경우, 두 파동이 상쇄되어 연결부의 뒤로는 로프가 파동을 만들어 내지 않아 파동이 약해지게 될 수도 있음을 언급하고 있습니다. 따라서 여러 파동이 겹쳐 파동의 상쇄가 일어나면 파동이 약해지는 간섭이 일어난다고 할 수 있습니다.

④ 2문단을 통해 여러 파동이 겹쳐 마루는 마루끼리, 골은 골끼리 겹치게 되면 파동이 강해지는 간섭이 일어남을 알 수 있습니다.

2 3문단에서 비눗방울은 중력의 영향으로 아래쪽일수록 막이 두꺼워지므로, 보는 각도가 같더라도 장소에 따라 X → Y → Z의 길이가 변해 서로 다른 색깔의 빛이 강해지는 간섭을 일으키게 된다고 하였습니다. 따라서 〈보기〉에서 학생 1과 학생 2가 같은 각도로 비눗방울을 보았음에도 서로 다른 색으로 보인다고 느낀 것은 X → Y → Z의 길이가 서로 다르기 때문이라고 할 수 있습니다.

오답 피하기 ① 3문단에서 막의 안으로 들어간 빛(A)은 막의 표면에서 반사한 빛(B)보다 X → Y → Z의 길이만큼 멀리 나아간다고 설명하고 있으며, 비눗방울의 어느 곳이 파란색 등의 특정한 색으로 보였다면, A와 B의 두 경로를 지난 특정한 색의 빛이 서로 강해지는 간섭을 일으켜 밝게 보이는 것이라고 설명하고 있습니다. 따라서 학생 1의 눈에 비눗방울이 빨간색으로 보인 것은 A와 B의 길이가 서로 같아졌기 때문이라고 할 수 없습니다.

② 3문단에서 비눗방울의 어느 곳이 파란색 등의 특정한 색으로 보였다면, A와 B의 두 경로를 지난 파란색 등의 특정한 빛이 서로 강해지는 간섭을 일으킨 것이라고 설명하고 있습니다. 따라서 학생 1의 눈에 비눗방울이 빨간색으로 보인 것은 A와 B 두 경로를 지난 빨

간색 빛의 파동이 마루는 마루끼리, 골은 골끼리 겹치게 되어 강해지는 간섭이 일어난 것임을 짐작할 수 있습니다.

③ 3문단에서 비눗방울은 얇은 막으로 되어 있으며, 〈그림 2〉에서처럼 태양 빛이나 조명 빛 가운데 일부는 막의 표면에서 반사해 눈에 이르고, 일부는 막 안에 일단 들어갔다가 막의 바닥에서 반사하고 난 뒤 눈에 들어온다고 설명하고 있습니다. 따라서 막의 안으로 들어간 빛(A)이 밖으로 나오지 못한다는 설명은 적절하지 않습니다.

⑤ 3문단에서 비눗방울은 중력의 영향으로 아래쪽일수록 막이 두꺼워진다고 설명하고 있으나, 막의 안으로 들어간 빛(A)은 막의 표면에서 반사한 빛(B)보다 X → Y → Z의 길이만큼 멀리 나아간다고 설명하고 있습니다. 따라서 A보다 B가 더 멀리 나아갔다는 설명은 적절하지 않습니다.

3 〈보기〉에 따르면, '모르포 나비' 날개의 비늘 가루 단면은 많은 층이 겹쳐 쌓인 선반처럼 되어 있으며, 이 구조로 인해 색을 띠게 되는 것입니다. 그러므로 '모르포 나비'의 날개 색은 4문단에서 설명한 '다층막 간섭'에 의한 구조색임을 알 수 있습니다. 따라서 '모르포 나비'의 날개 색이 비늘 가루를 구성하는 분자가 만들어 내는 독특한 색소 때문이라는 진술은 적절하지 않습니다.

오답 피하기 ① 4문단에서 '다층막 간섭'에 의한 구조색은 막이 여러 겹으로 겹치면 반사광이 더욱 보강되어 색이 강해짐을 알 수 있습니다. 또한 〈보기〉에 따르면, '모르포 나비' 날개의 비늘 가루 단면은 많은 층이 겹쳐 쌓인 선반처럼 되어 있으며, 이 구조로 인해 무지갯빛 색을 띠게 됨을 알 수 있습니다. 따라서 '모르포 나비'의 날개 색은 '다층막 간섭'에 의해 반사광이 보강되었기 때문이라고 할 수 있습니다.

③ 4문단에서 구조색을 지닌 물체는 보는 각도에 따라 색깔이 바뀌어 독특한 색채를 만들어 낸다고 설명하고 있으며, 3문단에서 보는 각도에 따라서 파란색 빛이 약해지는 간섭이 일어나 파란색 빛이 보이지 않을 수 있다고 설명하고 있습니다. 따라서 '모르포 나비'의 특이한 광택, 즉 무지갯빛 광택은 파란색 빛은 약해지는 간섭이 일어나고, 이 색 외의 색 빛이 강해지는 간섭의 조건을 만족시켰기 때문이라고 할 수 있습니다.

④ 4문단에서 구조색을 지닌 물체는 보는 각도에 따라 색깔이 바뀌어 독특한 색채를 만들어 낸다고 설명하고 있으며, 〈보기〉에 따르면 '모르포 나비' 날개의 비늘 가루 단면은 많은 층이 겹쳐 쌓인 선반처럼 되어 있으며, 이 구조로 인해 무지갯빛 광택을 내게 되는 것입니다. 따라서 '모르포 나비'가 무지개색으로 착색되어 보이는 이유는 날개 표면이 가진 구조적인 특징 때문이라고 할 수 있습니다.

⑤ 1문단에서 비눗방울 자체에는 색소가 없음을 알 수 있으며, 이후 이어지는 내용에서 비눗방울의 구조적 특징이 '구조색'을 띠게 함을 알 수 있습니다. 〈보기〉에서 '모르포 나비' 역시 날개의 비늘 가루의 구조가 선반처럼 되어 있는 특징에 따라 '구조색'을 띠게 됨을 알 수 있습니다. 따라서 '모르포 나비'의 날개 색 추출에 실패한 원인은 특정 파장의 반사가 색소에 의한 것이 아니기 때문이라고 할 수 있습니다.

4 문맥상 ⓐ의 '강하다'는 반사광이 더욱 보강되어 색의 '정도가 높다.'라는 의미로 쓰였습니다. 즉, '강하다'가 '수준이나 정도가 높다.'의 의미로 사용되었으므로, 이와 가장 가까운 의미로 쓰인 것은 ④의 '강하다'라고 할 수 있습니다.

오답 피하기 ①, ② '무엇에 견디는 힘이 크거나 어떤 것에 대처하는 능력이 뛰어나다.'의 의미로 쓰였습니다.
③, ⑤ '물리적인 힘이 세다.'의 의미로 쓰였습니다.

생각읽기 5 원근법의 비밀

0 ⑤   **1** ⑤   **2** ③   **3** ①   **4** ②

Q '지평선'과 투시 원근법의 '눈높이 기준선'은 어떤 관계에 있을까요?

지평선 위에 소실점이 위치하며 소실점에 그은 가상의 지평선이 눈높이 기준선이므로, '지평선'은 '눈높이 기준선'과 같다고 볼 수 있습니다.

이 글은 평면으로 된 그림에서 입체감을 느낄 수 있게 하는 투시 원근법에 대해 설명하고 있습니다. 투시 원근법의 원리를 설명하기 위해 지평선의 개념을 제시하고, 화가가 철도 레일 사이에 들어가서 본 장면을 화면으로 옮기는 과정을 예로 들어 소실점과 눈높이 기준선에 대해 설명하고 있습니다. 투시 원근법은 소실점의 개수에 따라 일점 투시 원근법, 이점 투시 원근법 등으로 나뉘며, 투시 원근법을 활용한 많은 그림들의 경우, 화면 속 대상의 평행선을 연장해 보면 소실점과 눈높이 기준선을 찾을 수 있다고 하였습니다.

■ 문단으로 생각읽기

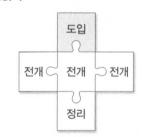

[도입 – 전개 – 전개 – 전개 – 정리]의 생각 구조

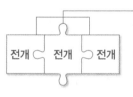 **화제 소개**
투시 원근법을 소개하고, 대상을 사실적으로 재현하는 유용한 방법임을 언급함. (1문단)

대상 설명
지평선 및 소실점과 눈높이 기준선의 개념을 제시하고 이들의 관계를 사례를 들어 설명함. (2~4문단)

 마무리
투시 원근법을 활용한 그림에서 소실점과 눈높이 기준선을 찾는 방법을 안내하며 마무리함. (5문단)

0 이 글은 지평선, 소실점, 눈높이 기준선 등의 개념을 제시하며 투시 원근법에 대해 설명하고 있는데, 투시 원근법을 적용한 그림(화면)에서 입체감이 느껴지는 것은 소실점이 적용되어 있기 때문입니다. 따라서 이 글에서 구체적인 답을 찾을 수 있는 질문은 ⑤입니다.

출제 의도 질문에 답하는 과정 속에서 글에 제시된 핵심 정보가 무엇인지 파악하는 문제입니다.

1 5문단에서 화가의 시선이 그림의 소실점을 마주 보고 있는 경우에는 가로 방향으로 평행한 선 사이에는 소실점이 생기지 않으며, 눈높이 기준선에 수직으로 올라가거나 내려가는 선들 또한 서로 평행 관계에 있어도 소실점이 생기지 않는다고 설명하고 있습니다. 따라서 일점 혹은 이점 투시 원근법을 적용하여 그린 그림에서 평행선의 연장선은 반드시 어떤 점에서 모이는 특성을 띤다고 할 수 없습니다.

오답 피하기 ① 1문단에서 평면으로 된 그림에서 실제 사물을 보는 것과 같은 입체감을 느끼는 비밀은 투시 원근법에 있다고 하였습니다.
② 2문단에서 화가가 눈앞에 세워 둔 투명한 유리판을 통해 완전히 드넓은 평원의 경치를 본다고 했을 때, 유리판은 곧 화면이 된다고 하였습니다.
③ 2문단에서 상황에 따라 건물, 산 등의 장애물이 지평선을 가로막을 수는 있지만 지평선은 끊어지지 않고 이어지는 개념이라고 설명하고 있습니다.
④ 3문단에서 실제 쭉 뻗은 철길은 드넓은 평원을 가로질러 지평선에 도달해 시야에서 사라지고 화면상에서 볼 때 지평선 위의 한 점에서 만나는 것처럼 보인다고 설명하고 있습니다. 즉, 소실점은 실제 존재하는 것이 아니라, 있는 것처럼 보이는 그림에서의 환영(幻影)과 같은 성격을 갖는다고 할 수 있습니다.

2 [A]는 화가가 철도 레일 사이에 서서 철길이 뻗은 쪽을 바라보고, 투시 원근법을 사용하여 화면으로 옮기는 상황을 나타낸 것입니다. 3~4문단에 따르면 지평선 위에 소실점이 위치하며 소실점에 그은 가상의 지평선이 눈높이 기준선이므로, 지평선은 눈높이 기준선과 같습니다. 따라서 화가가 기구를 타고 높이 올라간다면, 화면상에서 눈높이 기준선(ⓒ)은 높아지고, 눈높이 기준선(ⓒ)은 지평선(㉠)과 같으므로, 지평선(㉠)도 함께 올라가게 된다고 할 수 있습니다.

오답 피하기 ①, ② 지평선(㉠)은 눈높이 기준선(ⓒ)과 같습니다.
④ 화가가 기구를 타고 올라간다면 화면상에서 눈높이 기준선(ⓒ)은 높아지고 화면상에서 보이는 대상의 면적이 상대적으로 커지게 됩니다.
⑤ 4문단에서 눈높이 기준선(ⓒ)은 직선으로 나타나며 오로지 화가가 보는 화면 안의 풍경에만 영향을 미친다는 것을 알 수 있습니다. 또한 그림 속의 지평선(㉠)과 눈높이 기준선(ⓒ)은 그림을 놓은 위치와는 상관이 없습니다.

3 4문단에서 눈높이 기준선은 소실점과 일치할 때 화가의 눈높이임을 알 수 있습니다. 즉 화가의 눈높이가 달라지지 않는다면, 눈높이 기준선은 달라지지 않음을 알 수 있습니다. 4문단에서 그 예로 '화가가 철도 레일 사이에 들어가 앉아서 철로가 뻗은 것을 보면 화면상의 지평선은 화가 눈높이에 따라 변화하여 내려오게 된다.'라는 내용을 제시하고 있습니다. 즉, 화가의 눈높이가 낮아지자 눈높이 기준선이 따라 내려오게 된 것입니다. 〈보기〉에서 '벽돌을 들거나 내려놓지 않는 등 다른 조건은 그대로 둔 채'라고 했으므로(화가의 눈높이는 변하지 않음.), 벽돌의 회전 방향과 상관없이 눈높이 기준선은 이전과 별 차이가 없다고 할 수 있습니다.

오답 피하기 ②, ③, ④, ⑤ 눈높이 기준선이 변화하려면 화가의 눈높이가 변화해야 합니다. 〈보기〉에서 '벽돌을 들거나 내려놓지 않는 등 다른 조건은 그대로 둔 채'라고 했으므로(화가의 눈높이는 변하지 않음.), 벽돌의 회전 방향, 벽돌이 놓인 방향과는 상관없이 눈높이 기준선은 변화하지 않는다고 할 수 있습니다.

4 ⓑ'지적(指摘)'은 '꼭 집어서 가리킴.'을 의미합니다. '수량이나 범위 따위를 제한하여 정함.'의 의미를 가지는 단어는 '한정(限定)'입니다.

6 한국의 귀면

0 ④	**1** ②	**2** ④	**3** ⑤	**4** ④

Q 무서움과 장난기가 함께 느껴지게 표현한 한국 귀면에 담긴 정신은 무엇인가요?

한국의 귀면에는 악인을 징벌하면서도 포용하여 화합을 이루려는 해학의 정신이 담겨 있습니다.

이 글은 무섭고 강한 모습뿐만 아니라 어리숙하고 우스꽝스러운 모습도 함께 보여 주는 한국의 귀면에 대해 설명하고 있습니다. 귀면에 대한 물음으로 글을 시작하여 양가감정이 담긴 고구려 귀면의 표정이 전통으로 이어져 내려왔으며, 귀면의 유래와 기원은 인도와 중국의 귀면으로 볼 수 있지만, 한국의 귀면은 여러 다른 나라의 귀면과는 달리 악인을 징벌하면서도 포용하여 화합을 이루려는 해학의 정신이 담겨 있다고 서술하고 있습니다.

■ **문단으로 생각읽기**

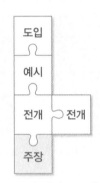

[도입 – 예시 – 전개 – 전개 – 주장]의 생각 구조

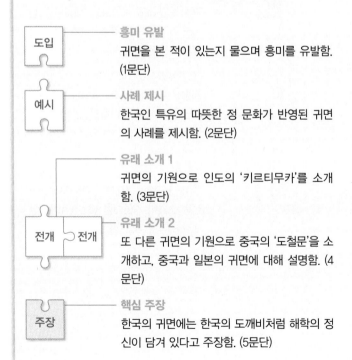

도입 — **흥미 유발**
귀면을 본 적이 있는지 물으며 흥미를 유발함. (1문단)

예시 — **사례 제시**
한국인 특유의 따뜻한 정 문화가 반영된 귀면의 사례를 제시함. (2문단)

전개 — **유래 소개 1**
귀면의 기원으로 인도의 '키르티무카'를 소개함. (3문단)

전개 — **유래 소개 2**
또 다른 귀면의 기원으로 중국의 '도철문'을 소개하고, 중국과 일본의 귀면에 대해 설명함. (4문단)

주장 — **핵심 주장**
한국의 귀면에는 한국의 도깨비처럼 해학의 정신이 담겨 있다고 주장함. (5문단)

0 (라)에서는 귀면의 또 다른 기원인 '도철문'에 대해 소개하고 중국과 일본의 귀면에 대해 덧붙여 설명하고 있습니다. 하지만 (라)에서 우리나라 귀면의 특징을 제시하고 있지는 않으므로 다른 나라의 사례와 비교하여 우리나라 귀면의 특징을 부각하고 있다는 진술은 적절하지 않습니다.

출제 의도 문단별 중심 내용을 묻는 문제로, 각 문단의 내용을 글에서 확인하는 것은 물론 문단 간의 관계도 파악할 수 있어야 합니다.

1 (가)에서 귀면이 기본적으로 화마나 악귀를 물리치는 벽사의 기능을 수행하도록 고안되었다고 하였으나, 귀면이 벽사의 기능을 수행한 역사적 사례는 제시되어 있지 않습니다. 따라서 '점검 결과'는 예측과 다르다고 할 수 있습니다.

오답 피하기 ① (가)에서 전통 목조 건축물의 마루나 사래 끝 기와 혹은 벽돌 등에 괴수의 형상을 한 얼굴이 귀면이라고 언급하고 있지만, 이 글에 귀면이 새겨진 전통 목조 건축물이 소개되어 있지는 않습니다. 따라서 '점검 결과'는 예측과 다르다고 할 수 있습니다.
③ (다)와 (라)에서 귀면이 인도의 '키르티무카'와 중국의 '도철문'에서 유래되었음을 구체적 예를 통해 제시하고 있으므로 '점검 결과'는 예측과 같다고 할 수 있습니다.
④ (마)에서는 한국 귀면은 무섭고 강한 모습뿐 아니라 어리숙하고 우스꽝스러운 모습도 함께 보여 주는데, 여기에는 악인을 징벌하면서도 포용하여 화합을 이루려는 해학의 정신이 담겨 있다고 했습니다. 따라서 '점검 결과'는 질문의 답이 제시되었다고 할 수 있습니다.
⑤ 동양의 귀면과 중세 유럽의 귀면의 차이점은 이 글에 제시되어 있지 않습니다. 따라서 '점검 결과'는 질문의 답이 제시되지 않았다고 할 수 있습니다.

2 (마)에서 한국의 귀면에는 강자와 약자, 선과 악, 신과 인간의 일방적이고 경직된 관계를 와해시키려는 의도가 들어 있다고 했으므로, 한국의 귀면인 ㉠은 초월적 대상과 인간 간의 관계가 일방적이지 않다고 할 수 있습니다. 반면, (라)에서 일본의 귀면인 ㉡은 무섭고 간악한 인상만을 풍기고 있어 일방적이고 경직된 관계를 와해시키려는 노력이 보이지 않으므로 초월적 대상인 오니와 인간 간의 관계가 일방적으로 설정되어 있다고 할 수 있습니다.

오답 피하기 ① ㉡은 흉포한 대상으로 인간의 공포심을 자극하지만, ㉠은 무섭지만 장난기를 느낄 수 있는 친근한 표정을 하고 있습니다.
② ㉠은 한국의 귀면으로, 포용과 화합의 의미를 담고 있지만, ㉡은 일본의 귀면으로, 포용과 화합의 의미를 담고 있지 않습니다.
③ ㉠과 ㉡ 모두 풍자의 대상이 아닙니다.
⑤ ㉠은 무서움과 장난기가 동시에 느껴지므로 인간의 모순적인 심리를 담아내고 있다고 볼 수 있지만, (나)에서 알 수 있듯이 장난기를 간직한 친근한 표정에서 긴장이 풀리게 하는 요소를 가지고 있습니다. (라)에서 ㉡은 무섭고 간악한 인상만을 풍긴다고 설명하고 있으므로, 인간의 심리적 긴장을 완화한다고 볼 수 없습니다.

3 (가)에 따르면 귀면은 화마나 악귀를 물리치는 벽사의 기능을 수행하도록 고안되었기 때문에 무서운 얼굴을 하고 있다고 했습니다. 또한 (마)에서 한국의 귀면은 도깨비를 두려움의 대상으로만 여기지 않고 순진하고 어리석은 면을 보탠 것으로 보았다고 했으므로 '산수 귀문 전'에서 위협적 요소를 배제했다고 보기는 어렵습니다. 따라서 '산수 귀문 전'은 웃음을 유발하는 요소를 보탠 것이지, 위협적인 요소를 배제하고 웃음을 유발하는 요소를 강조하고 있는 것이 아닙니다.

오답 피하기 ① (마)에서 한국의 귀면은 한국의 도깨비에서 착안한 것이라고 하였고, 〈보기〉의 '산수 귀문 전' 역시 한국의 귀면이므로 한국 도깨비에서 그 모습을 착안한 것으로 짐작할 수 있습니다.
② (나)에서 양가감정이 담긴 고구려 귀면의 표정이 백제와 신라에 영향을 주어 우리의 전통으로 이어져 내려왔다고 했으므로, '산수 귀문 전'은 고구려 귀면에서 영향을 받은 것으로 볼 수 있습니다.
③ 〈보기〉의 '산수 귀문 전'은 무시무시한 모습과 우스꽝스러운 모습을 동시에 보여 주고 있습니다. 그리고 (나)에서는 무서움과 장난기가 동시에 느껴지는 양가감정은 한국인 특유의 문화와 무관하지 않다고 하였습니다. 따라서 '산수 귀문 전'은 한국인 특유의 문화가 반영된 것으로 볼 수 있습니다.
④ 〈보기〉에서 '산수 귀문 전'은 무시무시한 모습이지만, 불뚝하게 나온 배와 젖꼭지가 우스꽝스럽게 부각되어 있는 모습 또한 보여 주고 있다고 했습니다. 여기에는 (마)에서 설명한 것처럼 강한 대상을 경외의 감정으로만 대하지 않으려는 한국인의 인식이 반영된 것이라고 할 수 있습니다.

4 ④의 '명시(明示)하다'는 '분명하게 드러내 보이다.'의 의미이므로 '가리켜 말하다.'란 ⓓ의 '일컫다'와 바꾸어 쓸 수 없습니다.

오답 피하기 ① '유행(流行)하다'는 '특정한 행동 양식이나 사상 따위가 일시적으로 널리 퍼지다.'의 의미로 ⓐ와 의미가 통합니다.
② '유래(由來)하다'는 '사물이나 일이 생겨나다.'의 의미로, ⓑ와 의미가 통한다고 할 수 있습니다.
③ '순종(順從)하다'는 '순순히 따르다.'의 의미로, ⓒ와 의미가 통한다고 할 수 있습니다.
⑤ '가미(加味)하다'는 '본래의 것에 다른 요소를 보태어 넣다.'의 의미로, ⓔ와 의미가 통한다고 할 수 있습니다.

생각의 구조화 MIND MAP

| 생각읽기1 ㉠ | 생각읽기2 ㉡ | 생각읽기3 ㉣ |
| 생각읽기4 ㉢ | 생각읽기5 ㉤ | 생각읽기6 ㉥ |

| 1 유물 | 2 시저 | 3 코슈란드 |
| 4 구조색 | 5 원근법 | 6 해학 |

생각읽기 1 찰스 다윈의 진화론

| **0** ④ | **1** ④ | **2** ① | **3** ③ | **4** ④ |

Q 식물 또는 동물이 생존 경쟁을 하는 것은 어떤 이유 때문인가요?

먹이나 생활 공간이 부족한 상황에서 생장과 생식에 필요한 더 좋은 조건을 얻기 위해서입니다.

이 글은 기존의 자연 발생설과는 다른, 찰스 다윈의 '진화론'을 설명하고 있습니다. 다윈은 '적자생존'과 '생존 경쟁'이라는 개념을 도입하여, 생물은 진화하면서 생물의 우월한 형질은 살아남고 열등한 형질은 사라진다고 보았습니다. 이때 우월한 형질은 미래 세대에 유전되어 개체의 진화에 영향을 주게 됩니다.

■ 문단으로 생각읽기

[도입 – 전개 – 과정 – 예시 – 정리]의 생각 구조

통념과 반박
고대부터 르네상스 시대까지 이어졌던 자연 발생설의 개념과 오류를 제시함. (1문단)

대상 설명
다윈의 연구 과정을 소개하고 적자생존 및 생존 경쟁의 개념과 예를 제시함. (2~4문단)

견해 제시
다윈은 변화하는 환경에 적응한 우월한 형질은 후대에 유전되고 이를 통해 진화가 이루어진다고 생각함. (5문단)

0 1문단에서 자연 발생설을 소개하고 생물학이 발전함에 따라 자연 발생설은 설득력을 잃게 되었다고 하였습니다. 그리고 나머지 부분에서, 자연 발생설과는 다른 찰스 다윈의 진화론을 소개하고 그 특징을 설명하고 있습니다. 따라서 이 글의 중심 내용은 '자연 발생설과 구분되는 다윈의 진화론 소개'가 가장 적절합니다.

출제 의도 글의 중심 내용을 묻는 문제는 글에서 다룬 부차적인 정보보다는, 글에서 핵심적으로 다루고 있으며 중요도가 높은 정보가 무엇인지를 파악해야 합니다.

1 이 글에 따르면 각 개체들은 공존하는 것이 아니라, 적자생존의 원칙에 따라 치열한 생존 경쟁을 하게 됩니다. 그 결과에 따라 우월한 형질을 지닌 개체는 살아남고, 열등한 형질을 지닌 개체는 패배 후 점차 개체 수가 줄어들다가 결국 멸종하게 되므로 ④는 이 글의 내용과 일치하지 않습니다.

오답 피하기 ① 1문단에서 자연 발생설은 고대로부터 르네상스 시대까지는 주된 학설로 수용되었으나, 여러 생물학자의 실험을 통해 오류가 밝혀지면서 설득력을 잃게 되었음을 확인할 수 있습니다.
② 1문단에서 고대로부터 르네상스 시대까지 사람들은 생식을 초자연적인 사건의 결과라고 믿어 왔다는 점을 확인할 수 있습니다.
③ 2문단에서 다윈은 영국 해군 탐사선을 타고 다니며 다양한 표본을 수집하였는데, 이 과정에서 지질학적 변화와 그러한 환경에서 살아남은 생명체 사이의 관계에 관심을 두었다는 점을 확인할 수 있습니다.
⑤ 3문단에서 다윈이 도입한 개념 중 '생존 경쟁'이란 생물이 생장과 생식 등에서 더욱 좋은 조건을 얻기 위하여 서로 다투는 것을 의미한다는 점을 확인할 수 있습니다.

2 3문단에 따르면 〈보기〉의 A(동물 간의 경쟁)는 생물의 증식 능력이 높아졌지만 필요한 먹이나 생활 공간 따위가 부족할 때 나타난다고 했으므로 ①은 적절하지 않습니다.

오답 피하기 ② 이 글에 따르면 〈보기〉의 A에서 동물 간의 경쟁이 이루어지면 적자생존의 원칙에 따라 더욱 우월한 형질을 지닌 동물만이 B의 결과를 얻게 될 것임을 알 수 있습니다.
③ 이 글에 따르면 〈보기〉의 A에서 B를 가능하게 한 성질들과 우월성은 생존을 위한 중요한 형질에 해당하므로, 이는 미래 세대에 지속적으로 대물림되고 유전될 것임을 알 수 있습니다.
④ 이 글에 따르면 〈보기〉의 B의 동물들이 생존을 위한 경쟁에서 살아남았더라도, 계속해서 변화하는 환경에 적절히 적응·진화하지 못한다면 결국 C에 이르게 될 것임을 알 수 있습니다.
⑤ 이 글에 따르면 〈보기〉의 A에서 도태된 동물들, 즉 열등한 형질을 지닌 동물들은 생존 경쟁에서 살아남을 수 없기 때문에 점차 개체 수가 줄어들게 될 것이고 결국 C에 이르게 될 것임을 알 수 있습니다.

3 ㉠의 앞뒤 내용을 고려하면, ㉠은 적자생존의 원칙에 따라

생존 경쟁에서 승리한 생물들이 지닌 우월한 형질들이 후대에까지 유전되어 생존과 진화를 위해 활용된다는 것을 의미한다고 볼 수 있습니다.

4 이 글과 〈보기〉에 따르면 되새는 사는 곳과 먹이에 따라 부리의 모양이 다릅니다. 이는 ㉮와 ㉯가 각각 사는 곳에서 생존 경쟁을 하여 나타난 신체적 차이에 해당하는 것이지, ㉮와 ㉯가 서로 생존 경쟁을 하여 나타난 신체적 차이는 아니므로 둘 중 한 개체의 부리 모양이 점차 사라질 것이라는 반응은 적절하지 않습니다.

오답 피하기 ① 이 글에 따르면 〈보기〉의 ㉮, ㉯의 신체적 특징은 생존 경쟁에서 살아남은 우월적 형질에 해당하므로, 이는 각각의 서식지에서 후대에 유전될 것이라는 반응은 적절합니다.
② 〈보기〉에 따르면 ㉮는 튼튼하고 큰 부리를 지니고 있는데, 이는 크고 단단한 씨앗이 먹이로 있는 곳에서 생존하기 위해 ㉯의 부리와는 다르게 진화한 것으로 이해할 수 있습니다.
③ 〈보기〉에 따르면 ㉯는 좁고 긴 형태의 부리를 지니고 있는데, 이는 작고 숨어 있는 씨앗이 먹이로 있는 곳에서 생존하기 위해 진화한 것으로 이해할 수 있습니다.
⑤ 이 글과 〈보기〉에 따르면 ㉮와 ㉯는 동일한 종인 '되새'인데, 사는 곳과 먹이가 달라짐에 따라 부리의 모양이 각각 튼튼하고 큰 형태와 좁고 긴 형태로 구분되어 진화하였습니다. 이는 서식하는 장소가 달라짐에 따라 우월한 형질이 유전되는 진화가 이루어진 것이므로 적절한 반응입니다.

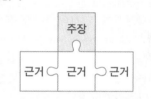

Q 서구 열강은 우월한 집단이 열등한 집단을 지배하는 것을 어떻게 바라보았을까요?
우월한 집단이 열등한 집단을 지배하는 것을 '자연법칙'으로 보고, 인종 차별이나 제국주의를 정당화하며 자신들의 정책을 합리화하는 데 이용하였습니다.

이 글은 다윈의 진화론에서 언급한 '적자생존', '생존 경쟁'의 개념이 개인과 집단에 적용된 '사회 진화론'에 대해 설명하고 있습니다. 사회 진화론은 시대, 국가에 따라 개인 또는 집단에 다르게 적용되어 자유 경쟁, 제국주의적 정책, 식민 사관, 자강론 등의 형태로 나타났습니다.

■ 문단으로 생각읽기

[주장 – 근거 – 근거 – 근거]의 생각 구조

주장 ── 대상 소개
사회 진화론과 사회 진화론의 핵심 개념인 생존 경쟁과 적자생존에 대해 언급함. (1문단)

── 견해 제시
자유 경쟁과 약육강식을 정당화하며 빈부격차는 불가피하다고 본 스펜서의 견해와 우월한 집단이 열등한 집단을 지배하는 것을 자연법칙이라고 본 키드, 피어슨 등의 견해를 제시함. (2문단)

── 견해 제시
일본은 군국주의의 실현을 위해 사회 진화론을 수용하였고, 식민 사관으로 왜곡됨. (3문단)

── 견해 제시
우리나라는 수용 세력에 따라 사회 진화론이 다르게 적용된 자강론이 나타남. (4문단)

생각읽기가 수능이다

독해실전 1 ②

수능실전 1 ②

0 이 글은 1문단에서 사회 진화론의 개념을 설명하고, 사회 진화론이 영국, 미국에서는 약육강식의 현실을 정당화하는 데 쓰이고, 일본에서는 식민 사관으로 왜곡되는 등 한계를 지니고 있다는 점을 설명하고 있습니다. 따라서 '사회 진화론의 개념과 한계'가 이 글의 제목으로 가장 적절합니다.

출제 의도 제목이란 전체 내용을 보이기 위하여 붙이는 이름이므로, 전체 내용을 아우를 수 있는 표현이 사용되어야 합니다.

1 2문단에 따르면, 아리안족은 사회 진화론을 이용하여 자신들이 타민족에 비해 문화적·생물학적으로 우월하다는 점을 강조했고, 이는 인종주의적 정책을 합리화하는 것으로까지 확장되었습니다.

오답 피하기 ① 2문단에서 영국, 미국처럼 자본주의가 확장해 가던 국가에서는 사회 진화론이 개인주의적 정서를 강화하는 데 주로 이용되었음을 알 수 있습니다.
② 1문단에서 '생존 경쟁', '적자생존'이 개인에게 적용되면 자유 방임주의와 결합되기도 한다는 점을 알 수 있습니다.
③ 2문단에서 피어슨은 '생존 경쟁'과 '적자생존'을 인종, 민족, 국가 등의 집단 단위에 적용하였고, 이로써 인종 차별이나 제국주의를 정당화하였음을 알 수 있습니다.
④ 3문단에서 19세기 말에 일본은 사회 진화론을 수용하여, 약육강식과 우승열패의 논리를 바탕으로 서구식 근대 문명 국가 건설 및 군국주의의 실현을 역설했음을 알 수 있습니다.

2 2문단에 따르면 스펜서가 ㉠과 같이 인식한 이유는 가난한 사람은 개인과 개인 간의 '생존 경쟁'에서 승리하지 못하고 '도태된 자'에 해당하므로, 이러한 가난한 사람을 인위적으로 도와주어서는 안 된다고 보았기 때문입니다.

오답 피하기 ② 2문단에 따르면 스펜서는 가난한 사람은 생존 경쟁에서 도태된 존재이므로 인위적인 도움을 주어서는 안 된다고 보았으며, 또한 ㉠의 이유와도 거리가 멉니다.
③ 사유 재산에 대한 국가 권력의 간섭 정도는 ㉠의 이유와는 거리가 멉니다.
④ 집단의 공익을 개인의 재산 형성보다 더 중시하는 것은 ㉠의 이유와는 거리가 멉니다.
⑤ 스펜서의 견해에 따르면 문화적·생물학적으로 우월한 사람이 개인과 개인 간의 생존 경쟁에서 승리하여 사회적 부를 차지할 것이고, 적자생존의 원칙에 따라 경쟁에서 도태된 자는 가난하게 될 것이므로 문화적·생물학적으로 열등한 사람에게 사회적 부를 분배하는 것이 합당하다고 보는 것은 ㉠의 이유와는 거리가 멉니다.

3 〈보기〉의 자강 운동은 교육, 산업, 언론, 문화, 정치 등 각 분야의 실력 양성을 통해, 대한 제국이 일제의 식민지로 전락하지 않고자 추진한 국권 회복 운동입니다. 4문단에 따르면 자강 운동은 대한 제국이 스스로 힘을 키워서 일본과의 '생존 경쟁'에서 승자가 되고, 부국강병을 추구하고자 하는 운동이라고 이해할 수 있습니다.

오답 피하기 ② 4문단에 따르면 〈보기〉와 같은 자강 운동을 추진한 사람들에는 민족주의자인 박은식, 신채호 등이 해당될 수 있습니다. 이들은 생존 경쟁을 통해 대한 제국이 일제에 반드시 승리해야 한다는 생각을 갖고 있었으므로 해당 진술은 적절하지 않습니다.
③ 4문단에 따르면 윤치호와 같은 개화파는 조선의 망국 가능성을 언급하며 무기력한 현실 대응 태도를 보였습니다. 따라서 윤치호는 〈보기〉의 자강 운동에 대해서도 비관적인 태도를 보일 것이고, 대한 제국이 일제와 겨룰 수 있는 힘을 지닐 수 없을 것이라고 생각했을 것입니다.
④ 4문단에 따르면 박은식과 같은 민족주의자는 일본과의 경쟁에서 조선이 반드시 승리해야 한다고 보았고, 이를 위해서는 힘을 키워서 자력으로 부국강병을 추구해야 한다고 주장했습니다. 따라서 박은식은 〈보기〉의 자강 운동을 통해 대한 제국이 일제에 승리할 것이라는 태도를 보였을 것입니다.
⑤ 〈보기〉의 신지식층은 자강 운동을 통해 교육, 산업, 언론, 문화, 정치 등 다양한 분야에서 개혁을 이루고자 했습니다. 4문단에 따르면 신지식층은 자강 운동을 통해 일본과의 생존 경쟁에서 승리할 수 있다고 본 것이지, 생존 경쟁이 치열한 세계 질서에서 벗어날 수 있다고 본 것은 아닙니다.

4 '우월(優越)'의 사전적 의미는 '다른 것보다 나음.'입니다. ③에 제시된 '보통의 수준이나 등급보다 낮음.'은 '우월'의 반의어인 '열등(劣等)'의 사전적 의미입니다.

전염병, 인류 생존을 위협하다

0 ①	**1** ①	**2** ⑤	**3** ④	**4** ⑤

Q 20~30대 청장년층의 A형 간염을 예방하려면 어떻게 해야 할까요?

현재 우리나라 A형 간염 발생의 약 82%를 차지하고 있는 20~30대 청장년층에 대한 백신 접종을 통해 A형 간염의 98%를 예방할 수 있습니다.

이 글은 고대부터 현재까지도 인류를 괴롭혀 온 전염병에 대해 설명하고 있습니다. 그중 인수 공통 전염병의 개념과 종류를 설명한 후, 인수 공통 전염병이 늘어나게 된 원인을 분석하고 있습니다. 또한 A형 간염과 결핵 등의 예를 들어 전염병이 소멸되는 것이 아니라 진화하여 다시 유행하기도 한다는 점을 언급하고 있습니다.

■ 문단으로 생각읽기

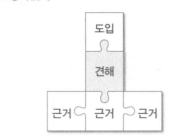

[도입 - 견해 - 근거 - 근거 - 근거]의 생각 구조

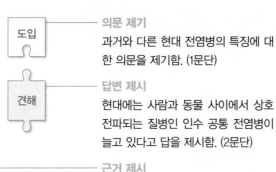

도입 — 의문 제기
과거와 다른 현대 전염병의 특징에 대한 의문을 제기함. (1문단)

견해 — 답변 제시
현대에는 사람과 동물 사이에서 상호 전파되는 질병인 인수 공통 전염병이 늘고 있다고 답을 제시함. (2문단)

— 근거 제시
의학 기술의 발달, 전염병의 진화를 인수 공통 전염병 증가의 원인으로 제시함. (3문단)

— 근거 제시
과거에 유행했던 질병이 오늘날에 다시 유행하고 있음을 A형 간염의 예를 들어 설명함. (4문단)

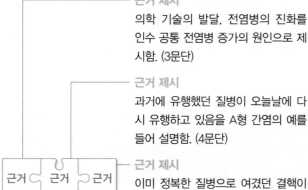

— 근거 제시
이미 정복한 질병으로 여겼던 결핵이 다시 유행하여 인류에게 피해를 주고 있음을 설명함. (5문단)

0 이 글은 1문단에서 전염병에 대해 정의한 후, 전염병 중 인수 공통 전염병이 늘어나게 된 원인을 진화 현상과 관련하여 설명하고 있습니다. 따라서 이 글의 중심 화제는 '전염병의 특징과 진화 양상'이 가장 적절합니다.

출제 의도 글의 핵심 화제를 묻는 문제로 글쓴이가 전달하고자 하는 핵심 내용을 파악할 수 있는지 묻고 있습니다.

1 이 글은 전체적으로 인류를 괴롭히는 질병 및 전염병에 대해 이야기하고 있습니다. 그리고 인수 공통 전염병이 늘어나는 현상, 이 질병이 증가하는 원인, 사라졌다고 생각했던 다른 전염병들이 다시 유행하는 현상 등을 부차적으로 다루고 있으므로 표제로는 '인류를 괴롭히는 전염병의 진화'가, 부제로는 '인수 공통 전염병이 증가하는 원인을 중심으로'가 가장 적절합니다.

오답 피하기 ② 이 글에서 인수 공통 전염병을 치료하기 어려운 이유는 언급하지 않았으므로 표제로는 적절하지 않습니다. 그리고 2문단에서 병원체가 동물에서 인류로 옮아갈 수 있다는 점은 언급했지만, 그 이동 과정을 이 글에서 중점적으로 다루지는 않았으므로 부제로 적절하지 않습니다.

③ 이 글에서 인류는 전염병 문제를 해결하기 위해 신약 개발 등에 힘쓴다는 내용을 일부 언급하기는 했지만, 이는 이 글에서 중점적으로 다루는 내용은 아니므로 표제로 적절하지 않습니다. 그리고 동물에서 인류로의 질병 전파를 차단하기 위한 방안이 무엇인지는 이 글에서 언급하지 않았으므로 부제로 적절하지 않습니다.

④ 이 글에서 인수 공통 전염병의 특성을 언급하기는 했지만, 일반 질병과 인수 공통 전염병의 특성을 중점적으로 비교하지는 않았으므로 표제로 적절하지 않습니다. 그리고 2문단에 인수 공통 전염병의 종류가 무엇인지는 언급되어 있지만, 이는 글 전체를 포괄하는 내용은 아니므로 부제로 적절하지 않습니다.

⑤ 이 글에서 인수 공통 전염병이나 A형 간염과 같은 전염병의 특징을 언급하기는 했지만, 이 글에서 중점적으로 다루는 내용은 '인류를 괴롭히는 전염병의 진화'에 대한 것이므로, 표제로 적절하지 않습니다. 또한 전염병의 치료 효과를 극대화하는 방안에 대해서도 따로 언급하지 않았으므로 부제로 적절하지 않습니다.

2 3문단을 통해 현재는 의학 기술이 더욱 발달하여 새롭게 진단되는 인수 공통 전염병들이 더 많아졌음을 알 수 있습니다. 따라서 ⑤의 '학생의 이해'에 대한 '평가'는 '적절함'이 맞습니다.

오답 피하기 ① 2문단에 따르면 인수 공통 전염병과 같은 전염병에서는 사람과 동물 사이에서 질병이 상호 전파됩니다. 따라서 이러한 '학생의 이해'에 대한 '평가'는 '부적절함'이 되어야 합니다.

② 1문단에 따르면 전염병은 특정 병원체가 다른 생물체에 옮아 집단적으로 유행하는 병들입니다. 따라서 이러한 '학생의 이해'에 대한 '평가'는 '적절함'이 되어야 합니다.

③ 4문단과 5문단에 따르면 A형 간염은 백신 접종을 통해 약 98%가 예방이 가능합니다. 반면 결핵은 1960년대 이후 관련 신약이 개발되지 않았고, 기존 결핵약에 내성이 생긴 결핵균이 등장했기 때문에 적절한 예방약, 치료제가 없는 상황입니다. 따라서 이러한 '학생의 이해'에 대한 '평가'는 '부적절함'이 되어야 합니다.

④ 2문단에 따르면 인수 공통 전염병의 약 70%가 동물이 사람에게 전파하는 형태의 전염병입니다. 이 수치는 인수 공통 전염병의 절반 이상에 해당하므로, 이러한 '학생의 이해'에 대한 '평가'는 '적절함'이 되어야 합니다.

3 2문단에서 동물이 사람에게 전염병의 병원체를 전파시킨다는 점은 확인할 수 있으나 왜 이렇게 전파시킬 수 있었는지 이유는 제시되지 않았으므로, 답을 찾을 수 없는 질문에 해당합니다.

오답 피하기 ① 2문단에서 메르스, 에이즈, 광우병, 조류 독감 등의 질병이 인수 공통 전염병에 해당된다고 언급했으므로, 답을 찾을 수 있는 질문에 해당합니다.
② 4문단에서 A형 간염은 백신 접종을 통해 약 98% 예방이 가능한 질병이라고 언급했으므로, 답을 찾을 수 있는 질문에 해당합니다.
③ 5문단에서 결핵은 이미 사라진 질병으로 인식되었기 때문에 1960년대 이후 결핵과 관련하여 신약이 전혀 개발되지 않았다고 언급했으므로, 답을 찾을 수 있는 질문에 해당합니다.
⑤ 3문단에서 사람들이 사는 생활 환경의 변화 속도가 빨라지자 병원체들이 쉽게 변이를 일으킬 수 있는 환경이 조성되었다고 언급했으므로, 답을 찾을 수 있는 질문에 해당합니다.

4 〈보기〉의 질병 A는 시궁쥐로부터 사람에게 병원균이 전파되었으므로 인수 공통 전염병에 해당됩니다. 이 글과 〈보기〉에 따르면 질병 A의 바이러스를 지니고 있는 시궁쥐를 제거하면 사람으로의 전염 가능성을 낮출 수 있을 것이고, 이로써 질병 A의 바이러스가 1차적으로 생존할 수 있는 숙주 자체가 사라지게 되므로 결과적으로 질병 A가 확산되는 것을 막을 수 있을 것입니다.

오답 피하기 ① 이 글을 통해 사람들의 생활 환경이 과거와 달라짐에 따라 전염병이 진화하고 변종이 나타나는 현상이 증가하였다는 것을 알 수 있습니다. 그러나 〈보기〉와 이 글을 통해 질병 A가 사람들의 생활 환경 변화에 따라 발생 가능성이 커진다는 사실은 확인할 수 없습니다.
② 이 글을 통해 전염병 중에는 백신 접종을 통해 전염을 예방할 수 있는 질병이 있다는 것을 알 수 있습니다. 그러나 〈보기〉와 이 글을 통해 질병 A가 백신 접종으로 예방할 수 있는 질병인지는 확인할 수 없습니다.
③ 이 글에 따르면 특정 인수 공통 전염병의 바이러스를 지니고 있는 사람이 동물에게 관련 질병을 전파시킬 가능성이 있다는 것은 알 수 있습니다. 그러나 〈보기〉와 이 글을 통해 질병 A를 앓고 완치된 사람이 다른 동물에게 질병을 전파시킬 수 있는지, 이로써 제3차 변종이 생겨날 수 있는지는 확인할 수 없습니다.
④ 〈보기〉에 따르면 질병 A는 오늘날에도 살아남아서 활동하고 있는 전염병입니다. 따라서 〈보기〉와 이 글을 통해 질병 A가 이미 치료제가 개발되어 현재는 사라진 질병이라고 판단하는 것은 적절하지 않습니다.

생각읽기

4 생존의 비법, 알레로파시

0 ②	1 ④	2 ②	3 ②	4 ④

Q 허브는 외부 침입자를 쫓아내기 위하여 어떻게 반응하나요?

외부 침입자를 신속히 쫓아내기 위해 갑자기 짙은 향기를 내뿜습니다.

이 글은 식물이 생존 경쟁을 하는 과정에서 나타나는 알레로파시에 대해 설명하고 있습니다. 식물계에서 나타나는 알레로파시의 다양한 예를 소개한 후, 이것이 식물이 진화하며 오랜 기간 생존해 온 비법이라는 점을 설명하고 있습니다.

■ 문단으로 생각읽기

[도입 – 예시 – 예시 – 예시 – 정리]의 생각 구조

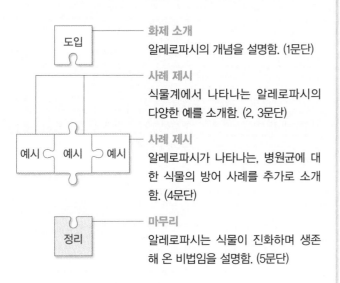

도입 — 화제 소개
알레로파시의 개념을 설명함. (1문단)

예시 — 사례 제시
식물계에서 나타나는 알레로파시의 다양한 예를 소개함. (2, 3문단)

예시 — 사례 제시
알레로파시가 나타나는, 병원균에 대한 식물의 방어 사례를 추가로 소개함. (4문단)

정리 — 마무리
알레로파시는 식물이 진화하며 생존해 온 비법임을 설명함. (5문단)

0 이 글은 1문단에서 알레로파시의 개념을 설명한 뒤, 알레로파시의 진화론적 측면에 대해 식물계에서 나타나는 알레로파시의 예를 중심으로 설명하고 있습니다. 따라서 이 글의 중심 내용으로는 '알레로파시에 대한 진화론적 설명'이 가장 적절합니다.

출제 의도 글의 중심 내용을 파악하는 문제로 글에서 글쓴이가 중요하게 다루고 있는 내용이 무엇인지 파악할 수 있어야 합니다.

1 5문단에 따르면 소나무, 배추와 같은 특정 식물들은 알레로파시에 따라 화학 물질을 분비하여 송충이, 배추벌레의 천적인 말벌을 자기 쪽으로 부릅니다. 그러나 이러한 식물들이 독성이 있는 화학 물질을 분사하여 천적인 곤충을 직접 공격하는 것은 아니므로, ④는 알레로파시에 대한 이해로 적절하지 않습니다.

오답 피하기 ① 1문단에서 알레로파시는 식물이 자신의 생존을 위해서 특정한 화학 물질을 분비하는 것임을 알 수 있습니다.
② 1문단에서 알레로파시는 식물이 생존을 위해서 자신과 이웃하는 다른 식물의 발생을 막거나 성장 또는 번식을 억제하려는 진화와 관련된 현상임을 알 수 있습니다.
③ 3문단에서 허브, 제라늄과 같은 식물은 알레로파시에 따라 자신을 공격하는 대상으로부터 스스로를 보호하기 위해 짙은 향기를 내뿜는다는 것을 알 수 있습니다.
⑤ 4문단에서 식물 내부에 해로운 병원균이 침투할 경우 해당 식물은 알레로파시에 따라 파이토알렉신과 같은 항생 물질을 생성해 내고, 이로써 자신을 보호한다는 것을 알 수 있습니다.

2 ㄱ. 1문단에서는 '알레로파시', '타감 물질' 등의 개념에 대해 정의의 방법을 활용하여 설명하고 있습니다.
ㄷ. 2~5문단에서는 실비아, 유칼립투스, 클로버, 허브, 제라늄, 소나무, 배추 등을 예로 들어 알레로파시가 실현되는 실제 자연 현상을 소개하고 있습니다.

오답 피하기 ㄴ. 이 글에서는 알레로파시가 진행되는 과정이 어떠한지를 시간의 흐름에 따라 순차적으로 제시하고 있지는 않습니다.
ㄹ. 이 글에서는 질문의 방식을 활용하지 않았고, 알레로파시에 관한 독자의 잘못된 배경지식을 바로잡아 주고 있지도 않습니다.

3 2문단에 따르면 식물계에서 나타나는 알레로파시의 예는 다양합니다. 그중 '실비아' 나무는 휘발성 물질인 '테르펜'이라는 타감 물질을 배출하므로 ②가 적절합니다.

오답 피하기 ① 2문단에 따르면 '소나무'와 관련된 타감 물질은 '갈로탄닌'입니다.
③ 2문단에 따르면 '유칼립투스' 나무와 관련된 타감 물질은 '유카립톨'입니다.
④ 2문단에 따르면 '클로버'와 관련된 타감 물질은 '화약'입니다.
⑤ 3문단에 따르면 '허브'와 관련된 타감 물질은 '짙은 향기'입니다.

4 ㉠의 '막다'는 문맥상 '어떤 현상이 일어나지 못하게 하다.'
  라는 의미이고, '소방관은 화재가 번지는 것을 막기 위해 애
  썼다.'에서 '막다'도 이와 동일한 의미로 사용되었습니다.

  오답피하기 ① '길, 통로 따위가 통하지 못하게 하다.'의 의미로 사용
  되었습니다.
  ② '강물, 추위, 햇빛 따위가 어떤 대상에 미치지 못하게 하다.'의 의
  미로 사용되었습니다.
  ③ '베풀어 주려는 뜻을 물리치다.'의 의미로 사용되었습니다.
  ⑤ '돈을 갚거나 결제하다.'의 의미로 사용되었습니다.

0 ①	1 ③	2 ⑤	3 ②	4 ①

Q 유물을 다양한 시각에서 해석하려면 어떤 자세를 갖추어야 할까요?

유물 자료가 축적되고, 주변 과학이 발달함에 따라 다양한 해석을 제시
할 수 있게 되었으므로 특정 이론에 얽매이지 않은 '열린 자세'를 갖추
어야 합니다.

이 글은 과거 인간의 삶을 연구하는 고고학에서 여러 분야의
이론을 활용하는 양상을 설명하고 있습니다. 고고학의 유물 해
석 이론들로 진화론을 활용한 진화고고학, 인간의 능동적 선택
에 초점을 두는 생태학적 이론, 사회 문화적 요인을 고려한 관
점 등을 소개하며 다양한 시각에서 유물을 해석하려는 열린 자
세를 갖추어야 함을 강조하고 있습니다.

■ **문단으로 생각읽기**

```
          도입
          │
전개 ─ 전개 ─ 전개
          │
          정리
```

[도입 – 전개 – 전개 – 전개 – 정리]의 생각 구조

도입 ── 이론 소개
고고학에서는 유물 분석을 위해 여러
분야의 이론을 활용한다는 점을 소개
함. (1문단)

── 관점 소개
조리용 토기에 대한 진화고고학의 주
장과 이에 대한 오류를 지적함. (2문단)

── 관점 비교
조리용 토기에 대한 생태학적 이론의
주장과, 이와 달리 사회 문화적 요인으
로 유물의 의미를 설명하는 관점을 소
개함. (3, 4문단)

전개 ─ 전개 ─ 전개

정리 ── 마무리
유물을 다양한 시각에서 해석하려는
열린 자세를 갖추어야 함을 강조함. (5
문단)

0 이 글은 1문단에서 고고학이 무엇인지를 밝히고, 고고학이 여러 분야의 이론을 활용한다는 점을 언급하고 있습니다. 그리고 2~4문단에서 두께가 변한 토기의 예를 들어, 진화론적 관점, 생태학적 관점, 사회 문화적 요인으로 유물의 의미를 설명하려는 관점 등을 활용하는 고고학의 유물 해석 방법을 다양하게 소개하고 있습니다. 따라서 이 글에서 글쓴이가 말하려고 하는 핵심 화제는 '고고학에서 유물을 해석하는 다양한 이론'으로 볼 수 있습니다.

출제 의도 '핵심'이란 '가장 중심이 되는 부분'을 뜻합니다. 따라서 이 문제에서는 이 글에서 가장 중요하게 다루는 내용이 무엇인지 파악해야 합니다.

1 2문단을 통해 주변 과학 기술이 점차 발달함에 따라 토기 두께의 더욱 정밀한 연대 측정이 가능해지자 기존에 힘을 얻었던 '토기의 두께 변화에 대한 자연 선택적 설명'은 설득력이 약화되었음을 확인할 수 있습니다. 따라서 ③은 〈보기〉의 '학생'의 답변으로 적절하지 않습니다.

오답 피하기 ① 1문단을 통해 고고학이란 발굴을 통해 얻은 유물, 유적을 활용하여 그 속에 담겨 있는 과거 인간들의 삶에 대한 정보를 통해 그들의 삶을 복원해 내려는 학문임을 알 수 있습니다.
② 2문단에서 진화론을 활용하여 과거를 설명하는 진화고고학에 대한 내용을 확인할 수 있습니다.
④ 3문단을 통해 고고학의 유물 해석 이론 중에는 토기의 두께가 변한 이유를 인간의 능동적 선택에서 찾는 생태학적 이론에 입각한 설명도 있음을 알 수 있습니다.
⑤ 5문단을 통해 특정 이론에 얽매이기보다 새로운 자료와 방법을 적극적으로 활용하여 유물, 유적을 다양한 시각에서 해석하려는 열린 자세를 갖추어야 한다는 것을 알 수 있습니다.

2 4문단에 따르면 외부 세력과 같은 타집단과의 활발한 교류로 새로운 유물이 유입되고, 사람들이 그것을 선호하게 되었다고 보는 것은 ㉡과 관련 있지만 ㉠과는 무관하므로 ⑤는 적절한 이해가 아닙니다.

오답 피하기 ① 2, 4문단으로 보아 ㉠은 유물의 의미를 해석할 때 기능적 요인에 주목하는 것이 중요하다고 보았음을 알 수 있습니다.
② 4문단으로 보아 ㉡은 유물의 의미를 해석할 때 개개의 유물이 사용된 맥락을 찾는 것이 더 중요하다고 보았음을 알 수 있습니다.
③ 2문단으로 보아 ㉠은 ㉡과 달리 특정 유물이 변화된 이유를 외부 환경의 변화에 적응해 온 것과 관련지어 해석하고 있음을 알 수 있습니다.
④ 4문단으로 보아 ㉡은 ㉠과 달리 유물을 사용하는 사람의 사회적 지위와 기호 변화 등에 초점을 두어 유물의 의미를 해석하였음을 알 수 있습니다.

3 ㄱ. 2문단에 따르면 조리용 토기에는 식재료가 탄화된 채로

남아 있었고, 〈보기〉의 ㉮도 마찬가지이므로 ㉮를 조리용 토기라고 보는 학자들이 있다고 이해한 것은 적절합니다.
ㄷ. 2문단에 따르면 토기의 두께가 점진적으로 변한 것이 아니라 4세기 경 급작스럽게 변한 것이라고 했습니다. 따라서 ㉮의 두께가 특정 시기 이후에 갑자기 얇아지게 된 것이라고 주장하는 학자들이 있다고 이해한 것은 적절합니다.

오답 피하기 ㄴ. 2문단에 따르면 토기의 두께가 점진적으로 변하느냐 혹은 급작스럽게 변하느냐의 차이는 있지만, 토기의 두께는 점차 얇아진다는 사실에는 모두 동의합니다. 따라서 후대로 갈수록 토기의 두께가 과거보다 더 두꺼워진다고 주장하는 학자들은 없다고 이해할 수 있습니다.
ㄹ. 이 글에 따르면 〈보기〉의 ㉮와 같은 토기가 씨앗의 채집량이 늘어남에 따라 두께가 얇아진다는 것은 알 수 있지만 조리용 토기가 저장용 토기로 대체되는지는 이 글을 통해 확인할 수 없습니다.

4 ⓐ는 '충분히 잘 이용하다.'라는 의미이므로, 문맥상 '돈이나 물건 따위를 빌려서 쓰다.'라는 의미인 '차용하다'와 바꿔 쓰기에 적절하지 않습니다.

오답 피하기 ② ⓑ는 '땅속에 묻혀 있던 물건이 밖으로 나오게 되다. 또는 그것이 파내어지다.'라는 의미이므로 문맥상 '파내어진'과 바꿔 쓸 수 있습니다.
③ ⓒ는 '미처 찾아내지 못하였거나 아직 알려지지 않은 사물이나 현상, 사실 따위를 찾아내다.'라는 의미이므로, 문맥상 '알아냈다'와 바꿔 쓸 수 있습니다.
④ ⓓ는 '부피나 분량 따위가 본디보다 커지거나 길어지거나 많아지다.'라는 의미이므로, 문맥상 '증가하게'와 바꿔 쓸 수 있습니다.
⑤ ⓔ는 '어떤 일을 하는 데에 재료나 도구, 수단이 이용되다.'라는 의미이므로, 문맥상 '사용되게'와 바꿔 쓸 수 있습니다.

생각읽기 6 인공 지능은 어떻게 인간을 이겼나

0 ⑤	**1** ⑤	**2** ②	**3** ④	**4** ⑤

Q 연구자들은 인공 지능이 어떤 형태로 발전할 것이라고 예상하나요?
많은 연습과 방대한 데이터를 바탕으로 인공 지능이 인간의 직관을 흉내 낼 수 있게 될 것으로 예상합니다.

이 글은 스스로 생각하는 능력을 지닌 기계인 인공 지능에 대해 설명하고 있습니다. 인공 지능의 학습 방법인 기계 학습과 딥 러닝에 대해 설명하고 알파고가 인공 신경망을 이용한 딥 러닝으로 바둑 두는 방법을 학습하는 과정을 소개한 후, 인간과 알파고의 바둑 대국을 예로 들어 인공 지능이 어떻게 인간을 이길 수 있었는지 제시하고 있습니다.

■ 문단으로 생각읽기

[도입 – 전개 – 과정 – 예시 – 정리]의 생각 구조

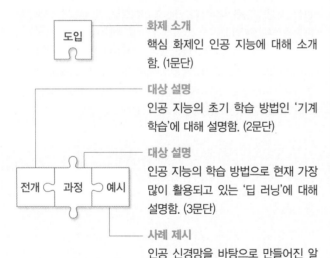

도입 ── **화제 소개**
핵심 화제인 인공 지능에 대해 소개함. (1문단)

── **대상 설명**
인공 지능의 초기 학습 방법인 '기계 학습'에 대해 설명함. (2문단)

전개 과정 예시 ── **대상 설명**
인공 지능의 학습 방법으로 현재 가장 많이 활용되고 있는 '딥 러닝'에 대해 설명함. (3문단)

── **사례 제시**
인공 신경망을 바탕으로 만들어진 알파고의 사례를 들어, 인공 지능의 바둑 학습 과정을 설명함. (4문단)

정리 ── **마무리**
시간적, 공간적 제약을 받지 않는 인공 지능이 바둑 대국에서 인간을 이길 수 있었다는 점을 밝히며 마무리함. (5문단)

0 이 글은 인공 지능을 소개한 후, 인공 지능의 학습 방법이 변화한 과정에 대해 설명하였습니다. 그리고 딥 러닝을 기반으로 한 인공 지능 알파고가 바둑을 학습하는 과정을 소개하며, 알파고가 인간을 어떻게 이길 수 있었는지를 제시하고 있으므로, 이 글 다음에는 ⑤의 내용이 오기에 적절합니다.

출제 의도 글의 내용을 잘 파악하고 앞으로 이어질 내용을 추론할 수 있는지 확인하는 문제입니다.

1 (마)에서는 알파고와 바둑 기사 이세돌의 바둑 대국을 예로 들어, 인공 지능이 인간의 능력을 뛰어넘어 승리할 수 있었다는 점을 중점적으로 다루었으므로 ⑤의 내용은 적절하지 않습니다.

2 (라), (마)에서는 인공 지능의 구체적 사례인 알파고를 언급하였고, 인공 지능이 딥 러닝, 인공 신경망을 활용하여 바둑을 학습하는 과정을 절차대로 설명하고 있으므로 ②가 이 글의 논지 전개 방식으로 적절합니다.

오답 피하기 ① (나), (다)를 통해 인공 지능 학습 방법으로 인공 지능의 연구 초기에는 기계 학습이, 현재는 딥 러닝이 주로 이용되었음을 알 수 있습니다. 그러나 이 글에서 인공 지능이 발전해 온 과정을 시간의 흐름, 공간의 변화에 따라 설명하고 있는 것은 아닙니다.
③ 이 글에는 인공 지능이 지닌 유용성이 무엇인지 언급되지 않았고, 이를 활용할 수 있는 다양한 분야의 범주 역시 제시되지 않았습니다.
④ 이 글에서는 인공 지능이 지닌 한계가 무엇인지 지적하지 않았고, 인공 지능이 지닌 문제점을 개선할 수 있는 방안도 제시하지 않았습니다.
⑤ 이 글에는 인공 지능에 관한 대립된 학설이 무엇인지 제시되지 않았고, 인공 지능의 발전을 위한 절충안도 언급하지 않았습니다.

3 ㄴ. (다)에서 ㉡은 현재 가장 많이 이용되는 인공 지능의 학습 방법임을 알 수 있고, (라)에서 알파고도 ㉡을 활용했다는 정보를 확인할 수 있습니다.
ㄹ. (다)에서 ㉡은 ㉠과 달리 인공 지능에 방대한 양의 데이터를 입력하면 인공 지능이 이를 스스로 학습하는 형태라는 점을 확인할 수 있습니다.

오답 피하기 ㄱ. (나)와 (다)에 따르면 ㉠은 인공 지능의 연구 초기에 활용된 것은 맞지만, 인공 신경망을 이용한 것은 ㉠이 아니라 ㉡입니다.
ㄷ. (다)에 따르면 많은 양의 데이터를 여러 단계의 층에서 분석하며 특징을 찾아내는 방식은 ㉠이 아닌 ㉡에서 사용됩니다.

4 이 글에 따르면 알파고에게 〈보기〉의 [그림]과 같은 데이터를 많이 입력하면 알파고는 이를 바탕으로 바둑 두는 방식

을 스스로 학습합니다. 이때 알파고는 기계 학습이 아닌, 딥 러닝으로 바둑을 학습하므로 알파고에게 바둑 규칙을 직접 알려 준다는 진술은 적합하지 않습니다. 딥 러닝은 [그림]과 같은 데이터를 활용하여 알파고가 바둑 두는 방법을 스스로 학습하게 하는 것입니다.

오답 피하기 ① (다)와 (라)에 따르면 알파고에 [그림]과 같은 바둑 데이터를 많이 입력하면, 알파고는 이를 스스로 학습하여 바둑 실력을 향상시키게 됩니다.

② 〈보기〉의 [그림]에는 바둑 기사들이 바둑을 어떤 순서로 두었는지가 숫자로 기록되어 있습니다. (라)에 따르면 알파고는 이러한 [그림]을 활용하여 바둑 대국이 진행되는 순서를 알 수 있으므로 [그림]을 통해 알파고가 바둑 대국에서 바둑돌을 놓는 실제 순서를 파악할 수 있음을 알 수 있습니다.

③ (라)에 따르면 알파고는 [그림]을 통해 바둑 기사들이 바둑을 두는 방식을 효과적으로 학습할 수 있게 되어, 바둑돌이 놓일 수 있는 모든 경우의 수를 따지지 않을 수 있게 됩니다. 이로써 알파고는 처리 속도를 현저하게 줄일 수 있다는 것을 알 수 있습니다.

④ (마)를 통해 버전이 다른 알파고들끼리 바둑 대결을 하게 한 후, [그림]과 같은 알파고끼리의 대국 기보를 다시 알파고에 입력하여 또 다른 학습 자료로 활용한다는 것을 알 수 있습니다.

생각의 구조화 MIND MAP

생각읽기1 ㉡	생각읽기2 ㉢	생각읽기3 ㉣
생각읽기4 ㉠	생각읽기5 ㉤	생각읽기6 ㉡

1 진화론 2 사회 진화론 3 전염병
4 알레로파시 5 고고학 6 인공 지능

생각읽기 **1** **잠잘 때 우리 뇌에서 벌어지는 일**

| **0** ⑤ | **1** ③ | **2** ① | **3** ⑤ | **4** ① |

Q 렘수면과 비렘수면은 어떻게 다른가요?

잠을 잘 때 눈의 움직임을 기준으로 급속한 안구 운동이 일어나는 수면을 '렘수면', 그렇지 않은 수면을 '비렘수면'이라 부릅니다.

이 글은 잠을 자는 이유와 잠을 자는 동안 일어나는 뇌의 활동에 대해 설명하고 있습니다. 사람이 잠을 자는 수면은 피로 물질과 수면 유도체, 생체 시계로 인해 나타나는 현상으로 급속한 안구 운동이 일어나는 '렘수면'과 그렇지 않은 '비렘수면'으로 나뉩니다. 잠이 들기 시작하면 나타나는 비렘수면은 다시 4단계로 구분되는데, 이 4단계의 상태가 깊은 잠에 해당합니다. 렘수면은 뇌를 재정비하고 정보들을 분류함으로써 다음날의 인식 능력을 향상시킵니다.

■ 문단으로 생각읽기

[도입 – 주지 – 상술 – 상술]의 생각 구조

도입 ─── **흥미 유발**
'사람은 왜 잠을 잘까'라는 질문을 던지고 그에 답하는 형식을 통해 흥미를 유발하며 수면의 원인으로 생체 시계를 제시함. (1문단)

주지 ─── **과정 제시**
수면 중 뇌에서 벌어지는 과정을 '렘수면'과 '비렘수면'으로 나누어 제시함. (2문단)

상술 ┐ ─── **과정 설명 1**
상술 ┘ 뇌파의 종류에 따라 4단계로 구분되는 비렘수면 상태와 수면 과정에 대해 설명함. (3문단)

─── **과정 설명 2**
렘수면 동안 벌어지는 신체의 활동을 제시함. (4문단)

0 이 글은 잠을 자는 이유와 잠을 자는 동안 일어나는 뇌의 활동에 대해 서술하고 있습니다. 피로 물질과 수면 유도체, 생체 시계로 인해 사람은 잠을 자게 됩니다. 그리고 잠을 자는 동안의 우리 뇌에서는 비렘수면과 렘수면 상태가 반복되어 나타나므로 이 글의 표제와 부제로 가장 적절한 것은 ⑤로 볼 수 있습니다.

출제 의도 글의 표제와 부제를 파악하는 문제로 글의 전체 내용을 파악하는 한편, 중심 내용을 잘 이해하고 있는지 묻고 있습니다.

1 이 글은 2문단에서 렘수면과 비렘수면의 개념을 정의하고 이를 중심으로 3~4문단에서 수면의 원리를 알기 쉽게 설명하고 있습니다. 그리고 3문단에서 수면의 진행 과정을 순차적으로 설명하고 있으며, 4문단에서 전문가(프란시스 크릭)의 말을 인용하여 렘수면의 기능에 대한 설명을 보완하고 있습니다. 그리고 1, 2, 4문단에서 묻고 답하는 방식으로 내용을 전개하고 있습니다. 하지만 구성 요소의 중요성과 장단점을 분석하고 있지는 않으므로 ③은 적절하지 않습니다.

2 3문단에서 잠이 들기 시작하면 비렘수면 상태가 먼저 나타나며 잠자는 동안 뇌에서는 독특한 뇌파가 형성되는데, 비렘수면은 뇌파의 종류에 따라 4단계로 구분된다고 하였습니다. 사람은 잠이 들기 시작하면 비렘수면의 1단계에서부터 4단계를 거치고 다시 비렘수면의 4단계에서부터 반대로 1단계를 거친 다음 렘수면 상태에 이르게 됩니다. 그러므로 〈보기〉에서 최초의 렘수면 상태는 ⓒ에 해당합니다. 즉 ⓑ에 도달하기까지는 렘수면 상태가 나타나지 않습니다.

오답 피하기 ② 3문단의 내용으로 보아 ⓐ에서 ⓑ로 이어지는 과정은 비렘수면의 3~4단계로, 뇌파의 진폭이 가장 크고 속도가 가장 느리게 나타납니다. 이때 가장 깊은 수면에 빠진 상태인 ⓑ는 서파 수면 상태입니다.

③ 3문단에서 서파 수면 상태에 이르고 얼마 지나지 않아 거꾸로 1단계를 향해 변해 가다 렘수면 단계에 이르고, 다시 비렘수면 1단계에서 시작해 4단계로 진행됩니다. 이 과정은 90분을 주기로 반복된다고 설명하고 있습니다. 따라서 ⓒ, ⓓ가 렘수면 상태를 나타내며 90분을 주기로 렘수면의 과정이 반복된다는 것을 알 수 있습니다.

④ ⓒ나 ⓓ는 렘수면으로 4문단을 통해 이 단계에는 꿈을 꾸게 됨을 알 수 있습니다.

⑤ 3문단에서 '1단계에서 4단계로 진행될수록 뇌파의 진폭이 점점 커지고 속도가 느려지면서 점차 깊은 잠에 빠지게 된다'고 설명하고 있습니다. 따라서 ⓑ보다 ⓔ의 진폭이 더 크다는 것을 알 수 있습니다.

3 4문단에 따르면, 렘수면 동안에는 뇌 속에 있는 신경 회로가 신체를 이완시키는 명령을 내립니다. 따라서 잠을 자는 동안 뇌에서 신체를 수축시키는 명령을 내린다는 것은 적절

하지 않습니다.

[오답 피하기] ① 2문단에서 비렘수면 상태에서는 육체의 온전한 휴식을 통해 피로를 회복한다고 설명했습니다.
② 1문단에서 생체 시계는 신체 리듬을 조절하고, 빛에 매우 민감하게 반응한다고 설명했습니다.
③ 1문단에서 태양빛이 사라지면 수면 중추가 자극되고 멜라토닌의 분비가 증가한다고 설명했습니다.
④ 비렘수면의 4단계는 서파 수면 상태를 의미합니다.

4 ㉠'실행치'는 '실행하지'가 '실행치'가 된 것입니다. 어간의 끝음절 '하'의 'ㅏ'가 줄고 'ㅎ'이 다음 음절의 첫소리 'ㅈ'과 어울려 거센소리 'ㅊ'으로 된 경우로 〈보기〉의 제40항에 해당합니다. ㉡의 '흔타' 역시 '흔하다'가 '흔타'가 된 것으로 어간의 끝음절 '하'의 'ㅏ'가 줄고 'ㅎ'이 다음 음절의 첫소리 'ㄷ'과 어울려 거센소리 'ㅌ'으로 된 경우입니다.

[오답 피하기] ② '익숙지'는 '익숙하지'의 준말로, 어간의 끝음절 '하'가 생략되어 '익숙지'가 된 것입니다. 〈보기〉의 [붙임 2] 어간의 끝음절 '하'가 아주 줄 적에는 준 대로 적는 경우에 해당합니다.
③, ⑤ '이렇다'는 '이러하다'가, '아무렇지'는 '아무러하지'가 바뀐 것으로, 'ㅎ'이 어간의 끝소리로 굳어진 것은 받침으로 적는 경우, 즉 〈보기〉의 [붙임 1]에 해당합니다.
④ '하마터면'은 부사로 굳어진 경우로 〈보기〉의 [붙임 3]에 해당합니다.

---

0 ⑤   **1** ④   **2** ②   **3** ⑤   **4** ②

Q 제진 기술에는 어떤 것들이 있을까요?

건물의 모서리를 둥글게 하는 방법, 건물 상층부의 단면적을 줄이거나 큰 구멍을 뚫는 방법, 건물을 뒤틀린 형태로 건설하는 방법처럼 건물의 외관을 바꾸는 방법과 제진 장치를 설치하는 방법이 있습니다.

이 글은 초고층 건물이 바람으로부터 안전하게 보호받을 수 있도록 하는 제진 기술에 대해 설명하고 있습니다. 제진 기술을 크게 건물의 외관을 바꾸는 방법과 제진 장치를 설치하는 방법으로 나누어 설명하고, 제진 장치의 원리와 그 효과를 덧붙이고 있습니다.

■ 문단으로 생각읽기

[도입 – 전개 – 전개 – 전개 – 정리]의 생각 구조

도입 —— 화제 소개
바람에도 끄떡없는 건물을 만들 수 있는 방법인 제진 기술을 소개함. (1문단)

전개 전개 전개 —— 방법 설명 1, 2
바람이 일으키는 진동을 줄이기 위해 건물의 외관을 바꾸는 방법을 제시함. (2, 3문단)

—— 방법 설명 3
진동을 흡수하는 제진 장치를 설치하는 방법을 제시함. (4문단)

정리 —— 원리와 효과 제시
제진 장치의 작동 원리를 분석하고 그 효과를 제시함. (5문단)

생각읽기가 수능이다

독해실전 **1** ㉠: 일반적 진술 ㉡: 구체적 내용

수능실전 **1** ②

0 이 글은 초고층 건물이 바람으로부터 안전하게 보호받을 수 있도록 하는 제진 기술에 대해 설명하고 있습니다. 글쓴이는 건물의 외관을 바꾸는 방법부터 제진 장치를 이용하는 방법까지 다양한 제진 기술에 대해 설명하고 있습니다.

출제 의도 글의 중심 내용을 묻는 문제로, 글쓴이가 전달하고자 하는 핵심 내용을 파악하고 있는지를 묻고 있습니다.

1 이 글에서는 제진 장치에 물을 사용하면 철을 사용했을 때보다 비용이 줄어들지만 대신에 제진 장치의 부피가 커진다고 하였을 뿐 물을 사용한 제진 장치가 철을 사용한 제진 장치에 비해 진동 흡수력이 떨어진다는 내용은 언급하지 않았습니다.

오답 피하기 ① 바람은 초고층 건물에 진동을 발생시키고 이로 인해 건물이 변형되거나 흔들릴 수 있습니다.
② 4문단에서 제진 장치는 건물의 상층부에 설치할수록 진동 제어 효과가 큰데, 이는 건물의 진동폭이 고층으로 갈수록 커지기 때문이라고 하였습니다.
③ 2문단에서 제진 기술로 건물의 모양을 바꾸는 방법이 사용된다고 하였습니다.
⑤ 2문단에서 건물을 위에서 내려다본 단면이 사각형인 경우 바람이 건물의 모서리에 부딪히면 일부 공기 덩어리가 떨어져 나가고 이 공기 덩어리가 소용돌이를 만든다고 하였습니다.

2 두바이의 B 호텔(321m)이 두 개의 객실 건물을 V자 모양의 날개처럼 설계한 것은 형태상의 아름다움과 관련되며, 이 글에서 설명한 제진 기술 중 이에 해당하는 것은 없습니다.

오답 피하기 ① 부산의 A 주상 복합 아파트(60층, 21m)는 2문단에서 설명한 건물 모서리의 형태를 둥글게 바꾸는 방법을 사용한 사례에 해당합니다.
③ 높이 505m인 C 세계 금융 센터는 3문단에서 설명한 바람이 건물에 부딪히지 않고 지나갈 수 있도록 건물 상층부에 큰 구멍을 뚫는 방법을 사용한 사례에 해당합니다.
④ 초고층 주상 복합 건물인 D는 3문단에서 설명한 건물 상층부의 단면적을 줄여 바람과 부딪히는 면적을 줄이는 방법을 사용한 사례에 해당합니다.
⑤ 인천 송도의 E 무역 센터는 3문단에서 설명한 꽈배기처럼 건물을 뒤틀어 바람의 영향을 최소화하는 방법을 사용한 사례에 해당합니다.

3 5문단에 따르면 제진 장치는 건물보다 4분의 1주기만큼 느리게 움직입니다. 그리고 건물이 중심축에서 왼쪽으로 향하면 제진 장치는 그대로 있다가, 건물이 왼쪽에서 다시 중심축(오른쪽)으로 향할 때 이와 반대로 움직입니다. 즉 제진 장치는 건물이 중심축으로 돌아올 때 그 방향과 반대 방향으로 움직임을 알 수 있습니다. 그런데 바람의 시작 방향은 오른쪽에서 왼쪽이라고 하였으므로 이를 그림에 적용해 보

면, 바람의 방향에 따라 건물이 왼쪽으로 움직일 때 제진 장치가 움직이지 않는 ⓓ가 첫 번째입니다. 또 건물은 좌우로 흔들린다고 하였으므로 다시 건물이 왼쪽에서 중심축 방향인 오른쪽으로 움직일 때 제진 장치는 그 반대 방향인 왼쪽으로 움직이므로 ⓒ가 두 번째입니다. 이어서 건물이 중심축 방향에서 더 오른쪽으로 움직일 때 제진 장치는 다시 중심축으로 돌아오므로 세 번째는 ⓑ입니다. 그리고 건물이 오른쪽에서 중심축 방향인 왼쪽으로 돌아올 때 제진 장치는 그 반대 방향인 오른쪽으로 움직이므로 ⓐ가 네 번째입니다. 그러므로 순서는 ⓓ → ⓒ → ⓑ → ⓐ가 됩니다.

4 건축에서 테이퍼링 효과를 이용하는 이유는 건물을 보호하기 위해서입니다. 높이가 증가할 때 건물의 단면이 작아져 진동이 줄어드는 현상을 테이퍼링 효과라 하는데, 저층부의 단면적보다 고층부의 단면적이 작은 경우 테이퍼링 효과를 얻어 바람으로부터 건물을 보호할 수 있기 때문입니다.

생각읽기 3 자본주의의 토대가 된 시장 경제

0 ③   **1** ③   **2** ③   **3** ⑤   **4** ⑤

Q 애덤 스미스가 시장 경제에 미친 영향은 무엇인가요?

애덤 스미스는 시장 질서의 운영 원리를 명확하게 밝혀내고 시장 경제에 대한 이해를 바탕으로 자본주의 체제의 토대를 마련하였습니다.

이 글은 시장 경제 체제, 즉 자본주의 체제에는 어떤 특징이 있으며, 어떻게 발전해 왔는가를 설명하고 있습니다. 먼저 시장에 자율적인 질서가 있다는 점을 밝히고, 자본주의 체제의 핵심적인 원리의 토대를 마련한 애덤 스미스의 자유 시장 경제 이론을 소개하고 있습니다. 특히 시장에서의 자유를 중시하는 스미스의 견해와, 시장 참여자인 생산자와 소비자들의 사적 이익(욕망) 추구가 결과적으로 사회 및 국가 전체의 분배의 효율성과 부의 증대를 가져온다는 자유 시장 경제 이론의 특성을 제시하고 있습니다.

■ 문단으로 생각읽기

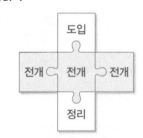

[도입 – 전개 – 전개 – 전개 – 정리]의 생각 구조

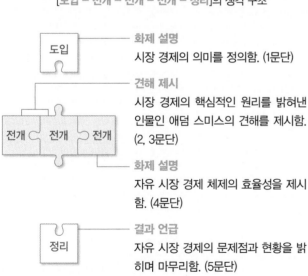

도입 ── **화제 설명**
시장 경제의 의미를 정의함. (1문단)

── **견해 제시**
시장 경제의 핵심적인 원리를 밝혀낸 인물인 애덤 스미스의 견해를 제시함. (2, 3문단)

전개 전개 전개 ── **화제 설명**
자유 시장 경제 체제의 효율성을 제시함. (4문단)

정리 ── **결과 언급**
자유 시장 경제의 문제점과 현황을 밝히며 마무리함. (5문단)

0 5문단에서는 자유 시장 경제 체제가 문제점을 가지고 있어서 새로운 체제인 공산주의, 사회주의 체제가 등장했고, 서로 경쟁하다가 결국 수정된 자유 시장 경제 체제로 발전하게 되었다고 설명했습니다.

출제 의도 글의 핵심 정보와 세부 정보를 파악하고 있는지 묻는 문제입니다. 중심 화제와 관련된 내용은 물론 이를 뒷받침하기 위해 제시된 내용도 파악해야 합니다.

오답 피하기 ① 1문단에서 시장 질서의 성격을 '자생적 혹은 자발적 질서'라고 설명했습니다.
② 4문단에서 시장 경제 체제에서 보이지 않는 손에 의해 시장의 가격 및 수요량, 공급량이 결정된다는 원리를 설명했습니다.
④ 5문단에서 분배의 불평등, 환경 오염 등의 문제점을 설명했습니다.
⑤ 2문단에서 사회 전체가 풍요로워진다는 장점, 3문단에서 자원의 배분이 효율적으로 이루어진다는 장점을 설명했습니다.

1 시장 경제는 애덤 스미스의 경제 이론을 바탕으로 탄생한 것이 아니라 이미 존재하고 있던 시장 경제의 본질과 원리에 대해 애덤 스미스가 이론적으로 정리한 것입니다.

2 〈보기〉는 시장이 실패하는 경우를 제시한 것인데, 시장 실패란 시장이 효율적인 자원 배분을 이루어 내지 못하는 현상을 말합니다. 〈보기〉에서 시장이 실패한 이유는 독과점 때문입니다. 독과점은 시장에 대한 지배력을 가진 기업이 상품의 가격과 수량을 마음대로 정해 이익을 취하는 것을 말합니다. 이는 시장의 여건이 자유 경쟁에서 독과점으로 불완전하게 바뀌어서 '보이지 않는 손'이 제대로 작동하지 못하는 경우로 볼 수 있습니다.

오답 피하기 ① 〈보기〉는 소비자가 시장에 적극적으로 참여하지 않아 시장 경제가 실패한 경우가 아닙니다.
② 〈보기〉는 정부가 시장에 지나치게 개입하여 시장의 자발적 질서가 사라진 경우가 아니라 '보이지 않는 손'이 제대로 작동하지 못하는 경우입니다.
④ 〈보기〉는 상품이 가진 특성에 기인한 것이 아니라 독과점으로 인해 '보이지 않는 손'이 제대로 작동하지 못하는 경우에 해당합니다.
⑤ 품질이 낮은 상품을 시장에 공급하는 것과 〈보기〉는 관계가 없습니다.

3 5문단을 통해 모든 체제는 자유 시장 경제 체제로 모아지게 되었음을 알 수 있습니다. 또한 2문단을 통해 인간적 특성에 보다 적합하도록 고안된 체제이자 인간의 창조성을 가장 잘 발휘하도록 고안된 체제가 시장 경제 체제라는 것을 알 수 있습니다. 〈보기〉는 공산주의와 사회주의를 설명하고 있는데, 개인의 사유 재산을 인정하지 않거나 생산 수단을

사회적으로 공유하는 체제입니다. 이러한 체제가 실패한 것은 5문단에서 알 수 있듯이, '인간의 자발성과 창조성을 이끌어 낼 수 없었기 때문'입니다. 따라서 공산주의나 사회주의와 달리, 자유 시장 경제 체제가 정착된 것은 인간의 자발성과 창조성을 이끌어 내었기 때문이라고 볼 수 있습니다.

4 '수렴'의 사전적 의미는 '의견이나 사상 따위가 여럿으로 나뉘어 있는 것을 하나로 모아 정리함.'입니다. '어떤 일을 하여 얻은 성과'의 뜻을 지닌 단어는 '수확'입니다.

4 자연의 성질, 카오스

0 ⑤	1 ②	2 ③	3 ②	4 ⑤

Q 카오스와 프랙탈이란 무엇인가요?

카오스는 초기 조건의 변화에 따라 민감하게 반응하여 예측 불가능한 방향으로 변화하는 성질을 의미하며 프랙탈은 세부 구조가 전체 구조를 반복하며 되풀이되는 양상을 의미합니다.

이 글은 자연의 성질인 카오스의 개념과 그 의의에 대해 설명하고 있습니다. 카오스는 초기 조건에 따라 예측 불가능한 상태에 놓이기 쉬운 민감한 특성을 의미합니다. 카오스는 자연계 도처에서 발견되는 특성으로 자연의 복잡성을 이해하는 단서가 됩니다. 카오스 특성을 가진 시스템은 세부 구조가 전체 구조를 반복하는 프랙탈적인 성질을 보이며 카오스와 프랙탈은 자연의 '복잡하면서도 나름의 질서가 있는 구조'를 이해하는 중요한 개념으로 받아들여지고 있습니다.

■ 문단으로 생각읽기

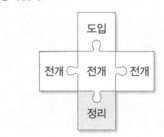

[도입 – 전개 – 전개 – 전개 – 정리]의 생각 구조

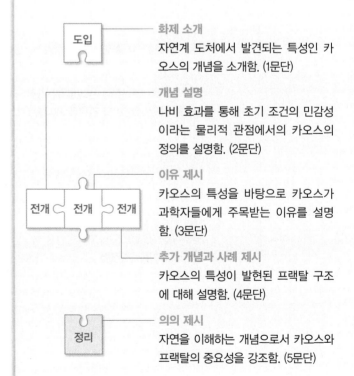

도입 ── **화제 소개**
자연계 도처에서 발견되는 특성인 카오스의 개념을 소개함. (1문단)

── **개념 설명**
나비 효과를 통해 초기 조건의 민감성이라는 물리적 관점에서의 카오스의 정의를 설명함. (2문단)

── **이유 제시**
카오스의 특성을 바탕으로 카오스가 과학자들에게 주목받는 이유를 설명함. (3문단)

전개 ─ 전개 ─ 전개

── **추가 개념과 사례 제시**
카오스의 특성이 발현된 프랙탈 구조에 대해 설명함. (4문단)

정리 ── **의의 제시**
자연을 이해하는 개념으로서 카오스와 프랙탈의 중요성을 강조함. (5문단)

0 이 글에서는 자연에서 발견되는 특성인 카오스의 개념을 소개하고, 카오스의 특성이 발현된 프랙탈적 성질을 소개하면서 자연을 이해하는 개념으로서의 카오스와 프랙탈의 중요성을 강조하고 있습니다.

출제 의도 문제에서 중심 내용을 묻는 것은 글의 전체 내용을 바탕으로 중심 화제와 글의 목적을 파악할 수 있는지 확인하기 위해서입니다.

오답 피하기 ① 5문단의 '자연이 만들어 내는 '복잡하면서도 그 안에 나름의 질서가 있는 구조'가 무작위적으로 만들어진 것이 아니라 카오스 성질에 의해 발현된 것'이라는 내용을 통해 카오스는 무작위적으로 일어나는 것이 아님을 확인할 수 있습니다.
② 2문단에서 제시한 나비 효과 이론은 카오스의 개념을 설명하기 위한 것으로, 이 글의 중심 내용으로 보기는 어렵습니다.
③ 예측 불가능하다는 점에서 날씨가 카오스의 특성을 가지고 있다고 볼 수 있으나, 이 글은 날씨 예측에 카오스가 미치는 영향에 대해 설명하려는 글은 아닙니다.
④ 카오스는 수학자인 제임스 요크가 처음 도입한 개념이기는 하지만, 카오스가 현대 수학에 미친 영향에 대해서는 설명하고 있지 않습니다.

1 이 글은 중심 화제인 카오스라는 개념이 등장하게 된 배경을 소개한 후, 카오스의 정의와 특성, 그 활용 분야에 대해 설명하고 있습니다.

오답 피하기 ① 중심 화제인 카오스의 특성에 대해서는 설명하였으나, 특성이 변화하는 과정을 서술하고 있지는 않습니다.
③ 카오스 및 프랙탈과 관련된 사례들을 제시하였으나, 이를 유형별로 분류하지는 않았습니다.
④ 카오스에 대한 이론이 후속 연구에 의해 보완되는 과정은 이 글에 나오지 않았습니다.
⑤ 카오스의 역사적 기원에 대한 가설은 이 글에 나오지 않았습니다.

2 1문단에서 카오스라는 단어는 수학자 제임스 요크의 논문에서 처음으로 도입되었다고 하였으며, 2문단에서 카오스라는 개념은 날씨 예측을 위해 처음으로 제안되었음을 알 수 있습니다.

오답 피하기 ① 1문단의 '코스모스를 잉태하기 전 카오스 상태라는 창세기 구절에서 따온 말로 그 안에 질서를 품고 있다는 의미를 내포하고 있다.'에서 확인할 수 있습니다.
② 2문단에 따르면, 날씨 변화는 고도에 따른 기온과 기압 등의 함수 관계로 나타내는데, 그 관계가 매우 복잡하고 비선형적이어서 작은 변화에도 큰 영향을 받을 수 있어 날씨의 장기 예측은 본질적으로 불가능하다고 했습니다.
④ 3문단에 따르면, 20세기 전까지 과학자들은 모든 자연계를 결정론적인 시스템과 확률론적인 시스템으로 나누어 이해해 왔습니다. 그러나 비선형적인 특성과 복합한 상호 작용에 의해 결정론적 시스템이 복잡성을 보이고 예측 불가능한 상태에 놓일 수 있음을 이해하

지 못했는데, 카오스 개념을 도입하면서 카오스로 이를 설명할 수 있을 것이라는 가능성이 제시되었습니다.
⑤ 4문단에 따르면 프랙탈은 같은 구조가 끊임없이 반복되어 되풀이되는 양상으로, 나무줄기가 가지를 치는 모양 등 자연에서 흔히 프랙탈 패턴을 발견할 수 있습니다.

3 카오스(㉠) 현상을 가장 잘 보여 주는 개념이 프랙탈(㉡) 구조입니다. 카오스 특성을 가진 시스템이 시공간적으로 만들어 내는 패턴이 프랙탈적인 성질을 보이기 때문입니다.

4 수차의 회전 운동은 예측 불가능하지만 무거운 컵이 있는 쪽으로 회전한다는 나름의 질서가 있습니다. 이를 바탕으로 할 때 수차의 회전 방향이 무거운 쪽으로 도는 질서는 결정론적인 시스템과 관련된다고 볼 수 있으나, 왼쪽과 오른쪽 중 어느 쪽이 될지는 예측 가능한 것이 아니므로 결정론적인 시스템에 의해 방향이 결정된다고 보는 것은 적절하지 않습니다.

오답 피하기 ① 수차의 회전 속도가 느려지기도 하고 빨라지기도 하며 일정하지 않다는 점에서 비선형적 특성을 가지고 있다고 볼 수 있습니다.
② 수차의 움직임은 예측 불가능한 방식인 카오스에 따르고 있는데, 이는 '매우 복잡한 혼돈 양상'이라는 말로 표현할 수 있습니다.
③ 수차는 예측 불가능한 방식으로 회전하지만, 그럼에도 무거운 컵 쪽으로 돈다는 질서를 가지고 있습니다.
④ 아주 작은 물방울로도 수차의 회전 양상이 크게 달라질 수 있습니다.

5 언어에 대한 다양한 접근법

생각읽기

| **0** ④ | **1** ⑤ | **2** ③ | **3** ④ | **4** ② |

Q 언어의 도구적 기능은 무엇인가요?

언어는 인간의 생각, 느낌, 사물을 표현하거나 지시하는 도구로서의 기능을 합니다.

이 글은 언어의 특징과 언어에 대한 다양한 접근법에 대해 설명하고 있습니다. 언어의 기호성, 창조성, 상호 관련성이라는 언어의 본질적 속성을 제시하고 언어에 대한 다양한 접근법을 설명하고 있습니다.

■ 문단으로 생각읽기

[도입 – 전개 – 전개 – 전개 – 정리]의 생각 구조

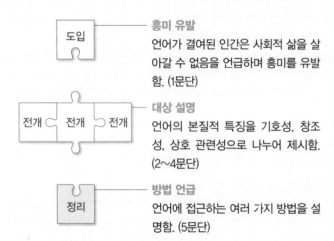

도입 — 흥미 유발
언어가 결여된 인간은 사회적 삶을 살아갈 수 없음을 언급하며 흥미를 유발함. (1문단)

전개 전개 전개 — 대상 설명
언어의 본질적 특징을 기호성, 창조성, 상호 관련성으로 나누어 제시함. (2~4문단)

정리 — 방법 언급
언어에 접근하는 여러 가지 방법을 설명함. (5문단)

0 이 글은 언어의 특징과 언어에 대한 접근법을 설명하고 있습니다. 글의 전반부에서는 언어가 지닌 세 가지의 특성(기호성, 창조성, 상호 관련성)을 설명하고, 글의 후반부에서는 언어의 다양한 접근법에 대해 설명하고 있습니다.

출제 의도 글의 핵심 화제를 묻는 문제로 글쓴이가 전달하고자 하는 핵심 내용을 파악하고 있는가를 묻고 있습니다.

오답 피하기 ① 언어가 사회적 삶에 필수적이라는 내용 외에 언어와 사회의 관계에 대한 내용은 찾아볼 수 없습니다.
② 언어를 통한 의사소통 과정은 이 글의 중심 내용이라 보기 어려우며 의사소통의 한계에 대한 내용도 이 글에서 찾아볼 수 없습니다.
③ 언어의 예술적 특성과 미학적 요소에 대해 설명하지 않았습니다.
⑤ 언어의 본질적 속성과 관련된 내용은 나타나지만 언어의 생성 과정과 관련된 내용은 이 글에서 찾아볼 수 없습니다.

1 2문단에 따르면 언어에서는 대상의 의미와 이를 나타내는 음성·문자와의 결합이 필연적이지 않습니다. 이는 대상을 나타내는 음성·문자가 반드시 그 대상을 나타내야 한다는 필연적인 이유가 없다는 의미입니다.

오답 피하기 ① 1문단의 '언어가 결여된 인간은 사회적 삶을 온전하게 영위할 수 없다.'라는 내용을 통해 언어가 인간의 사회적 삶에 필수적인 요소라는 것을 알 수 있습니다.
② 4문단의 '언어의 구성 요소들은 상호 관련성을 맺고 있는 복잡한 체계를 형성하고 있'다는 내용을 통해 확인할 수 있습니다.
③ 2문단의 '인간의 언어는 의미와 소리·이미지의 결합으로 이루어진 기호 체계'라는 내용을 통해 확인할 수 있습니다.
④ 3문단의 '언어는 유한한 요소로 무한한 수의 문장을 생성할 수 있는 창조성을 지니고 있다.'라는 내용을 통해 확인할 수 있습니다.

2 ㉠은 언어가 상호 연결되어 하나의 단어가 하나의 의미만으로 그치는 것이 아니라 다른 이미지를 불러오기도 한다는 것입니다. ③의 '비둘기'는 사전적으로는 '비둘기목의 새를 통틀어 이르는 말'이라고 정의되어 있지만 '비둘기'에는 '평화'의 이미지도 담겨 있습니다. 이는 오랫동안 '비둘기'가 평화를 상징하는 동물로 사람들에게 관습적으로 인식되었기 때문이므로 ㉠에 해당하는 것으로 볼 수 있습니다.

오답 피하기 ① '아름답다'라는 단어가 가지고 있는 이미지의 잠재적 의미에 대한 설명이 아니므로 ㉠의 예시로 적절하지 않습니다.
② '사랑'과 'Love'는 모두 누군가를 좋아하는 감정이라는 하나의 뜻을 가지고 있으므로, 하나의 언어가 여러 가지 의미를 가지는 ㉠의 예시로 적절하지 않습니다.
④ '어리다'라는 언어가 가지는 표면적 의미 외에 이면적 의미를 설명하는 것이 아니라 시대가 변함에 따라 언어가 가지는 의미가 변화하는 경우이므로, ㉠의 예시로 적절하지 않습니다.
⑤ 시대가 변함에 따라 언어가 사용되지 않는 경우이므로, ㉠의 예시로 적절하지 않습니다.

3 ㉮와 ㉯의 가장 중요한 차이점은 화자와 언어의 우선순위를 어디에 두느냐입니다. ㉮는 의미나 의도를 지닌 화자를 우선시하지만 ㉯는 언어 덕분에 화자의 의도가 전달될 수 있다는 점에서 언어를 우선시합니다. 따라서 ㉮는 의미를 전달하는 화자를 중시하지만, ㉯는 기호 체계로서의 언어의 독립성을 중시함을 확인할 수 있습니다.

오답 피하기 ① ㉮는 언어를 사고의 소통을 위한 운반체라고 보기 때문에 화자를 언어에 선행하는 요소로 본다고 할 수 있습니다. 반면에 〈보기〉의 '화자들은 언어 안에서 구성되는 것으로 여겨지며, 결코 존재론적으로 언어에 선행하는 것으로 여겨지지 않는다.'라는 내용을 통해 ㉯는 화자를 언어에 선행하는 것으로 여기지 않음을 알 수 있습니다.
② 〈보기〉의 '화자들은 언어 안에서 구성되는 것으로 여겨'진다는 내용을 통해 화자가 언어 체계 안에서 구성되는 것으로 보는 것은 ㉮가 아니라 ㉯임을 알 수 있습니다.
③ 5문단에서 ㉮는 언어를 사고의 소통을 위한 운반체로, 언어는 의도나 의미를 전달하기 위한 부차적 도구라고 하였습니다. 그리고 〈보기〉에서 ㉯는 언어를 기호 체계이자 존재론적으로 독립하는 의미적 과정이라고 하였습니다. 이로 볼 때 ㉮는 언어를 화자의 의미 전달에 부속되는 전달 도구로 여기지만 ㉯는 언어를 기호 체계이자 독립적인 존재로 인식하고 있음을 알 수 있습니다.
⑤ 〈보기〉에 따르면 ㉯는 화자와 언어를 독립적인 것으로 여기며, 오히려 화자들이 언어 안에서 구성된다고 생각하고 있습니다. 그리고 언어의 존재 덕분에 화자의 의도도 가능해진다고 하였으므로, ㉯가 화자가 있어 언어의 기능이 살아난다고 평가하는 것은 적절하지 않습니다.

4 ⓐ와 바꿔 쓰기에 적절한 말은 '지시하는'입니다. '지시(指示)하다'는 '가리켜 보게 하다.'라는 뜻을 지니고 있습니다.

오답 피하기 ① '지명하다'는 '여러 사람 가운데 누구의 이름을 지정하여 가리키다.'라는 뜻입니다.
③ '지정하다'는 '가리키어 확실하게 정하다.'라는 뜻입니다.
④ '지목하다'는 '사람이나 사물을 어떠하다고 가리켜 정하다.'라는 뜻입니다.
⑤ '지원하다'는 '지지하여 돕다.'라는 뜻입니다.

Q 기울어진 자전축과 지구의 공전으로 인해 나타나는 북극의 특이한 기후 현상은 무엇인가요?

낮과 밤이 1년 단위로 나타나 24시간 해가 떠 있는 백야가 나타납니다.

이 글은 북극의 기후적 특징과 이러한 북극의 기후가 지구 전체의 기후 시스템에 어떤 역할을 하는지에 대해 설명하고 있습니다. 북극은 바다 위에 얼음이 쌓여 이루어져 있으며, 그 면적은 계절마다 달라지는데, 중심 지역과 주변 지역의 기후에 차이가 납니다. 북극은 지형적인 특성으로 인해 북대서양 해류의 영향을 받으며, 기울어진 자전축으로 인해 낮과 밤이 계절별로 나타나며, 낮이 지속되는 여름에도 태양 복사 에너지를 흡수하는 양이 매우 적습니다. 또한 북극 바다는 지구 전체의 이산화 탄소 농도를 낮추고, 북극의 눈과 얼음은 지구 전체의 태양 복사 에너지 흡수량을 낮추어, 지구 기후 시스템을 안정시키는 역할을 합니다.

■ **문단으로 생각읽기**

[도입 – 전개 – 반박 – 주장 – 정리]의 생각 구조

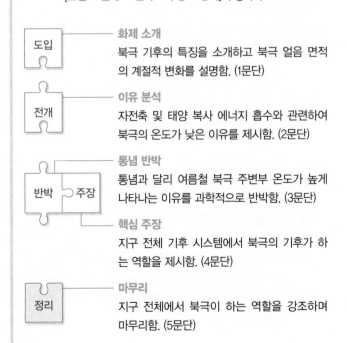

도입 — 화제 소개
북극 기후의 특징을 소개하고 북극 얼음 면적의 계절적 변화를 설명함. (1문단)

전개 — 이유 분석
자전축 및 태양 복사 에너지 흡수와 관련하여 북극의 온도가 낮은 이유를 제시함. (2문단)

반박 — 통념 반박
통념과 달리 여름철 북극 주변부 온도가 높게 나타나는 이유를 과학적으로 반박함. (3문단)

주장 — 핵심 주장
지구 전체 기후 시스템에서 북극의 기후가 하는 역할을 제시함. (4문단)

정리 — 마무리
지구 전체에서 북극이 하는 역할을 강조하며 마무리함. (5문단)

0 이 글에서는 북극의 기후가 지닌 특징을 중심으로 설명한 다음, 북극의 기후가 지구 전체 기후 시스템을 안정적으로 유지하게 만드는 기능을 한다는 점을 과학적으로 설명하고 있습니다.

오답피하기 ① 북극의 기후에 대한 설명은 나와 있으나 남극의 기후에 대한 설명은 따로 나오지 않았습니다.
② 북극에서 낮의 길이와 기온의 관계에 대한 언급은 나와 있지만, 전체 글의 중심 내용은 북극의 기후가 지구 기후 시스템에 미치는 영향이므로 적절하지 않습니다.
④ 5문단에서 이산화탄소와 지구 온도 변화에 대해 설명하고 있으나, 전체 글의 중심 내용으로 보기는 어렵습니다.
⑤ 대기와 해류에 의해 순환되는 태양 복사 에너지는 글의 일부 내용일 뿐, 이 글 전체의 중심 내용으로 보기는 어렵습니다.

1 이 글에서는 복사 에너지, 구름의 양, 이산화 탄소 농도 등에 대한 과학적 지식을 바탕으로 중심 화제인 북극 기후 시스템이 지닌 특징에 대해 설명하고 있습니다.

오답피하기 ② 북극 기후 시스템의 특징을 설명하고 있을 뿐 전문가의 말을 인용하여 특정 현상의 원인을 밝히고 있지 않습니다.
③ 자연 현상인 북극의 기후에 대해 설명하고 있는 것은 맞으나, 시간 순서에 따라 자연 현상의 과정을 설명하고 있는 것은 아닙니다.
④ 가설을 세우고 타당성을 입증하는 방식은 이 글에 나타나지 않았습니다.
⑤ 북극 기후 시스템의 특징을 설명하면서 다른 대상과의 유사성을 제시하고 있지 않습니다.

2 적도 지역은 하루 중 낮과 밤이 변화되지만, 여름철 북극은 24시간 내내 해가 떠 있는 백야 현상이 나타므로 해가 떠 있는 시간이 더 깁니다. 그러나 북극은 태양에서부터 오는 열복사 에너지가 두꺼운 대기층을 통과하면서 흡수되고 산란되기 때문에, 실제 북극에 도달하는 복사 에너지의 양이 작습니다. 그래서 여름철 북극은 계속해서 해가 떠 있음에도 불구하고 적도 지역보다 기온이 더 낮게 나타나는 것입니다.

오답피하기 ① 3문단에 따르면, 북극해는 난류인 북대서양 해류의 영향으로 인해 북극 주변부의 기온이 높게 나타납니다.
② 2~3문단에 따르면, 북극은 대륙으로 둘러싸여 있지만 넓은 노르웨이해를 통해 대서양과 연결되어 있으며, 이로 인해 북대서양 해류의 영향을 받게 됩니다. 또한 기울어진 자전축으로 인해 백야 현상과 극야 현상이 나타납니다.
③ 2문단에 따르면, 겨울철 북극은 해가 뜨지 않는 극야 현상이 나타나므로 햇빛을 통해 전달되는 열복사 에너지가 닿지 않아 기온이 더 내려가며 이로 인해 얼음 면적은 증가합니다.
④ 1문단에 따르면, 여름철 북극의 얼음 면적은 겨울철의 약 30% 정도로 줄어듭니다.

3 3문단에 여름철 북극 기온이 통념보다 높게 나타나는 이유가 제시되어 있습니다. 먼저 따뜻한 북대서양 해류의 영향으로 북극해 주변 대기의 기온이 높아지기 때문이며(ㄱ), 백야 현상이 나타나 낮이 지속되므로 태양 복사 에너지를 적게나마 받고 있기 때문이라고 설명하고 있습니다(ㄷ).

오답피하기 ㄴ. 얼음은 적은 양이나마 북극 표면에 도착한 열복사 에너지를 반사시키므로, 북극의 온도를 낮추게 됩니다.
ㄹ. 태양 복사 에너지가 대기층에 흡수·산란되는 것은 북극에 도달하는 열복사 에너지의 양을 줄어들게 만드는 요인이므로, 이는 북극의 온도가 낮아지는 이유에 해당합니다.

4 4문단에서 북극은 이산화 탄소를 흡수하여 대기 중 이산화 탄소 농도를 낮추고, 북극의 눈과 얼음이 태양 복사 에너지를 반사함으로써, 지구 전체의 태양 복사 에너지 흡수량을 낮춘다고 설명했습니다. 따라서 여름철 북극 해빙이 사라지면 북극해의 바다 면적이 늘어나므로 이산화 탄소 농도는 낮아지게 됩니다. 그런데 태양 복사 에너지를 반사하는 눈과 얼음이 사라지면, 지구 전체가 흡수하는 태양 복사 에너지의 양도 늘어나게 될 것입니다.

오답피하기 ①, ②, ④ 〈보기〉에서 겨울철 두꺼운 해빙 면적이 줄어든 것의 의미는 북극 해빙 전체 면적이 줄어든 것이 아니라, 겨울철 북극해를 뒤덮고 있는 해빙 중 두꺼운 해빙의 면적이 줄어든 것을 의미합니다. 따라서 북극 바닷물이 대기와 맞닿아 이산화 탄소를 흡수하는 것과는 전혀 관련이 없습니다.
⑤ 대기 중 이산화 탄소가 북극해에 더 많이 녹으면 이산화 탄소 농도가 더 낮아지게 되는데, 이는 온실 효과를 감소시키는 원인일 뿐, 북극 해빙 면적이 줄어드는 원인으로 보는 것은 적절하지 않습니다.

생각의 구조화 MIND MAP

생각읽기1 ⓒ	생각읽기2 ⓛ	생각읽기3 ⓔ
생각읽기4 ⓛ	생각읽기5 ⓛ	생각읽기6 ㉠
1 렘수면	2 제진	3 시장 경제
4 프랙탈	5 언어	6 이산화 탄소

생각읽기 1 앨빈 토플러의 미래학

0 ② **1** ③ **2** ③ **3** ⑤ **4** ⑤

Q 토플러가 물결 이론에서 설명한 세 가지 물결은 무엇인가요?

제1의 물결은 농업 혁명, 제2의 물결은 산업 혁명, 제3의 물결은 정보 혁명입니다.

이 글은 앨빈 토플러의 미래학을 물결 이론에 초점을 두어 소개하고 있습니다. 토플러는 사회 변화를 물결에 비유하여 제1의 물결은 농업 혁명, 제2의 물결은 산업 혁명, 제3의 물결은 정보 혁명으로 보았는데, 이 글에서는 이에 대해 자세히 설명하고 있습니다. 그리고 토플러의 미래학이 상반된 평가를 받고는 있지만, 정보 사회와 연관된 세계화 현상을 분석하고 세계의 미래를 예측하는 데 상당한 근거를 제공한다는 점에서 의의가 있음을 밝히며 글을 마무리하고 있습니다.

■ 문단으로 생각읽기

[도입 – 전개 – 전개 – 정리]의 생각 구조

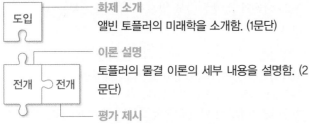

도입 ── 화제 소개
앨빈 토플러의 미래학을 소개함. (1문단)

전개 전개 ── 이론 설명
토플러의 물결 이론의 세부 내용을 설명함. (2문단)

── 평가 제시
미래학에 대한 상반된 평가와 미래학의 성과 및 한계를 제시함. (3문단)

정리 ── 마무리
미래학의 의의를 밝히며 글을 마무리함. (4문단)

생각읽기가 수능이다

독해실전 **1** 인간의 본성

수능실전 **1** ①

---

0 앨빈 토플러는 산업 사회를 대량 생산과 대량 분배 등에 기반을 둔 사회로 설명했는데, '기업의 조직화'는 정보화 사회가 아닌 '산업 사회'의 특징에 해당합니다.

> **출제 의도** 앨빈 토플러가 예측한 미래 사회의 특징을 알고 있는지 확인하는 문제입니다. 토플러가 예견한 제3의 물결 이후 정보화 사회의 특징을 파악해야 합니다.

1 이 글은 앨빈 토플러의 미래학에 대해 설명하고 있습니다. 특히 토플러의 물결 이론을 통해 사회의 변동 과정을 분석적으로 제시하고 미래학에 대한 상반된 평가를 소개하며 미래학의 성과와 한계를 밝히고 있습니다.

2 농경 사회는 농경과 목축을 주로 하는 생산 경제 시대에 해당합니다. 대량 생산은 산업 사회의 특징에 해당하므로 ③의 설명은 적절하지 않습니다.

> **오답 피하기** ① 1문단에서 토플러가 저서 『제3의 물결』에서 물결 이론을 펼쳤다고 언급한 뒤, 2문단에서 세 번의 커다란 사회 변화를 물결에 비유하였다고 하며 이를 자세히 설명하고 있습니다.
> ② 2문단에서 제1의 물결은 농업 혁명으로, 채집과 수렵을 중심으로 하던 사회에서 농경 사회로의 변화를 뜻한다고 하였습니다.
> ④ 2문단을 통해 물결 이론에서 다음 단계의 물결로 변화하는 기간이 점차 짧아진다고 보았음을 확인할 수 있습니다.
> ⑤ 2문단의 후반부에서 토플러가 정보화 사회에서는 다양한 생활 방식이 존재하며 재택근무도 일상화될 것이라고 예측했음을 확인할 수 있습니다.

3 3문단에 따르면 미래학이 미래 사회를 이해하기 위한 의미 있는 근거를 제공했다는 점은 성과로 볼 수 있으나, 미래의 긍정적인 측면에만 주목했다는 점은 한계로 지적하고 있습니다. 그러므로 미래학에 대한 입장이 다른 하나는 미래학이 기술 발달의 긍정적 측면만 과도하게 강조했다고 하며 그 한계를 지적하는 ⑤입니다. 나머지는 미래학의 긍정적 측면, 의의를 다룬 입장에 해당합니다.

4 '원천'은 '사물의 근원'을 뜻하는 말로, ⑤의 문장에는 문맥상 '원천'이 아닌 '원본'이 들어가는 것이 적절합니다.

> **오답 피하기** ① '단연'은 '확실히 단정할 만하게'라는 말입니다.
> ② '변혁'은 '급격하게 바꾸어 아주 달라지게 함.'이라는 말입니다.
> ③ '은폐'는 '덮어 감추거나 가리어 숨김.'이라는 말입니다.
> ④ '부각'은 '어떤 사물을 특징지어 두드러지게 함.'이라는 말입니다.

생각읽기 2 어느 정도 소비하는 것이 좋을까

0 ㉮ 감소, ㉯ 상충　　**1** ③　　**2** ③　　**3** ②
4 ④

Q 현재 소비와 미래 소비의 합리적인 양을 결정하기 위해 먼저 계산해야 하는 것은 무엇인가요?
개인이 평생 벌 수 있는 소득을 계산해야 합니다.

이 글은 현재 소비와 미래 소비가 상충 관계에 있다는 사실을 토대로 어느 정도 소비하는 것이 합리적인지를 분석적으로 설명하고 있습니다. 현재 소비를 줄이는 데는 고통이 따르지만 미래의 이자 수입을 생각한다면 현재의 소비를 줄이는 것이 적절합니다. 하지만 인간의 시간 선호 현상 때문에 이는 현실적으로 어려우므로 평생을 고려한 합리적인 소비란 오늘과 내일, 그리고 모레 모두 같은 양을 소비하는 것임을 밝히고 있습니다.

■ 문단으로 생각읽기

[도입 – 전개 – 전개 – 정리]의 생각 구조

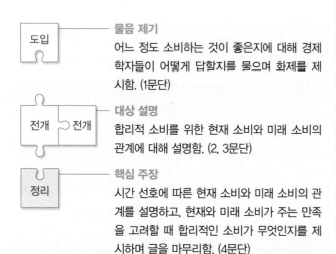

도입 ― 물음 제기
어느 정도 소비하는 것이 좋은지에 대해 경제학자들이 어떻게 답할지를 물으며 화제를 제시함. (1문단)

전개 전개 ― 대상 설명
합리적 소비를 위한 현재 소비와 미래 소비의 관계에 대해 설명함. (2, 3문단)

정리 ― 핵심 주장
시간 선호에 따른 현재 소비와 미래 소비의 관계를 설명하고, 현재와 미래 소비가 주는 만족을 고려할 때 합리적인 소비가 무엇인지를 제시하며 글을 마무리함. (4문단)

0 평생 벌 수 있는 돈이 어느 정도 고정되어 있다고 한다면, 현재 소비량이 증가할 때 미래에 소비할 수 있는 돈은 줄어듭니다. 따라서 현재 소비와 미래 소비는 상충 관계에 있다고 이해할 수 있습니다. 이를 고려할 때, ㉮는 '감소', ㉯는 '상충'이 들어가는 것이 적절합니다.

　출제 의도 현재 소비와 미래 소비의 관계를 바르게 이해하고 있는지 묻는 문제입니다. 글에 설명된 내용을 토대로 둘의 관계를 파악할 수 있어야 합니다.

1 2문단을 보면, 경제학적 관점에서 돈을 버는 목적은 부자가 되는 것이 아니며, 소비를 통해 만족을 얻는 것입니다. 이에 따르면 번 돈을 모두 소비하고 죽는 것이 합리적이라고 볼 수 있으므로 ㉠에 대한 경제학자의 대답으로 가장 적절한 것은 ③입니다.

2 ㉡은 미래를 위해 현재 소비가 주는 즐거움을 포기하고 현재의 소비를 줄여 저축을 한다는 내용입니다. 이러한 사례로 가장 적절한 것은 10년 후에 있을 여행을 위해 현재 소득을 모두 소비하지 않고 저축한다는 내용을 담고 있는 ③입니다.

3 4문단에 따르면 현재와 미래의 소비가 주는 만족을 생각해 최적의 소비량을 결정할 때, 평생을 고려한 가장 합리적인 소비는 오늘과 내일, 그리고 모레 모두 같은 양을 소비하는 것입니다. 따라서 가장 합리적인 소비 계획을 세운 것은 현재와 미래의 소비를 같은 양으로 나누어 계획을 세운 ②입니다.

　오답 피하기 ① 사람들은 미래보다 현재를 선호하는 시간 선호를 가지고 있는데, 미래 소비를 위해 현재 소비를 줄이면 고통이 따르기 때문에 합리적 소비라고 할 수 없습니다.
③ 현재를 미래보다 더 중요시하는 시간 선호는 사람들의 일반적인 경향이므로 현재를 즐기는 것은 당연한 일이나 미래를 생각하지 않는 이러한 소비를 합리적이라고 보기는 어렵습니다.
④ 현재 소비를 늘리게 되면 미래 소비의 양이 줄어들어 미래에 대비할 수 없으므로 합리적 소비라고 할 수 없습니다.
⑤ 평생 벌 수 있는 소득을 기준으로 현재의 소비를 최대한으로 늘리면 미래에 쓸 수 있는 돈이 줄어들게 되므로 비합리적입니다.

4 문맥을 고려할 때 '상쇄'는 많고 적은 것이 서로 영향을 주어 균형을 이룬다는 의미입니다. 그러므로 '상쇄'의 뜻으로는 '상반되는 것이 서로 영향을 주어 효과가 없어짐.'이 가장 적절합니다.

　오답 피하기 ①은 '상관', ②는 '상충', ③은 '보완', ⑤는 '중용'의 뜻입니다.

생각읽기 3 라플라스의 악마

0 ④   **1** ③   **2** ④   **3** ⑤   **4** ⑤

Q. 인간이 라플라스의 악마가 되어 우주의 앞날을 정확히 예측하기 위해서는 어떤 전제가 성립되어야 하나요?
은하의 움직임과 위치를 정확하게 파악하는 것이 전제되어야 합니다.

이 글은 '라플라스의 악마'에 대해 소개하며 인간이 '라플라스의 악마'가 되어 우주의 앞날을 내다보기 위해서는 은하의 움직임과 위치를 파악해야 한다고 하며 이에 대해 구체적으로 설명하고 있습니다. 우리은하의 움직임과 위치는 과거에 비해서는 많은 부분 과학적으로 입증되었지만 여전히 많은 의문점이 남아 있기 때문에, 우리가 라플라스의 악마가 되어 우주의 모든 것을 예측하는 것은 아직 불가능함을 밝히고 있습니다.

문단으로 생각읽기

[견해 – 반론 – 의문 – 근거 – 근거 – 대답]의 생각 구조

견해와 반론 제시
우주의 미래를 예측할 수 있다고 본 라플라스의 견해와 '라플라스의 악마'라는 말처럼 이는 상상일 뿐이란 반론을 제시함. (1, 2문단)

의문 제기
우리가 우주의 앞날을 예측할 수 있을까에 대한 의문을 제기함. (3문단)

근거 제시
우주의 앞날을 예측하기 위한 전제로서 우리은하의 움직임과 위치에 대해 설명함. (4, 5문단)

핵심 주장
라플라스의 악마가 되어 우주의 미래를 예측하는 것은 아직은 불가능함을 언급하며 글을 마무리함. (6문단)

0 (라)에 따르면 우리은하를 끌어당기는 인력체가 존재할 것으로 추정되고 있으나 구체적인 존재는 한 번도 관측되지 않았습니다. 또한 라플라스의 악마는 상상 속에 존재하는 것일 뿐이므로, 상상처럼 우주의 앞날을 예측하는 것은 불가능합니다. 그러므로 이 글에 반영되지 않은 것은 ㉯, ㉺입니다.

출제 의도 글의 전개 과정에 따른 세부 내용을 파악하는 문제입니다. 글의 흐름을 살펴보고 글에 나타난 내용과 그렇지 않은 내용을 구분할 수 있어야 합니다.

1 이 글은 라플라스의 악마라는 가설에 대해 우리은하의 위치와 움직임을 통해 분석적으로 설명한 후, 라플라스의 악마 가설이 실현될 가능성이 없다는 글쓴이의 생각을 밝히고 있습니다. 그러므로 ③이 가장 적절합니다.

2 (다)에서 우리가 라플라스의 악마가 되어 우주의 앞날을 정확히 예측할 수 있는지에 대해 묻고 있는데, 이에 대한 답은 (바)에 제시되어 있습니다.

3 우리은하가 고정되어 있지 않고 특정한 방향으로 빠르게 운동하는 이유는 중력을 행사하는 인력체가 존재하기 때문이라고 하였습니다. 그런데 그 속도가 지구가 지구 중력을 벗어나는 데 필요한 속도의 55배가 넘는다고 하였으므로, 지구가 중력을 벗어나는 속도와 비슷하다고 한 ⑤는 적절하지 않습니다.

오답 피하기 ①, ② 우리은하의 움직임에 대한 설명으로, 모두 (라)에서 확인할 수 있습니다.
③ (마)에서 우리은하는 상대적으로 은하의 밀도가 굉장히 낮은 곳에 위치하는데, 그곳이 바로 보이드의 가장자리라고 하였습니다.
④ (마)의 '은하들이 점점 흩어지면서 보이드의 빈 공간은 더욱 커지고 있다.'라는 설명에서 알 수 있습니다.

4 라플라스의 악마는 우주에 존재하는 모든 원자들의 현재 위치, 운동 방향, 속도를 정확히 아는 존재를 말합니다. 그러나 원자들의 위치가 원자의 움직임을 결정한다는 내용은 이 글에 제시되어 있지 않습니다.

오답 피하기 ① (나)의 '오랫동안 과학자들을 혼란스럽게 했던 라플라스의 상상 속 도깨비'를 라플라스의 악마라고 한다는 것에서 알 수 있습니다.
②, ③ (가)를 참고할 때, 수학자 라플라스가 상상했던 전지전능한 도깨비인 라플라스의 악마가 가진 특징에 해당합니다.
④ (나)에서 라플라스의 악마 가설에 따를 때, '현재 우주의 모습은 태초에 전부 결정되어 있었다는 결정론의 함정에 빠지게 된다.'라고 하였습니다.

생각읽기 4 지진을 예측할 수 있을까

| **0** ③ | **1** ③ | **2** ① | **3** ④ | **4** ⑤ |

Q 지진을 언제나 정확하게 예측하는 것이 가능한가요?
지진은 예측할 수 있으나 그 정확도는 일정하지 않습니다.

이 글은 지진으로 인한 피해가 지속적으로 일어나고 있지만 지진을 정확하게 예측하기 어려운 이유를 지진의 특성을 바탕으로 설명하고 있습니다. 그리고 정확한 지진 예측이 어려우므로 사전 대비만이 지진에 대처하기 위한 최선의 방법임을 밝히고 있습니다.

🔲 문단으로 생각읽기

[도입 – 근거 – 근거 – 주장]의 생각 구조

도입 — 사례 제시
지진으로 인해 큰 피해를 입은 사례를 소개하며 지진 피해의 심각성을 제시함. (1문단)

근거 ─ 근거 — 주장 및 근거 제시
지진은 정확한 예측이 무척 어려운 자연 재해에 해당함을 언급하고 그 사례를 제시함. (2, 3문단)

주장 — 핵심 주장
지진 예측 방법을 안내하고, 현재 기술로 정확한 지진 예측이 불가능하므로 지진 예측이 어려운 만큼 지진 피해를 줄이기 위한 사전 대비가 필요함을 강조함. (5문단)

0 이 글은 지진으로 인한 피해 사례를 제시하고, 지진 예측이 얼마나 어려운지 설명하고 있습니다. 땅속 깊은 곳에서 벌어지는 지진을 정확히 예측하는 것은 지금으로서는 불가능하므로 사전 대비를 통해 피해를 줄일 것을 주장하고 있습니다. 이러한 글의 흐름을 고려할 때 제목으로 가장 적절한 것은 ③입니다.

> **출제 의도** 글의 제목은 글의 주제를 포함합니다. 글 전체를 아우를 수 있는 제목을 생각할 수 있어야 합니다.

1 이 글은 구체적 사례를 들어 지진을 예측하는 일은 매우 어려운 일이므로 지진 피해를 최소화하기 위해 어떤 대비를 하며 어떤 노력을 해야 하는지 제시하고 있습니다.

2 1문단에 따르면 2015년 네팔에서 일어난 지진은 많은 전문가들이 예측하고 경고했지만 네팔 당국이 이에 전혀 대비하지 못했기 때문에 인명 피해가 컸던 사례에 해당합니다.

> **오답 피하기** ② 2문단에서 지진은 접근하기조차 어려운 땅속 깊은 곳에서 발생하기 때문에 관찰이나 예측이 힘들다고 하였습니다.
> ③ 3문단의 첫 번째 사례에서 지진 예측이 일기 예보처럼 일상적으로 이루어질 것이라고 대대적으로 보도되었다는 내용을 통해 알 수 있습니다.
> ④ 3문단에는 전조 현상으로 지진을 정확히 예측하여 인명 피해를 줄일 수 있었던 1975년 중국 랴오닝성 지진이 소개되어 있습니다.
> ⑤ 3문단의 두 번째 사례에 따르면 허베이성 지진은 전조 현상이 전혀 없어서 예측이 어려웠고, 이에 따라 많은 인명 피해가 있었습니다.

3 이 글에 따르면 지진을 정확히 예측하는 것은 현실적으로 불가능하기 때문에 지진의 피해를 최소화할 수 있도록 튼튼한 건물을 짓는 것이 지진에 대비하는 최선의 방법입니다.

> **오답 피하기** ① 지진 발생 지역의 확대에 관한 내용은 이 글에 제시되어 있지 않습니다.
> ② 지진 예측 방법이 장기, 중기, 단기로 나뉘기는 하나, 이것이 내진 설계를 꼼꼼하게 해야 하는 이유로 볼 수는 없습니다.
> ③ 지진이 인간 사회에 끼치는 피해는 너무나 잘 알려져 있습니다.
> ⑤ 어떠한 지진에서 전조 현상이 더 많이 일어나는지는 언급되어 있지 않습니다.

4 문맥을 고려할 때 ⑤는 '느끼어 알게 되다.'라는 뜻입니다.

> **오답 피하기** ① '융기하다'는 '땅이 기준면에 대하여 상대적으로 높아지다.'라는 뜻입니다.
> ② '대응하다'는 '어떤 일이나 사태에 맞추어 태도나 행동을 취하다.'라는 뜻입니다.
> ③ '방출되다'는 '입자나 전자기파의 형태로 에너지가 내보내지다.'라는 뜻입니다.
> ④ '예측하다'는 '미리 헤아려 짐작하다.'라는 뜻입니다.

생각읽기 5 로렌츠가 본 인간의 공격성

| 0 ④ | 1 ⑤ | 2 ④ | 3 ② | 4 ⑤ |

Q 글쓴이가 인간이 만물의 영장이라고 불릴 만한 존재인지 의문을 갖게 된 이유는 무엇인가요?
대량 살상이 세계 도처에서 빈번하게 발생하고, 인간만이 자신의 종족에게 위협적인 존재가 되고 있기 때문입니다.

이 글은 인간의 공격성에 대한 로렌츠의 진단과 처방을 소개하고 있습니다. 로렌츠는 인간은 다른 동물들처럼 진화의 과정을 거친 동물로 기술이 발달하면서 종족을 공격하는 위협적인 존재가 되었다고 보고, 인간의 공격성을 제거하는 것은 어려우나 공격성의 방향을 옳은 방향으로 바꿀 수 있으며, 공격성은 집단 안에서의 상호 관계를 통해 변할 수 있다는 입장을 보였습니다.

■ 문단으로 생각읽기

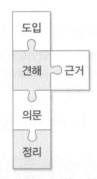

[도입 – 견해 – 근거 – 의문 – 정리]의 생각 구조

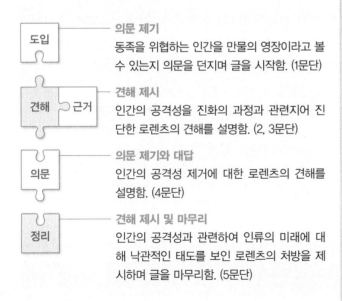

도입 ── **의문 제기**
동족을 위협하는 인간을 만물의 영장이라고 볼 수 있는지 의문을 던지며 글을 시작함. (1문단)

견해 ─ **근거** ── **견해 제시**
인간의 공격성을 진화의 과정과 관련지어 진단한 로렌츠의 견해를 설명함. (2, 3문단)

의문 ── **의문 제기와 대답**
인간의 공격성 제거에 대한 로렌츠의 견해를 설명함. (4문단)

정리 ── **견해 제시 및 마무리**
인간의 공격성과 관련하여 인류의 미래에 대해 낙관적인 태도를 보인 로렌츠의 처방을 제시하며 글을 마무리함. (5문단)

0 로렌츠는 인간의 공격성에 대해 진단하고 이를 극복하기 위한 처방을 제시했습니다. 인간은 공격성을 가진 동물로서 내재된 공격성을 제거하기는 어렵지만 공격성을 긍정적으로 배출할 수 있다고 하며 인류에게는 희망이 있다고 주장했습니다. 이러한 내용이 잘 표현된 것은 ④입니다.

출제 의도 로렌츠의 인간관을 전반적으로 이해했는지 확인하는 문제입니다. 로렌츠가 인간의 본능을 무엇으로 파악했는지, 인류의 미래에 대해 어떤 입장을 취했는지 파악해야 합니다.

1 3문단에 따르면 인간은 신체적으로 미약한 존재라 자신의 힘으로 동족을 죽이는 것이 매우 어렵기에 진화 과정에서 억제 매커니즘을 획득하지 못했습니다. 그러므로 ⑤의 물음은 적절하지 않습니다.

오답 피하기 ① 1문단에 따르면 인간은 뛰어난 지력과 이성을 가진 존재이므로 만물의 영장이라고 불립니다.
② 2문단에 따르면 로렌츠는 공격성은 동물의 가장 기본적인 본능이므로 동물인 인간도 공격성을 갖고 있다고 보았습니다.
③ 2문단에 따르면 로렌츠는 동물의 가장 기본적인 본능은 공격성이라고 이해했습니다.
④ 2문단에 따르면 로렌츠는 진화 과정에서 단합된 형태로 공격성을 띤 종족이 생존에 유리했기 때문에 인간이 호전성에 대한 열광을 갖게 되었다고 보았습니다.

2 ㉠은 인간에 내재된 공격성을 제거하는 것이 어렵다는 로렌츠의 생각을 제시하고 있습니다. ④에서 보호 관찰 중에도 범죄를 저지르는 비율이 상당히 높다는 것은 인간이 잘 교화되지 않는, 즉 내재된 공격성을 제거하기 어렵다는 것을 보여 주는 사례로 볼 수 있습니다.

3 로렌츠는 인간의 공격성이 후천적으로 만들어지는 것이 아니라 타고나는 것이라고 보았습니다.

오답 피하기 ① 로렌츠는 인간을 진화의 과정을 거친 동물로 보았습니다.
③ 기술 발달로 인간이 살상 능력을 갖추게 되자 동족을 살육하는 결과를 낳게 되었다고 하였습니다.
④ 인간의 공격성은 긍정적인 측면과 부정적인 측면을 모두 가지고 있어서 인류 역사에도 중요한 영향을 끼쳤다고 보았습니다.
⑤ 인간의 공격성을 이성으로 제거하는 것은 어렵다고 하였습니다.

4 로렌츠는 증오심을 불러일으키지 않는 경쟁을 허용하고 공경성의 대상이 될 만한 개인들이나 집단과 우정을 증진시키는 등 공격성을 바람직한 방향으로 바꾸어야 한다고 했습니다. 따라서 경쟁과 공격이 규칙이 되는 스포츠 활동으로 인간의 공격성을 해소하면 경쟁은 성취감으로 이어지고 서로 친밀감을 형성할 수 있습니다.

생각읽기 6 미래파 미술

0 미술, 기계, 전쟁   **1** ②   **2** ⑤   **3** ④
4 ③

Q 속도에 주목한 미래파 미술과 대조를 이루는 과거 미술의 특징은 무엇인가요?

과거의 미술은 정적인 자연이나 인간을 주로 묘사하였습니다.

이 글은 20세기 초반에 유럽에서 파급된 예술 운동인 미래파에 대해 소개하고 있습니다. 미래파의 기원을 토대로 미래파의 특징을 제시하고 미술 분야에서 미래파가 어떻게 발현되었는지 실제 사례를 활용해 상세히 설명하고 있습니다. 그리고 미래파는 새로운 시대의 미술로서 의의를 갖고 있으나, 전쟁을 옹호하고 파시즘과 결탁했다는 비판을 받고 있음을 밝히고 있습니다.

■ 문단으로 생각읽기

[도입 – 전개 – 예시 – 정리]의 생각 구조

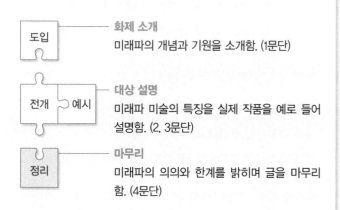

도입 — 화제 소개
미래파의 개념과 기원을 소개함. (1문단)

전개 / 예시 — 대상 설명
미래파 미술의 특징을 실제 작품을 예로 들어 설명함. (2, 3문단)

정리 — 마무리
미래파의 의의와 한계를 밝히며 글을 마무리함. (4문단)

0 미래파는 여러 예술 분야 중 미술 영역에 끼친 영향이 매우 큽니다. 기계 문명을 작품의 소재로 삼았고, 시대에 맞는 혁명적이고 건설적인 생각을 작품에 드러냈다는 점에서는 의의가 있지만 전쟁을 옹호했다는 점에서는 비판을 받습니다.
출제 의도 글의 핵심 제재인 미래파의 전반적인 특징을 이해했는지 확인하는 문제입니다.

1 미래파는 과거의 모든 것들을 부정적으로 이해했으므로 과거의 것(부정적 측면)을 긍정적으로 표현했다는 ②의 설명은 적절하지 않습니다.

2 과거의 모든 것을 부정적으로 본 미래파는 과거를 한 번에 청산하는 가장 좋은 방법이 전쟁이라고 인식했습니다. 그래서 전쟁을 옹호하고 파시즘을 찬양했다는 점에서 비판을 받았습니다. 〈보기〉는 미래파의 이러한 부정적 측면을 보여 주는 것으로, 이를 바탕으로 적절하게 이해한 것은 ⑤입니다.

3 2, 3문단에 따르면 미래파 미술은 기계가 가진 차가운 속성을 주제로 삼았고(ⓑ), 움직이는 대상의 속도감을 작품 속에 시각화하여 표현하고자 노력했으며(ⓓ), 기계 문명을 상징하는 다양한 소재를 작품에 활용하여(ⓔ) 표현했습니다.
오답 피하기 ⓐ 미래파는 대상 자체보다는 대상의 움직임에 주목했습니다.
ⓒ 움직임이 있는 대상을 작품으로 많이 표현했으나 움직이지 않는 대상을 모두 부정적으로 여겼다고 볼 수는 없습니다.

4 발과 꼬리가 빠르게 흔들리는 모습을 시각화하여 표현한 「끈에 묶인 개의 역동성」은 대상의 움직임과 속도에 주목한 미래파 미술의 특징을 잘 보여 주고 있습니다.
오답 피하기 ① 기계 문명을 상징하는 소재를 많이 활용한 것은 미래파 미술의 특징이지만, 〈보기〉에는 나타나 있지 않습니다.
② 오래된 것들을 부정적으로 파악한 것은 미래파의 특징이지만, 〈보기〉에서 그러한 특징을 찾아볼 수 없습니다.
④, ⑤ 산업화, 기계화된 시대와 인간, 동물을 연결 지은 내용은 이 글을 통해 판단하기 어려우며, 미래파의 한계는 전쟁을 옹호한 것이므로 기계화된 사회에서의 인간의 삶을 표현한 것과는 상관없습니다.

생각의 구조화 MIND MAP

생각읽기**1** ⓛ	생각읽기**2** ⓛ	생각읽기**3** ⓔ
생각읽기**4** ⓒ	생각읽기**5** ⓜ	생각읽기**6** ⓖ
1 미래학	**2** 소비	**3** 우리은하
4 지진	**5** 로렌츠	**6** 미래파

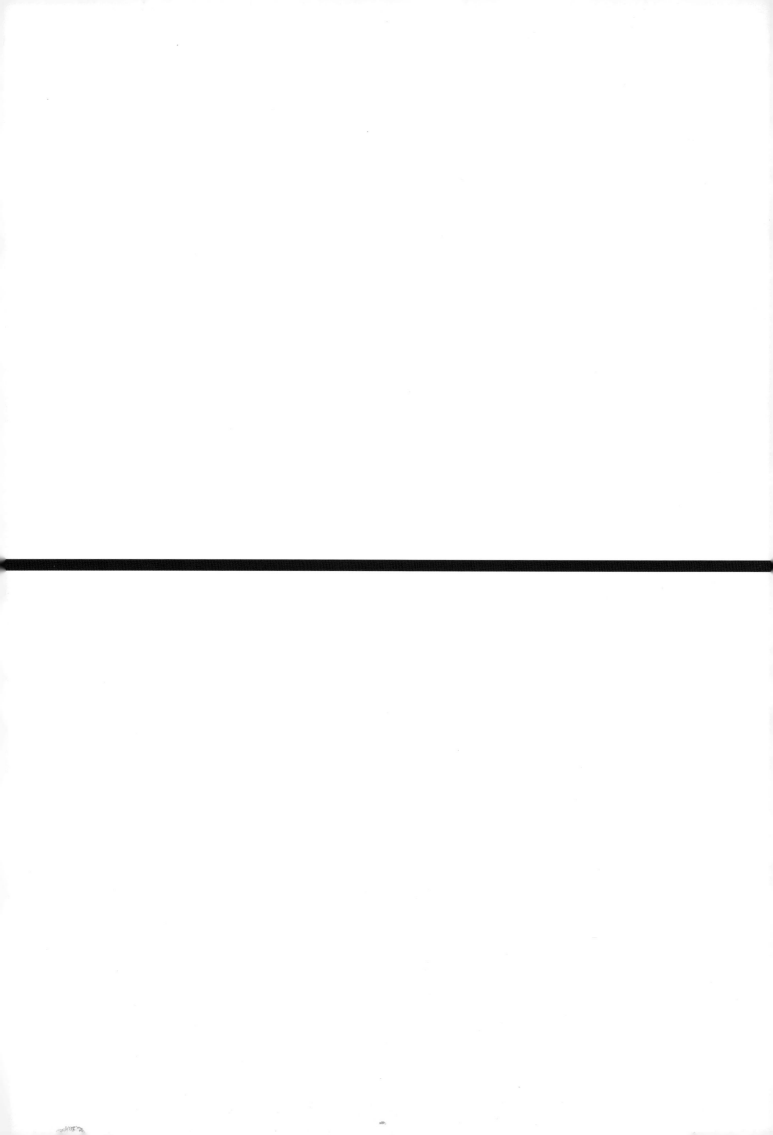

기초에서 심화까지

단단한 수학 자신감의 완성!
디딤돌 중학 수학

중학 수학은 '무엇을 풀까?' 보다 '**어떻게 풀까?**'가 중요합니다.
디딤돌 중학 수학으로 개념을 이해하면 새로운 문제도 '**이렇게 풀면 되겠네.**'
응용, 심화, 유형에 흔들리지 않는 수학 자신감이 생깁니다.

생각 읽기가 독해다!

이 책을 쓰신 분들

나태영　국어전문저자

김보라　영동일고등학교

김보미　고척고등학교

박성희　국사봉중학교

박석재　중앙대학교 사범대학 부속고등학교

박정준　오산고등학교

서경원　창현고등학교

유한아　국어전문저자

윤구희　효문중학교

윤치명　보성여자고등학교

이경호　중동고등학교

이민규　오산고등학교

정송희　고려대학교 사범대학 부속중학교

채재준　채재준 국어전문학원

홍성구　덕원여자고등학교

디딤돌 생각독해 [중등 국어] V

펴낸날 [초판 1쇄] 2020년 12월 15일

펴낸이 이기열

펴낸곳 (주)디딤돌 교육

주소 (03972) 서울특별시 마포구 월드컵북로 122 청원선와이즈타워

대표전화 02-3142-9000

구입문의 02-322-8451

내용문의 02-325-6800

팩시밀리 02-338-3231

홈페이지 www.didimdol.co.kr

등록번호 제10-718호

구입한 후에는 철회되지 않으며 잘못 인쇄된 책은 바꾸어 드립니다.

이 책에 실린 모든 삽화 및 편집 형태에 대한 저작권은

(주)디딤돌 교육에 있으므로 무단으로 복사 복제할 수 없습니다.

Copyright ⓒ Didimdol Co. [2001850]

※ (주)디딤돌 교육은 이 책에 실린 모든 글의 출처를 찾기 위해
　최선의 노력을 기울였습니다.
　저작권자를 찾지 못해 허락을 받지 못한 글은 저작권자가 확인되는 대로
　통상의 사용료를 지불하겠습니다.

생각 읽기가 독해다!

생각독해

생각을 깨우는
시 작 편

생각독해는 생각의 확장과 통합이 가능한 빅 아이디어로 구성되어 있어요. 빅 아이디어란 교과 지식뿐 아니라, 인문학에서도 주제를 선별, 이를 통합할 수 있는 대주제를 말합니다.

생각독해 I

Big Idea
1. 호기심
2. 빅 퀘스천
3. 해프닝
4. 도구
5. 차이
6. 기원
7. 소멸

생각을 만나는
기 본 편

생각독해 II

Big Idea
1. 발견
2. 빛
3. 아름다움
4. 힘
5. 신비
6. 라이벌
7. 존재

생각독해 III

Big Idea
1. 욕망
2. 운동
3. 원리
4. 패러다임
5. 비밀
6. 본질
7. 상상

생각을 생각하는
심 화 편

생각독해 IV

Big Idea
1. 즐거움
2. 위기
3. 선택
4. 효율
5. 아이러니
6. 공존
7. 한계

생각독해 V

Big Idea
1. 소통
2. 균형
3. 변화
4. 수수께끼
5. 진화
6. 시스템
7. 미래

Why를 생각하다

생각은 '왜'라는 질문에서 시작한다.

생각의 문을 여는 모든 지식은 대부분 '왜'라는 질문에서 시작합니다.
인간 존재, 우리를 둘러싼 사회와 문화, 우주와 자연 등,
생각독해 1권에서는 진지한 물음을 던지고 답하는 과정에서 독해에 필요한
생각하는 힘을 깨울 수 있습니다.

What을 생각하다

'왜'라는 생각에서 '무엇'을 생각하는가로

'세상은 무엇으로 이루어져 있는가'와 '그 속에서 우리는 어떻게 살아가야 하는가'라는
문제는 꼭 철학자가 아니더라도 여전히 수많은 사람들이 질문하고 있습니다.
생각독해 2, 3권에서는 '무엇'과 관련된 물음에 대한 답을 찾는 과정에서
다양한 생각들을 만날 수 있습니다.

How를 생각하다

'무엇'을 생각하는가에서 '어떻게' 생각하는가로

어느 한 분야에서 달인이 되고자 한다면 필요한 도구의 용법을 익히고, 실력을 키워
나가야 합니다. 생각독해의 마지막 단계에서는 '무엇을 생각하는가'에서 '어떻게
생각하는가'로 초점이 옮겨지는 심화 과정을 통해
스스로 '어떻게'를 생각하는 단계에까지 이르도록 합니다.

생각독해,
왜 해야 할까?

1 생각독해는 **'독서'와 '독해'를 모두 할 수 있습니다.**

> 짧게는 초등 6년, 길게는 중등 3년의 시간이 '독서'의 전부입니다. 읽어야 할 책은 많고 그 범위는 넓은데, 시간은 늘 부족하기만 합니다. '독서'와 '독해'를 모두 할 수 있도록 생각독해를 구성한 이유가 바로 여기에 있습니다.

2 생각독해는 **글쓴이의 입장이 되어 글을 읽는 것입니다.**

> 글쓴이의 입장이 되어 제대로 사고하는 과정을 배우는 것이 독해의 핵심입니다. '독해력'은 지식을 암기해서 얻을 수 있는 것이 아니라, 복잡한 글에서 얼마나 빠르고 정확하게 글쓴이의 생각을 이해하고 논리적으로 사고할 수 있느냐에 달려 있습니다.

3 생각독해는 **서로 다른 영역의 통찰을 주고받는 것입니다.**

> 국어, 수학, 과학, 역사, 음악 등 과목을 나누는 것처럼 독해를 할 때에도 이렇게 독립적으로 생각하는 것은 '생각읽기'의 본질을 절반만 이해하는 것입니다. 생각은 서로 다른 영역의 통찰을 주고받을 수 있을 때 비로소 완성됩니다.

4 생각독해로 **수능에 맞춰 생각하는 힘을 기를 수 있습니다.**

> 중학생부터는 다양한 영역을 접해 생각을 넓히는 훈련에 익숙해져야 합니다. 각 영역에 속하는 지식을 깊게 학습하는 건 대학에 가서 해도 늦지 않습니다. 지금은 여러 영역의 생각들을 넓게 접하는 것이 어떤 지문이 나올지 예측할 수 없는 수능에 대비하는 가장 효과적인 방법입니다.

생각독해,
무엇일까?

글에 담긴 생각읽기

독해는 글을 읽고 그 뜻을 이해하는 능력을 말합니다. 독해력의 기본은 글쓴이의 생각에 따라 짜여진 정보들, 즉 글의 내용을 얼마나 정확하게 파악할 수 있느냐에 달려 있습니다.

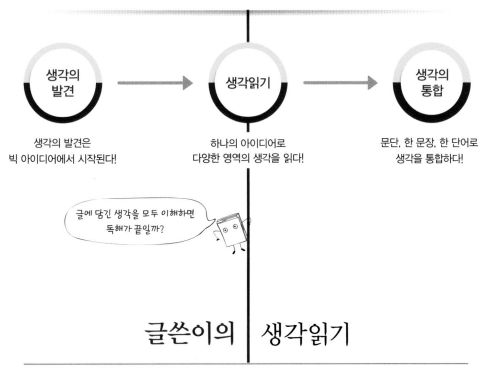

생각의 발견

생각읽기

생각의 통합

생각의 발견은
빅 아이디어에서 시작된다!

하나의 아이디어로
다양한 영역의 생각을 읽다!

문단, 한 문장, 한 단어로
생각을 통합하다!

글에 담긴 생각을 모두 이해하면
독해가 끝일까?

글쓴이의 생각읽기

어떤 글이든 글쓴이의 생각이 담겨 있지 않은 글은 없습니다. 그런데 글쓴이는 자신의 생각을 바로 말하지 않고 글 속에 꽁꽁 숨기곤 합니다. 독해력을 기르는 최고의 전략은 글의 내용을 읽어 내는 것뿐 아니라 **글쓴이의 입장이 되어** 글쓴이의 생각을 읽어 내는 것입니다.

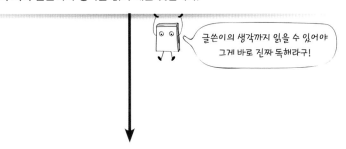

글쓴이의 생각까지 읽을 수 잇어야
그게 바로 진짜 독해라구!

생각읽기가 독해다!

생각독해,
어떻게 해야 할까?

시작

기본

심화

똑같은 장면을 보고 왜 다른 생각을 하는 걸까?

생각독해는 '왜'라는 질문에서 시작해 '무엇을', '어떻게'에 관해 생각해 볼 수 있도록

다양한 영역을 관통하는 '빅 아이디어'를 선정해

단순히 글을 읽는 것을 넘어 생각하는 힘을 기를 수 있도록 도와줍니다.

독해, 이제 생각독해로 제대로 시작해 볼까요?